dkv kunst kompakt

Digital Art

Übersetzt von Christian Werner unter Mitarbeit von Hartmut Härer und Katja Richter

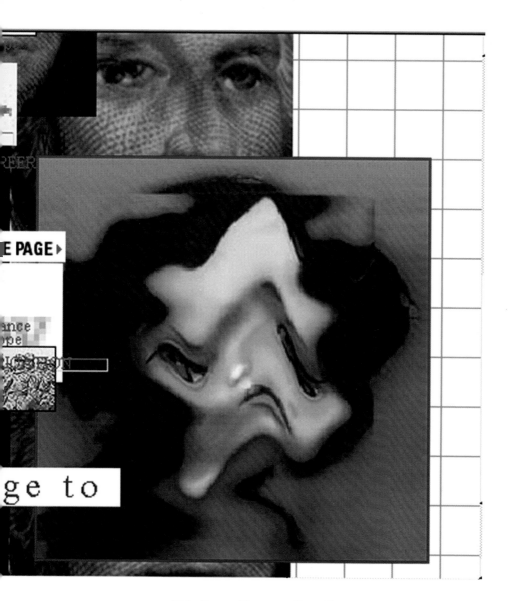

Christiane Paul **Digital Art**

DEUTSCHER KUNSTVERLAG

CHRISTIANE PAUL war als außerordentliche Kuratorin für Medienkunst am Whitney Museum in New York tätig und war Direktorin des von ihr gegründeten Online-Magazins *Intelligent Agent*, das sich mit digitaler Kunst beschäftigt. Sie ist außerordentliche Professorin am Fachbereich Computerkunst an der School of Visual Arts, New York, und am Fachbereich Digital + Media der Rhode Island School of Design. Sie hat zahlreiche Texte über Mediale Kunst verfasst und auf der ganzen Welt zu Computerkunst gelehrt.

Für meine Eltern

Mein besonderer Dank gilt all den Künstlern, Kuratoren und Kritikern, die über ein Jahrzehnt lang so großzügig ihr Wissen und ihre Ideen mit mir geteilt haben. Dieses Buch wäre ohne sie nicht möglich gewesen.

Bibliografische Information der Deutschen Nationalbibliothek
Die Deutsche Nationalbibliothek verzeichnet diese Publikation in der Deutschen Nationalbibliografie; detaillierte bibliografische Daten sind im Internet über http://dnb.d-nb.de abrufbar.

Umschlagabbildung: Giselle Beiguelman, *Somtimes Never*, 2005, mit Genehmigung des ZKM Karlsruhe

Umschlaggestaltung: Ann Katrin Siedenburg

Druck und Bindung: CS Graphics, Singapore

Deutsche Erstausgabe 2011 im Deutschen Kunstverlag Berlin München mit Genehmigung von Thames & Hudson, London
© 2003 und 2008 Thames & Hudson Ltd., London, für die Originalausgabe
© 2011 Deutscher Kunstverlag GmbH Berlin München für die deutsche Ausgabe
ISBN 978-3-422-07097-4

1. (Titelblatt)
Mark Napier,
Riot, 1999.

Inhalt

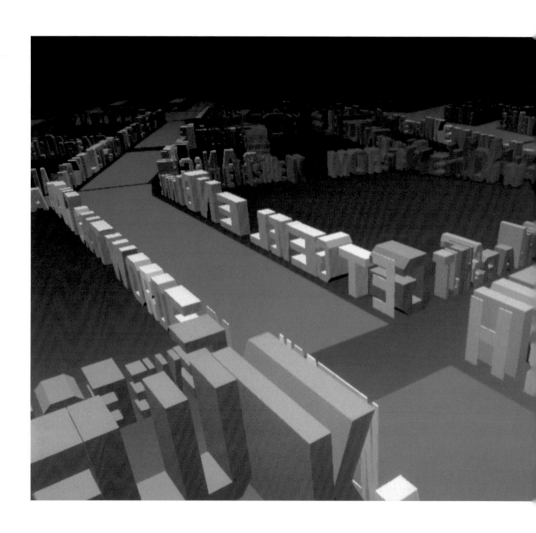

2. **Jeffrey Shaw**,
The Legible City
(Amsterdam), 1990

Einführung

In den 1990er Jahren waren wir Zeugen der sogenannten „digitalen Revolution", einer beispiellosen Beschleunigung der technologischen Entwicklung im Bereich der digitalen Medien. Obwohl viele Grundlagen schon bis zu sechzig Jahre zuvor entwickelt worden waren, wurde die Digitaltechnik erst im letzten Jahrzehnt des zwanzigsten Jahrhunderts nahezu allgegenwärtig: Hardware und Software wurden immer ausgeklügelter und zugleich immer erschwinglicher, und die Verbreitung des World Wide Web Mitte der 1990er Jahre hob die globale Vernetzung auf eine neue Ebene. Wie so oft waren Künstler mit unter den Ersten, die sich über die Kultur und die Technik ihrer Zeit Gedanken machten. Jahrzehnte, bevor die digitale Revolution offiziell proklamiert wurde, hatten sie bereits mit digitalen Medien experimentiert. Zunächst wurden ihre Ergebnisse allerdings überwiegend im Rahmen von Konferenzen, Festivals und Symposien gezeigt, die sich mit Technik oder elektronischen Medien beschäftigten; ihr Verhältnis zur Welt der Mainstream-Kunst betrachtete man bestenfalls als ein peripheres. Bereits Ende des vergangenen Jahrhunderts war „Digital Art" jedoch ein etablierter Begriff, und überall in der Welt hatten Museen und Galerien begonnen, digitale Kunstwerke zu sammeln und große Ausstellungen zu organisieren.

Die Terminologie im Bereich der technischen Kunst unterlag von Beginn an besonders schnellen Veränderungen. Was heute als Digital Art bekannt ist, wurde seit seinem ersten Auftreten mehrfach umbenannt: Zunächst, seit den 1970er Jahren, wurde digitale Kunst als „computer art", dann als „multimedia art" apostrophiert. Aktuell wird sie unter dem Sammelbegriff „new media art" gefasst, der am Ende des zwanzigsten Jahrhunderts überwiegend für Film und Video, Klangkunst und andere Mischformen gebräuchlich war. Das Attribut „neu" verweist dabei auf den flüchtigen Charakter der Terminologie. Aber die Behauptung der Novität wirft auch die Frage auf, was nun genau das Neue an den digitalen Medien ausmacht? Manche Konzepte der digitalen Künste sind fast ein Jahrhundert alt, und mit vielen anderen haben sich schon die „traditionellen" Künste auseinandergesetzt. Wirklich neu ist allerdings, dass die Digitaltechnik inzwischen einen Entwicklungsstand erreicht hat, der völlig andere Möglichkeiten für die Gestaltung und Rezeption von Kunst eröffnet. Einige dieser Möglichkeiten werden im Folgenden skizziert.

Der Begriff „Digital Art" selbst ist zu einem Oberbegriff für ein so breites Spektrum von Kunstwerken und künstlerischen Praxen geworden, dass er keine einheitliche Ästhetik beschreibt. Dieses Buch gibt einen Überblick über die vielfältigen Formen digitaler

Kunst, die charakteristischen Merkmale ihrer ästhetischen Sprache und über ihre Entwicklung aus technischer und kunstgeschichtlicher Sicht. Dabei soll grundsätzlich unterschieden werden zwischen einer Kunst, die auf digitale Techniken als Werkzeuge für die Erschaffung traditioneller Kunstwerke – wie zum Beispiel Fotografien, Drucke, Plastiken oder Musikstücke – zurückgreift, und einer Kunst, die digitale Techniken als ihr ureigentliches Medium begreift, die also ausschließlich in digitaler Form produziert, gespeichert und präsentiert wird und den interaktiven oder partizipativen Charakter des Mediums nutzt. Obwohl zwischen beiden Kunstformen aufgrund der inhärenten Eigenschaften der Digitaltechnik Gemeinsamkeiten bestehen, unterscheiden sie sich oft deutlich in ihren Ausprägungen und in ihrer Ästhetik. Diese beiden weit gefassten Kategorien sind daher nicht als abschließende Klassifikationen zu verstehen, sondern als vorläufige schematische Einteilung für einen Bereich, der von Natur aus außerordentlich uneinheitlich und hybride ist. Zwar mögen Definitionen und Kategorien dabei hilfreich sein, gewisse Schlüsselmerkmale eines Mediums zu bestimmen. Sie bergen aber auch die Gefahr, sich bereits im Vorfeld Beschränkungen in der Herangehensweise und im Verständnis aufzuerlegen, insbesondere dann, wenn eine Kunstform noch in andauernder Entwicklung begriffen ist, wie im Fall der digitalen Kunst. Im Folgenden soll versucht werden, ein möglichst breites Spektrum der diversen Ausprägungen digitaler Künste und der Arten, wie sie künstlerische Praxen erweitern und in Frage stellen, zu erfassen. Nichtsdestotrotz kann nur eine kleine Auswahl aus dem weiten Feld digitalen Kunstschaffens präsentiert werden. Viele Spielarten digitaler Kunst und der Themen, die in den folgenden Seiten umrissen werden, würden leicht eigenständige Bücher füllen.

Zur Geschichte von Technik und Kunst

Aus naheliegenden Gründen wurde die Geschichte der Digital Art ebenso durch die Entwicklungen in Wissenschaft und Technik wie durch kunstgeschichtliche Einflüsse geprägt. Die technische Entwicklung der digitalen Kunst ist unauflöslich mit den Bereichen von Militär, Industrie und Forschung verbunden, genauso aber auch mit der Konsumkultur und deren Techniken (was bei vielen der in diesem Buch behandelten Kunstwerke eine maßgebliche Rolle spielt). Computer, kurz gesagt, erblickten das Licht der Welt in einem akademischen Forschungsumfeld, und bis heute spielen Universitäten und Forschungszentren eine tragende Rolle bei der Entstehung einiger Formen digitaler Kunst.

1945 veröffentlichte die Zeitschrift *Atlantic Monthly* den Artikel „As We May Think" des Armeewissenschaftlers Vannevar Bush, einen Essay, der einen ganz entscheidenden Einfluss auf die Ge-

3. UNIVAC,
Datierung unbekannt.
Mithilfe des UNIVAC (Universal Automatic Computer) wurde Dwight D. Eisenhowers Sieg bei den US-Präsidentschaftswahlen 1952 vorausgesagt.

schichte des Computers hatte. Der Artikel beschrieb ein Memex genanntes Gerät, einen Schreibtisch mit durchscheinenden Bildschirmen, der den Benutzern ermöglichen sollte, Dokumente zu durchstöbern und sich ihren eigenen Pfad durch ganze Sammlungen von Dokumenten zu bahnen. Bush stellte sich vor, dass man das Material für den Memex – Bücher, Zeitschriften, Bilder – in Form von Mikrofilmen kaufen könne, die man nur einlegen müsse, und dass die Nutzer Daten auch direkt eingeben könnten. Der Memex wurde niemals gebaut, man kann ihn jedoch als einen konzeptionellen Vorläufer elektronisch verlinkter Datenbestände und letztlich des Internets als einer riesigen, weltweit zugänglichen, vernetzten Datensammlung ansehen. Der Memex war noch als ein Analoggerät gedacht. Bereits 1946 stellte die Universität von Pennsylvania jedoch den weltweit ersten Digitalrechner, den ENIAC (Electronic Numerical Integrator and Computer) vor, der einen ganzen Raum einnahm. Und 1951 wurde der erste kommerziell verfügbare Digitalrechner, UNIVAC, patentiert, der sowohl numerische als auch Textdaten verarbeiten konnte. Parallel zu diesen technischen Entwicklungen entstand in den 1940er Jahren die Wissenschaft der Kybernetik (abgeleitet von dem griechischen Begriff kybernetes, übersetzt „Leitung" oder „Steuermann"). Der amerikanische Mathematiker Norbert Wiener (1894–1964) prägte den Begriff für die vergleichende Untersuchung unterschiedlicher Kommunikations- und Steuerungssysteme, wie etwa denen des Computers und des menschlichen Gehirns. Wieners Theorien bildeten den Ausgangspunkt für das Konzept der sogenannten Mensch-Maschine-Symbiose, mit dem sich später eine Reihe von Künstlern beschäftigte.

Die 1960er Jahre – eine Zeit, in der viele Grundlagen für die heutige Technik und deren Verwendung in der Kunst gelegt wurden – sollten sich als eine besonders wichtige Dekade in der Geschichte der Digitaltechnik erweisen.

Der Amerikaner Theodor Nelson entwickelte Vannevar Bushs richtungweisende Überlegungen weiter und prägte 1961 die Begriffe „hypertext" und „hypermedia" für einen Bereich des Schreibens und Lesens, in dem jedermann Texte, Bilder und Klänge elektronisch miteinander verbinden

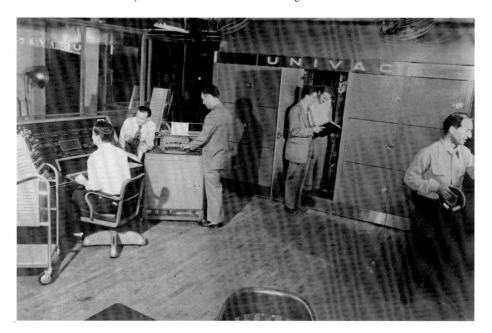

und verknüpften konnte und so zu einem vernetzten „docuverse" beitrug. Nelsons Reich der Querverweise (Hyperlinks) war ein nichtlinearer, sich verzweigender Raum, der es den Lesern und Schreibenden erlauben sollte, sich ihren eigenen Pfad durch die Menge der Informationen zu bahnen. Seine Vorstellungen nahmen offensichtlich den netzwerkgestützten Austausch von Dateien und Nachrichten über das Internet vorweg (eine Idee, die etwa um die gleiche Zeit entstand) – und sicherlich auch das World Wide Web als ein globales Netzwerk miteinander verbundener Webseiten, das in den 1990er Jahren entwickelt wurde. Zuvor, im Jahre 1957, auf dem Höhepunkt des Kalten Krieges, hatte die UdSSR den Sputnik gestartet und damit die USA veranlasst, die zum Verteidigungsministerium gehörende Advanced Research Projects Agenda (ARPA) zu gründen, um im Bereich der Technik ihre führende Position zu behaupten. 1964 entwickelte die RAND Corporation, die tonangebende Denkfabrik während des Kalten Krieges, für die ARPA die Idee eines Internets als Kommunikationsnetzwerk ohne zentrale Kontrollinstanz, das vor nuklearen Angriff sicher sei. 1969 bestand das noch junge Netzwerk, das nach seinem Förderer, dem Pentagon, als ARPANET benannt worden war, aus vier der damaligen „Supercomputer": an der Universität von Kalifornien in Los Angeles, der Universität von Kalifornien in Santa Barbara, des Stanford Research Institute und der Universität von Utah.

Am Ende des Jahrzehnts wurden weitere zentrale Konzepte der Computertechnik und -kultur entwickelt: „Information Space" und „Interface". Im Dezember 1968 hatte Douglas Engelbart vom Stanford Research Institute die Raster- oder Bitmapgrafik, die Fenster (windows) und die direkte Steuerung per Maus vorgestellt. Seine Bitmapgrafik war insofern bahnbrechend, weil sie eine Verbindung zwischen den Elektronen, die durch den Prozessor eines Computers strömen, und dem Bild auf dem Computermonitor herstellte. Ein Computer rechnet in elektrischen Impulsen, die sich als einer der beiden Zustände „an" oder „aus" manifestieren und die man üblicherweise mit den Binärziffern „Null" und „Eins" bezeichnet. Bei der Rastergrafik werden jedem Punkt (Pixel) auf dem Bildschirm kleine Einheiten des Computerspeichers (Bits) zugeordnet, die sich wiederum als „an" oder „aus" manifestieren, und durch „Null" oder „Eins" beschrieben werden können. Einen Computerbildschirm kann man sich also als ein Raster aus Punkten vorstellen, die entweder an oder aus, hell oder dunkel, sind, und die einen zweidimensionalen Raum aufspannen. Engelbarts Erfindung, die Maus – die Verlängerung der Hand des Benutzers in den Datenraum – ermöglichte es, diesen Raum zeigend und ziehend direkt zu beeinflussen. Die grundlegenden Konzepte Engelbarts und seines Kollegen Ivan Sutherland wurden von Alan Kay und einem Team von Forschern am Xerox PARC in Palo Alto, Kalifornien, weiterentwickelt. Ergebnis war die grafische Benutzeroberfläche (Graphic User Interface, GUI) und die „desktop"-Metapher mit den übereinanderliegenden „Fenstern" auf dem Bildschirm. Der Schreibtischmetapher sollte durch den Macintosh von Apple, den Computer „for the rest of us", wie er 1983 beworben wurde, endgültig zum Durchbruch verholfen werden.

So, wie die digitale Kunst durch die Geschichte der digitalen Technik geprägt war, entwickelte sie sich auch nicht in einem kunstgeschichtlichen Vakuum; vielmehr bestehen enge Verbindungen zu früheren Kunstrichtungen, darunter Dada, Fluxus und Konzeptkunst. Vor allem die Betonung von formalen Anweisungen und die Konzentration dieser Bewegungen auf Konzept, Ereignis und Publikumsbeteiligung – im Gegensatz zu in sich geschlossenen, materiellen Kunstwerken – übte großen Einfluss auf die Digital Art aus. Der Dadaismus etwa ästhetisierte die Erzeugung von Gedichten aus zufälligen Variationen von Wörtern und Textzeilen. Es wurden formalisierte Anweisungen benutzt, um ein Werk zu schaffen, das sich aus einem Wechselspiel von Zufall und Kontrolle ergab. Die Vorstellung, dass sich durch die Anwendung von Regeln Kunst erzeugen lässt, steht in ganz offensichtlicher Verbindung zu den Algorithmen, die die Basis jeglicher Software und aller Rechneroperationen bilden: eine Abfolge formaler Anweisungen, die in einer endlichen Anzahl von Schritten ein „Ergebnis" produziert. Genau wie in der dadaistischen Dichtung bildet die Anweisung die konzeptionelle Basis jeder Art von Computerkunst. In Bezug auf Objekte und ihre optischen Eindrücke wurden die Ideen von Interaktion und „Virtualität" in der Kunst schon früh von Künstlern wie Marcel Duchamp und László Moholy-Nagy untersucht. Duchamps *Rotierende Glasplatten (Optisches Präzisionsgerät)*, die er 1920 zusammen mit Man Ray baute, war eine optische Maschinerie, die die Benutzer einlud, sie einzuschalten und in einem bestimmten Abstand davor stehenzubleiben, um den Effekt auf sich wirken zu lassen. Der Einfluss von Moholy-Nagys kinetischen Lichtskulpturen und seine Vorstellung von virtuellen Körpern – „der Umriss oder die Flugbahn eines Objekts in Bewegung" – ist in zahlreichen

4. **Marcel Duchamp**,
*Rotierende Glasplatten
(Optisches Präzisionsgerät)
[in Bewegung]*, 1920.
Duchamps rotierende Vorrichtung war ein frühes Beispiel für interaktive Kunst. Der Betrachter musste die Maschine anschalten und sich in einem Abstand von einem Meter davon postieren.

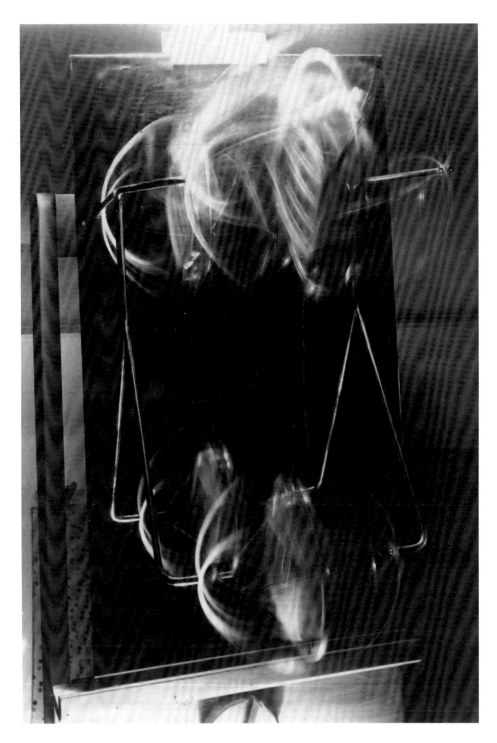

digitalen Installationen wiederzuerkennen. Insbesondere Duchamps Werk hatte sehr großen Einfluss auf die digitale Kunst: Die Verlagerung des Schwerpunkts vom Objekt zum Konzept, die sich in vielen seiner Werke findet, kann man als Vorläufer des „virtuellen Objekts" als einer sich wandelnden Struktur verstehen. Von seinen Ready-mades führt eine direkte Verbindung zu den „gefundenen" (kopierten) Bildern, die in vielen digitalen Kunstwerken eine dominierende Rolle spielen. Duchamp selbst beschrieb sein Werk *L.H.O.O.Q.* (1919), eine Reproduktion der Mona Lisa, der er einen Schnäuzer und einen Spitzbart anmalte, als eine Kombination aus Ready-made und ikonoklastischem Dadaismus. Die strengen Regeln folgende, kombinatorische Vorgehensweise der dadaistischen Dichtung tauchte im Werk von OULIPO (Ouvroir de Littérature Potentielle), einem 1960 von Raymond Queneau und François Le Lionnais gegründeten literarisch-künstlerischen Zirkel, in Frankreich wieder auf. Beide Gründer waren der Meinung, dass jede schöpferische Inspiration einem Kalkül unterworfen sein sollte und zu einem intellektuellen Spiel werden müsse. Ihre kombinatorischen Experimente sind mit der Rekombination medialer Elemente in vielen später entstandenen computergenerierten Environments vergleichbar.

Die Events und Happenings der internationalen Fluxus-Bewegung, einer Gruppe von Künstlern, Musikern und Performern der 1960er Jahre, beruhten häufig ebenfalls auf der Umsetzung präziser Anweisungen. Ihre Verschmelzung von Zuschauerbeteiligung und Event als der kleinsten situativen Einheit nahm auf vielfältige Weise den interaktiven, eventbasierten Charakter mancher Computerkunstwerke vorweg. Die Vorstellung von „vorgefundenen" Elementen und das Wechselspiel von Instruktionen und Zufälligkeiten waren auch für die Werke des amerikanischen Komponisten John Cage grundlegend. Sein Schaffen in den 1950er und 1960er Jahren ist von größter Bedeutung für die Geschichte der Digitalkunst und nahm eine Vielzahl von Experimenten im Bereich der interaktiven Kunst vorweg. Cage beschrieb Struktur in der Musik als ihre Unterteilbarkeit in aufeinanderfolgende Abschnitte. Oft füllte er die vordefinierten Strukturen seiner Kompositionen mit vorgefundenen, bereits existierenden Klängen. Wenig überraschend ist daher, dass Cage ein Bewunderer Duchamps war und ihm in mehreren Stücken seine Referenz erwies.

Das Element einer „kontrollierten Zufälligkeit", das im Dada, OULIPO und in den Kunstwerken von Duchamp und Cage aufscheint, verweist auf eines der grundlegenden Prinzipien und geläufigsten Paradigmen des digitalen Mediums: den wahlfreien Zugriff als die Basis für die Verarbeitung und das Zusammenstellen von Informationen. Der amerikanische Digitalkünstler Grahame Weinbren beschrieb die digitale Revolution demenstprechend als

5. **László Moholy-Nagy**, *Kinetic sculpture moving*, um 1933.

6. **Nam June Paik**, *Random Access*, 1963.

eine „revolution of random access" – eine Revolution, die auf den Möglichkeiten des instantanen Zugriffs auf mediale Elemente beruht, die in scheinbar unendlichen Kombinationen arrangiert werden können. Der koreanische Künstler Nam June Paik hat mit seiner Installation *Random Access* 1963 genau diese Idee vorweggenommen. Er befestigte über 50 Tonbandstreifen an einer Wand und forderte das Publikum auf, die Segmente vermittels eines Tonkopfes „abzuspielen", den Paik aus einem Bandgerät ausgebaut und mit einem Paar Lautsprecher verdrahtet hatte.

Bereits in den 1960er Jahren wurden Kunstwerke mit Computern hergestellt. Michael A. Noll, ein Forscher in den Bell Laboratories in New Jersey, schuf einige der frühesten computergenerierten Bilder – darunter *Gaussian Quadratic* (1963). Sie wurden 1965 im Rahmen der Ausstellung „Computer-Generated Pictures" in der Howard Wise Gallery in New York ausgestellt. Unter den Ersten, die das neue Medium praktisch erprobten, waren auch Bela Julesz, dessen Werk ebenfalls in der genannten Ausstellung gezeigt wurde, und die Deutschen Georg Nees und Frieder Nake. Obwohl ihre Werke abstrakten Zeichnungen ähnelten und scheinbar formale Ausdrucksmittel wieder aufgriffen, die aus den traditionellen Medien geläufig waren, erfassten sie doch die wesentlichen ästhetischen Merkmale des digitalen Mediums, indem sie die allen „digitalen Zeichenoperationen" zugrundeliegenden mathematischen Funktionen hervorhoben. Bis heute wirken die in den 1960er Jahren entstandenen Arbeiten von John Whitney, Charles Csuri und Vera Molnar fort, in denen rechnergestützten Bildtransformationen mittels mathematischer Funktionen untersucht werden. Whitney (1917–96), der gemeinhin als der „Vater der Computergrafik" gilt, verwendete die Technik alter Analogrechner des Militärs, um seinen Kurzfilm Catalog zu realisieren, eine Art Katalog der optischen Effekte, an denen er jahrelang gearbeitet hatte. Seine späteren Filme *Permutations* (1967) und *Arabesque* (1975) sicherten seinen Ruf als Pionier des Computerfilms. Daneben arbeitete Whitney bei mehreren Experimentalfilmen mit seinem Bruder James (1922–82), einem Maler, zusammen. Csuri, dessen Film *Hummingbird* (1967) ein Meilenstein in der Geschichte der computergenerierten „Animation" ist, begann 1964 mit der Erzeugung seiner ersten digitalen Bilder auf einem IBM 7094-Computer. Die Ausgabe der IBM 7094 bestand aus ca. 4 x 7 Zoll großen Lochkarten, die die Informationen zur Ansteuerung eines Trommelplotters enthielten: wann der Schreibstift angehoben, weiterbewegt und auf dem Papier abgesetzt werden muss oder auch wo eine Linie zu Ende ist, usw.

Während das Industriezeitalter in die elektronische Ära überging, begannen sich Künstler mehr und mehr für die Überschneidungen zwischen Kunst und Technik zu interessieren. 1966 grün-

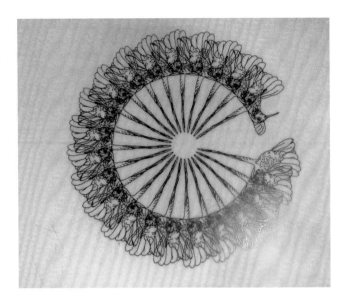

7. **Charles Csuri**, *Humming-bird*, 1967. Die hier abgebildete Sequenz, *22 Birds in a Circle*, wurde auch als Papierausdruck und Siebdruck auf Plexiglas produziert.

8. (gegenüberliegende Seite, oben)
John Whitney, *Catalog*, 1961. Whitneys Rechner war ein über dreieinhalb Meter hohes Gerät, das lediglich vorgegebene Informationen verarbeiten konnte. Die Bilder mussten bereits gezeichnet, fotografiert und zusammengefügt worden sein, bevor der Rechner seine Operationen ausführen konnte. Das Ergebnis war eine siebenminütige Zusammenstellung von Computergrafikeffekten.

9. (gegenüberliegende Seite, unten)
James Whitney, *Yantra*, 1957. *Yantra*, der Name leitet sich von einem Schöpfungsmythos her, war durch die Schriften des Psychologen Carl Jung über Alchemie beeinflusst und bildete einen Versuch, die Einheit von kosmischen und psychischen Zuständen bildhaft darzustellen. Der Film besteht aus handgezeichneten Animationen, die mithilfe eines optischen Printers abfotografiert wurden.

dete Billy Klüver Experiments in Art and Technology (EAT), um eine effektive Zusammenarbeit zwischen Ingenieuren und Künstlern zu entwickeln. Über einen Zeitraum von einem Jahrzehnt organisierte Klüver mit Künstlern wie Andy Warhol, Robert Rauschenberg, Jean Tinguely, John Cage und Jasper Johns gemeinsame Projekte. Diese waren zum ersten Mal anlässlich von Performances in New York, zuletzt im Pepsi-Cola-Pavillion während der Weltausstellung Expo '70 in Osaka, Japan, zu sehen. EAT war ein erstes Beispiel für die komplexe Zusammenarbeit zwischen Künstlern, Ingenieuren, Programmierern, Forschern und Wissenschaftlern, die zu einem Charakteristikum der Digitalkunst werden sollte. Bemerkenswerterweise wurde EAT auch von den Bell Labs gestalterisch unterstützt, die zu einer Art „Brutstätte" für künstlerische Experimente wurden.

Die Vorläufer der digitalen Installationen von heute wurden ebenfalls in den 1960er Jahren ausgestellt. Das Spektrum der 1968 in der Ausstellung „Cybernetic Serendipity" am Institute of Contemporary Arts in London gezeigten Arbeiten reichte von Plotterzeichnungen über Licht- und „Klang-Environments" bis hin zu „fühlenden" Robotern. Heute wirken diese Werke eher wie die bescheidenen Anfänge der Digital Art (die man für ihre Schwerfälligkeit und ihre allzu technische Herangehensweise kritisieren könnte). Nichtsdestotrotz sind in ihnen viele der charakteristischen Eigenschaften des heutigen Mediums vorweggenommen. Einige Arbeiten, etwa malende Maschinen und Muster- oder Gedichtgeneratoren, konzentrierten sich auf die Ästhetik der Maschinen und der Transformationen; andere, die die Möglichkeiten der

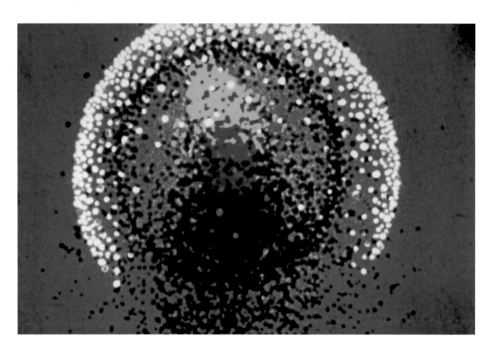

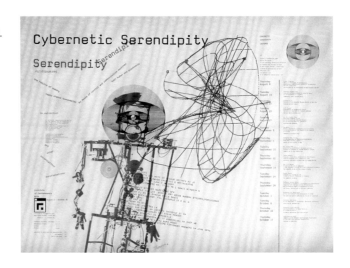

10. Ausstellungsplakat für
„Cybernetic Serendipity", 1968.

Interaktion oder das Potenzial des „offenen" Systems im Sinne der Post-Object-Art sondierten, waren dynamisch und prozessorientiert. In seinen Artikeln System Aesthetics und Real Time Systems, veröffentlicht 1968 bzw. 1969 in Artforum, verfolgte der amerikanische Kunsthistoriker und -kritiker Jack Burnham einen systemischen Ansatz: „Eine systembezogene Sichtweise konzentriert sich auf die Erzeugung stabiler, andauernder Beziehungen zwischen organischen und anorganischen Systemen." In modifizierter Form hat dieser Ansatz, Kunst als ein System zu betrachten, auch heute noch einen beträchtlichen Anteil an dem kritischen Diskurs über Digital Art. 1970 kuratierte Burnham eine „Software" betitelte Ausstellung am Jewish Musem in New York, die unter anderem auch Werke wie den Prototypen von Theodor Nelsons Hypertextsystem Xanadu umfasste.

In den 1970er Jahren begannen Künstler – unter Verwendung „neuer Techniken" wie Video und Satelliten – mit „Live performances" und Netzwerken zu experimentieren. Sie nahmen damit Interaktionen vorweg, wie sie sich heute im Internet oder bei der Nutzung von „Streaming Media", der direkten Übertragung von Video und Audio, abspielen. Der Schwerpunkt dieser Projekte reichte von der Nutzung von Satelliten, um die Reichweite einer Fernsehübertragung zu vergrößern, bis zu dem ästhetischen Potenzial von Videokonferenzen und Experimenten mit echtzeitbasierten virtuellen Räume, in denen geografische Grenzen aufgehoben sind. Während der Documenta VI in Kassel (1977) organisierte Douglas Davis eine Satellitenübertragung in mehr als 25 Länder, mit Performances von ihm selbst, Nam June Paik, der Fluxus-Künstlerin und Musikerin Charlotte Moorman sowie Joseph Beuys. Im selben Jahr ging aus einer Zusammenarbeit zwischen Künstlern in New York und San Francisco eine 15-stündige, interaktive, als Send/Receive Satellite Network betitelte Satellitenübertragung zwischen den beiden Städten hervor. Ebenfalls 1977 organisierten Kit Galloway und Sherrie Rabinowitz in Zusammenarbeit mit der NASA und dem Educational Television Center in Menlo Park, Kalifornien, eine Aufführung, die als die weltweit erste Satelliten-Tanz-Performance bekannt wurde: eine Liveübertragung der kombinierten Darbietung an drei Standorten an der Atlantik- und Pazifikküste der Vereinigten Staaten. Das Projekt brachte laut den Initiatoren einen „Bild-Ort" hervor, eine zusammengesetzte, überlagerte Realität, die die Mitwirkenden an weit entfernt voneinander liegenden Orten in eine neue Form von „virtuellem" Raum ein-

11. **Douglas Davis**,
The Last 9 Minutes, 1977.

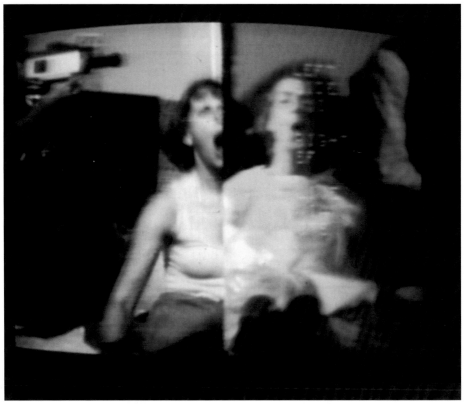

tauchen ließ. Der kanadische Künstler Robert Adrian begann 1979, mit Kommunikationstechnik zu arbeiten und Projekte mit Fax, Schmalbandfernsehen und Radio durchzuführen. 1982 organisierte er das Event The World in 24 Hours, bei dem Künstler in sechzehn Städten auf drei Kontinenten für vierundzwanzig Stunden per Fax, Computer und Bildtelefon miteinander verbunden waren und „multimediale" Kunstwerke schufen und miteinander austauschten. Diese Aufführungen bildeten die ersten Erkundungen jener Konnektivität, die ein Wesensmerkmal der vernetzten Digitalkunst ist.

Während der 1970er und 1980er Jahre begannen Maler, Bildhauer, Architekten, Grafiker, Video- und Performancekünstler immer häufiger mit den neuen Techniken der computergestützten Bildverarbeitung zu experimentieren. In dieser Zeit entwickelten sich in der digitalen Kunst mehrere Stränge, von einem mehr objektbezogenen Vorgehen bis hin zu Arbeiten, die dynamische und interaktive Elemente umfassten und die eher ein prozessorientiertes, virtuelles Objekt schufen. Digitale Techniken und interaktive Medien haben die Ideen von Fluxus und Konzeptkunst erweitert und damit das traditionelle Verständnis von Kunstwerk, Publikum und Künstler in Frage gestellt. Vielfach wird das Kunstwerk in eine offene, in Entwicklung begriffene Struktur transformiert, die einen ständigen Informationsfluss voraussetzt und den Betrachter/Mitwirkenden in ähnlicher Weise wie eine Performance einbezieht. Die Öffentlichkeit bzw. das Publikum wirken an dem Werk mit, indem sie die textuellen, visuellen oder akustischen Bestandteile eines Projekts neu zusammensetzen. Statt der alleinige Schöpfer seines Werks zu sein, nimmt der Künstler die Rolle eines Mittlers ein bzw. ermöglicht es dem Publikum, mit dem Kunstwerk zu interagieren und es mitzugestalten. Der Schaffensprozess im Bereich der digitalen Kunst setzt häufig die komplexe Zusammenarbeit zwischen einem Künstler und einem Team von Programmierern, Ingenieuren, Wissenschaftlern und Designern voraus. (Etliche Digitalkünstler sind gleichzeitig auch ausgebildete Ingenieure.) Digitalkunst erfordert Aktivitäten, die in ganz unterschiedlichen Fachgebieten, wie Forschungs- und Entwicklungslaboren oder im akademischen Umfeld, angesiedelt sind und die die Grenzen zwischen unterschiedlichen Disziplinen – Kunst, Wissenschaft, Technik, Design – niederreißen. Angefangen mit ihrer Geschichte bis zu ihrer Produktion und Realisierung widersetzt sich die digitale Kunst einfachen Kategorisierungen.

Wie so oft werden die Vorstellungen von neuen Techniken – manchmal sogar ihre spezifischen Eigenschaften und ihre Ästhetik – zumindest teilweise von Science-Fiction-Autoren geprägt, die Visionen einer technisierten Welt entwerfen, die so verlockend sind, dass sie zu ihrer Nach-Bildung in der Wirklichkeit anspor-

12. **Keith Sonnier und Liza Bear**, *Send/Receive Satellite Network: Phase II*, 1977.

nen. 1984 veröffentlichte William Gibson seinen inzwischen schon legendären Roman *Neuro-mancer* und prägte den Begriff „Cyberspace" für ein Netz und eine Datenwelt, die man als eine organische Matrix aus Informationen erleben konnte. Der heutige, vernetzte Cyberspace ist von Gibsons Visionen immer noch weit entfernt, aber sein *Neuromancer* inspiriert immer noch, ebenso wie Neil Stephensons Roman *Snow Crash*, die Träume und Empfindsamkeiten in den heute konstruierten virtuellen Räumen.

Präsentieren, Sammeln und Konservieren digitaler Kunst

Erst in den späten 1990er Jahren, als Galerien und Museen damit begannen, digitale Kunst in ihr Programm aufzunehmen und ihr eigene Ausstellungen zu widmen, wurde diese Kunst-richtung auch offiziell als Bereich der Kunst anerkannt. Obwohl es im Laufe der Jahrzehnte eine Reihe von Vorführungen mit Digital- und Medienkunst gegeben hatte, einige Galerien diese sogar regelmäßig gezeigt hatten, fanden Ausstellungen digitaler Kunst in einem institu-tionalisierten Kontext überwiegend an Medienzentren und -museen wie dem NTTs Inter-kommunication Center (ICC) in Tokio oder dem Zentrum für Kunst und Medientechnologie (ZKM) in Karlsruhe statt. In den vergangenen zwei Dekaden bildeten das Ars Electronica Festival in Linz (Österreich) und die in Kanada angesiedelte ISEA (Inter-Society for Electro-nic Arts), Festivals wie das EMAF (European Media Arts Festival) in Osnabrück, DEAF (Dutch Electronic Arts Festival), Next 5 Minutes in Amsterdam, die Transmediale in Berlin und VIPER in der Schweiz die wesentlichen Plattformen für die Ausstellung digitaler Kunst. Seit dem Beginn des 21. Jahrhunderts gibt es allerdings überall in der Welt, von Europa über

13. **Kit Galloway und Sherrie Rabinowitz**, *Satellite Arts*, 1977.

Südkorea, Australien bis zu den Vereinigten Staaten, immer mehr Ausstellungen und Galerien, die sich ausschließlich der „new media art" widmen.

Aufgrund seiner speziellen Eigenschaften stellt das digitale Medium die traditionelle Kunstwelt, nicht zuletzt in Bezug auf die Präsentation, das Sammeln und die Konservierung, vor eine Reihe von Problemen. Museen sind auf Objekte wie digitale Drucke, Fotografien und Plastiken eingestellt. Die Ausstellung zeitbasierter, interaktiver digitaler Kunstwerke bringt hingegen eine Menge Probleme mit sich. Sie sind größtenteils nicht medienspezifisch, sondern betreffen jedes zeitbasierte und interaktive Werk, sei es ein Video, eine Performance oder etwa Duchamps *Rotierende Glasplatten*. In der überwiegend auf physische Objekte ausgerichteten Welt der Kunst waren derartige Stücke noch eher eine Ausnahme. Bei vielen digitalen Kunstprojekten soll sich das Publikum aktiv beteiligen; oftmals erschließt sich ihr Sinngehalt nicht auf einen Blick. Ihre Vorführung ist oft mit hohen Kosten verbunden, und sie erfordern – idealerweise – eine durchgängige Wartung. Da Museumsgebäude überwiegend im Sinne des White-Cube-Ausstellungskonzepts konstruiert sind, mangelt es oft an einer Komplettverkabelung und -vernetzung und an flexiblen Präsentationssystemen. Ob eine Ausstellung erfolgreich ist und die Kunstwerke vom Publikum gewürdigt werden, hängt ausnahmslos von dem Aufwand – und zwar sowohl in technischer als auch in pädagogischer Hinsicht – ab, der investiert wird. Die Präsentation von Internetkunst innerhalb eines öffentlich zugänglichen Raumes kompliziert das Ganze noch weiter. Internetkunst ist dazu gemacht, von jedem, jederzeit und überall (Netzzugriff natürlich vorausgesetzt) angesehen werden zu können, und benötigt kein

Museum, um veröffentlicht oder gezeigt zu werden. In der Onlinewelt fehlt der physische Galerie-/Museumskontext als Statusindikator. Trotzdem können reale Räume eine wichtige Rolle für die Internetkunst spielen – indem sie das Werk in einen Kontext stellen, seine Entwicklungsschritte aufzeichnen, bei der Konservierung helfen oder es einem erweiterten Publikum zugänglich machen. Für die Präsentation von Netzkunst in einem institutionellen Rahmen wurden unterschiedliche Modelle allgemein diskutiert. Manche meinten, dass diese Kunst ausschließlich online präsentiert werden solle, dass sie in das Internet gehöre – wo sie ja sowieso beheimatet ist. Die Frage scheint aber eher zu sein, ob ein Internetzugang im öffentlichen Raum oder nur über den Heimcomputer in einem privaten Rahmen möglich sein soll. Dank der jüngsten Entwicklungen in der Drahtlostechnik und bei den Mobilgeräten ist das Internet in zunehmendem Maße an jedem beliebigen Ort zugänglich. Der Einwand, dass Internetkunst oftmals eine mehr oder weniger persönliche Beschäftigung über einen längeren Zeitraum erfordert, ist damit jedoch nicht aus der Welt. Um einen Rahmen für diese Art der Nutzung zu schaffen, wurde Netzkunst oftmals in einem abgetrennten Teilbereich eines öffentlich zugänglichen Raums präsentiert, was im Gegenzug den Vorwurf der „Ghettoisierung" aufwirft. Der Vorteil eines separaten „Loungebereiches" besteht darin, dass die Betrachter ermuntert werden, mehr Zeit mit einem einzelnen Kunstwerk zu verbringen, andererseits verhindert man dadurch, dass die Kunstwerke im Kontext mit traditionelleren Medien wahrgenommen werden und in einen Dialog mit ihnen eintreten treten können. Letztendlich sollten die Anforderungen des ausgestellten Kunstwerks den Ausstellungsraum definieren. So wie die technische Entwicklung rasant fortschreitet, und immer mehr Teil des Alltagslebens wird, werden wir höchstwahrscheinlich noch ganz neue Wege erleben, wie wir mit digitaler Kunst umgehen.

Das Sammeln (und damit auch der Verkauf) von digitaler Kunst ist ein weiteres Thema, das leidenschaftlich diskutiert wurde, seitdem diese Kunstrichtung in die Welt des Kunstmarkts eintauchte. Der Wert eines Kunstwerks ist – jedenfalls in der traditionellen Betrachtungsweise – unmittelbar mit seinem ökonomischen Wert verbunden. Die Gleichung „Knappheit gleich Wert" funktioniert jedoch im Bereich der Digitalkunst nicht unbedingt. Weniger problematisch ist dies für digitale Installationen, die letztendlich ja physische Objekte sind, oder Softwarekunst (die gelegentlich ihre ganz spezielle, maßgeschneiderte Hardware erfordert). Das Modell der „limited edition", das sich in der Fotografie verbreitet hat, wurde von einigen Digitalkünstlern, deren Arbeiten überwiegend aus Software bestehen, übernommen, was ihren Werken die Aufnahme in die Sammlungen der großen Museen rund um die Welt ermöglicht hat. Was das Sammeln angeht, bereitet Internetkunst die meisten Probleme, weil sie für jedermann mit einer Netzwerkverbindung zugänglich ist. Nichtsdestotrotz wird immer mehr Netzkunst von Museen in Auftrag gegeben und gesammelt, wobei der Quellcode des Werks auf den Servern des jeweiligen Museums abgelegt wird. Ein Hauptunterschied zwischen diesen und anderen Stücken im Museumsbesitz besteht darin, dass sie permanent – nicht nur, wenn sie in einer Gallerie präsentiert werden – zu sehen sind.

Das Sammeln von Kunst zieht darüber hinaus die Verantwortung für ihre Erhaltung nach sich – möglicherweise eine der größten Herausforderungen der Digitalkunst. Digitale Kunst wird oft als kurzlebig und instabil charakterisiert, eine Kennzeichnung, die allerdings nur bedingt zutrifft. Jedes zeitbasierte Kunstwerk, beispielsweise eine Performance, ist im Grunde flüchtig; es existiert nach dem Event oft nur noch in seiner Dokumentation weiter. Gleiches gilt sicherlich auch für prozessorientierte digitale Kunstwerke, aber die Digitaltechnik bietet auch erweiterte Möglichkeiten der Aufzeichnung, sodass ein digitales Kunstwerk unter Umständen in seiner Gesamtheit archiviert werden kann. Tatsächlich sind Bits und Bytes haltbarer als Farbe, Film oder Videoband. Solange man die Anweisungen hat, um den Code zu kompilieren – beispielsweise als Papierausdruck – ist das Werk an sich noch nicht verloren. Was digitale Kunst so unbeständig macht, sind die schnellen Entwicklungen im Bereich von Hardware und Software: von den Veränderungen bei den Betriebssystemen bis zur Erhöhung der Bildschirmauflösungen und der ständigen Aktualisierung der Webbrowser. Die Soft- und Hardware in den unterschiedlichen Entwicklungsstadien zu sammeln ist offensichtlich die am wenigsten elegante Lösung für das Problem der Konservierung. Zwei andere, grundlegende Strategien sind die sogenannten „Emulatoren", Programme, die es ermöglichen, Software und dazugehörige Betriebssysteme nachzubilden; die andere besteht in der Migration auf die nächste Version der Hardware und/oder Software. Zurzeit entwickeln Regierungen sowie nationale und internationale Organisationen und Institutionen Initiativen zur Erhaltung digitaler Kunst. Der Erfolg dieser Bemühungen wird ganz wesentlich von Standardisierungen abhängen, was einen ständigen Dialog zwischen allen Beteiligten erfordert.

Seit den 1990er Jahren hat sich die Digital Art enorm weiterentwickelt, und sie wird uns zweifellos erhalten bleiben. Die Expansion der Digitaltechnik, ihre weitreichenden Auswirkungen auf unser Leben und unsere gesamte Kultur werden immer mehr Kunstwerke entstehen lassen, die dieses kulturelle Phänomen reflektieren und sich damit kritisch auseinandersetzen. Ob die digitale Kunst künftig ihren festen Platz in Museen und Kunstinstitutionen findet oder in unterschiedlichen Kontexten existiert – unterstützt und präsentiert von einer wachsenden Zahl von Zentren für Kunst und Technologie und von Forschungs- und Entwicklungslaboren –, wird sich zeigen.

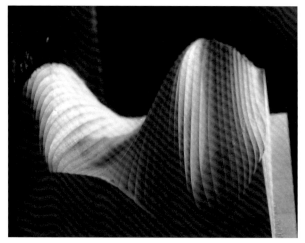

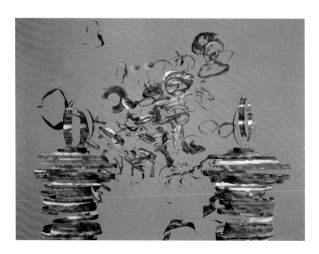

Kapitel 1   Digitaltechnik als Werkzeug

Die massive Verbreitung der Digitaltechnik in fast jedem Bereich des Alltagslebens innerhalb der letzten zehn Jahre hat zu der Vermutung geführt, dass alle künstlerischen Medien schlussendlich in dem digitalen aufgehen werden: entweder auf dem Wege der Digitalisierung oder durch die Verwendung von Computern für spezifische Aspekte der Bearbeitung oder der Produktion. Sicherlich nutzen immer mehr Künstler, die in ganz unterschiedlichen Gattungen arbeiten – von der Malerei über das Zeichnen und die Bildhauerei bis zu Fotografie und Video – die Digitaltechnik als Werkzeug für bestimmte Aspekte ihrer Kunst. In einigen Fällen weisen ihre Arbeiten unverkennbar Merkmale des digitalen Mediums auf und reflektieren über seine Sprache und seine Ästhetik. In anderen wurde die Technik so subtil eingesetzt, dass es schwer wird zu entscheiden, ob das Kunstwerk das Ergebnis eines digitalen oder analogen Produktionsprozesses ist. Ein Werk, das suggeriert, dass es durch digitale Bearbeitung entstanden ist, mag zur Gänze unter Nutzung traditioneller Techniken realisiert worden sein, während ein anderes Werk, das komplett handgemacht wirkt, tatsächlich digital bearbeitet wurde. In beiden Fällen allerdings verdanken die so unterschiedlichen Werke den historischen Entwicklungen von Fotografie, Bildhauerei, Malerei oder Videokunst ebensoviel wie der Verwendung von Digitaltechniken.

Zwar mag nicht jedes Werk, das digitale Techniken nutzt, auch deren Ästhetik reflektieren oder darüber eine Aussage treffen, aber es gibt grundlegende Merkmale, die dem digitalen Medium eigen sind. Ein ganz wesentliches ist, dass es mannigfache Möglichkeiten der Manipulation bietet und es erlaubt, unterschiedliche Kunstgattungen nahtlos miteinander zu kombinieren, was dazu führen kann, dass die Unterschiede zwischen den diversen Medien verschwimmen. Die Manipulation – beispielsweise von Zeit und Raum durch Montage – war stets ein Teil von Fotografie, Film und Video, aber im Bereich der digitalen Medien ist das Potenzial zur Manipulation so offensichtlich, dass die Existenz dessen, „was ist", zu jedem gegebenen Zeitpunkt hinterfragt werden kann. Das Herstellen von neuen Kontexten durch Wiederaneignung und Collage sowie der Zusammenhang von Kopie und Original sind ebenfalls markante Eigenschaften des digitalen Mediums. Aneignung und Collage sind Techniken vom Anfang des zwanzigsten Jahrhunderts, die aus dem Kubismus, Dadaismus und dem Surrealismus stammen und auf eine lange kunstgeschichtliche Tradition zurückblicken, aber das digitale Medium hat ihre Möglichkeiten vervielfältigt und enorm potenziert.

Walter Benjamins wegweisender Essay „Das Kunstwerk im Zeitalter seiner technischen Reproduzierbarkeit" von 1936 beschäftigte sich mit den Auswirkungen der Reproduktionsmöglichkeiten, die sich durch die damals „neuen" Medien Fotografie und Film ergaben. Für Benjamin machte die Präsenz eines Kunstwerks in Raum und Zeit, „sein einmaliges Dasein an dem Orte, an dem es sich befindet", seine Authentizität, Autorität, die „Aura" aus, die durch die Möglichkeiten der mechanischen Reproduktion und die Herstellung identischer Kopien bedroht schienen. Das Kunstwerk im Zeitalter der digitalen Reproduzierbarkeit nimmt die Möglichkeit zum verlustfreien Kopieren des Originals allerdings als gegeben hin. Die digitale Plattform vereinfacht die Zugänglichkeit zum Bildmaterial: Es ist leicht, Bilder mit Hilfe eines Scanners zu digitalisieren, und sie sind zum Kopieren oder für die Verbreitung im Internet ohne weiteres und bequem verfügbar. Ob Vorstellungen wie die von Authentizität, Autorität und Aura durch diese unmittelbare Reproduzierbarkeit hinfällig geworden sind, ist umstritten, aber sie haben sich sicherlich tiefgreifend verändert.

In diesem Kapitel sollen die Verwendung digitaler Techniken als Werkzeug für die Schaffung von Kunstwerken sowie ihre ästhetische Wirkung anhand einiger markanter Beispiele untersucht werden. Da diese Techniken inzwischen in der Kunst allgemein gebräuchlich geworden sind, würde eine Gesamtschau vermutlich Tausende von Werken umfassen müssen. Die hier vorgestellten Arbeiten bilden lediglich eine Auswahl, die spezifische Aspekte der digitalen Bildverarbeitung und der digitalen Kunstproduktion illustriert.

Digitale Bildverarbeitung: Fotografie und Druck

Die digitale Bildverarbeitung in der Fotografie und im Druck ist ein weites Feld. Es umfasst Arbeiten, die digital erzeugt oder bearbeitet und anschließend auf herkömmliche Weise gedruckt wurden, ebenso wie Bilder, die gänzlich ohne Verwendung digitaler Techniken entstanden sind, aber dann digital gedruckt wurden. Dieser Teil wird sich unter besonderer Berücksichtigung der Veränderungen, die sich für die Prozesse des Verstehens und der Lektüre von bildlichen Darstellungen ergeben haben, mit den diversen erwähnten Techniken beschäftigen.

Frühe Experimente mit digitaler Bilderzeugung und -ausgabe, etwa die Arbeiten des amerikanischen Künstlers Charles Csuri, lassen etliche der charakteristischen Eigenschaften des Computermediums erkennen, beispielsweise formale Elemente, die durch mathematische Funktionen und ihre Wiederholung und Abwandlung geprägt sind. Csuris *SineScape* (1967) besteht aus der digitalisierten Strichzeichnung einer Landschaft, die anschließend vermittels einer etwa ein Dutzend Mal angewendeten Sinusfunktion modifiziert wurde. Die ursprüngliche Landschaft wurde durch die Abstraktion so transformiert, dass sie wie eine Chiffre ihrer wesentlichen Eigenschaften erscheint.

Abstrakte, auf formalen Variationen aufbauende Bildwelten, die wiederum – wie im Falle von Csuri – aus der Anwendung mathematischer Funktionen resultieren, bilden eine wesentliche Strömung in der frühen Geschichte der digitalen Bildverarbeitung. Darüber hinaus wurde Computertechnik jahrzehntelang genutzt, um unterschiedliche Arten von Bildmaterial zusammenzusetzen, Bilder zu überlagern und zu vermischen. Unter den Pionieren im Bereich der computergenerierten Fotomontage war Nancy Burson, die auch wesentlich zur Entwicklung des „Morphing" beigetragen hat, einer Technik, bei der ein Bild oder Objekt durch Kombination und Überlagerung von Bildern in ein anderes transformiert wird. Strafverfolgungsbehörden nutzen sie heutzutage ganz selbstverständlich, um die Gesichtszüge von Vermissten oder Verdächtigen älter oder jünger zu machen oder anderweitig zu verändern. Bursons

Arbeiten haben konsequent die durch die Gesellschaft und die Kultur definierten Vorstellungen von Schönheit thematisiert. In ihren *Beauty Composites* (1982) verschmelzen die Gesichter der Filmstars Bette Davis, Audrey Hepburn, Grace Kelley, Sophia Loren und Marilyn Monroe (*First Composite*) und von Jane Fonda, Jacqueline Bisset, Diane Keaton, Brooke Shields und Meryl Streep (*Second Composite*). Sie sind Recherchen in Sachen Schönheit, die sich auf die wesentlichen Bestandteile, aus denen sich unsere durch die Kultur definierten Ideale zusammensetzen, konzentrieren. Das Gesicht wird buchstäblich zu einem topografischen Verzeichnis der menschlichen Ästhetik, zu einem Zeugnis und einer Geschichte der Schönheitsideale, die über individuelle Merkmale hinweggeht. Die Analyse und der Vergleich struktureller und kompositorischer Elemente spielten auch im Werk von Lillian Schwartz, die mit Hilfe des Computers die Werke von Künstlern wie Matisse und Picasso untersuchte, eine zentrale Rolle. Ihr berühmtes Bild *Mona/Leo* (1987), eine Montage aus den Gesichtern von Leonardo und der Mona Lisa, bot eine trügerisch einfache Lösung für das Problem, das Modell des Malers zu identifizieren, und verwischte zugleich die Grenzen zwischen der Persona des Künstlers und seiner Schöpfung.

Die Digitaltechnik fügt der Montage und der Collage eine weitere Dimension hinzu, denn nun können auch völlig unterschiedliche Elemente viel besser als zuvor zusammengemischt werden, wobei der Schwerpunkt eher auf einer „neuen", simulierten Art von Realität als auf der Gegenüberstellung von Einzelteilen mit einer ausgeprägten räumlichen oder zeitlichen Charakteristik und Entwicklung liegt. Was digitale Collagen und Montagen oftmals kennzeichnet, ist eine Verschiebung der Gewichtung: von der Bekräftigung von Grenzen hin zu ihrer Auslöschung. Computer werden immer häufiger für Montagen verwendet, zum Beispiel von

18. **Lillian Schwartz**,
Mona/Leo, 1987.

19. **Robert Rauschenberg**, *Appointment*, 2000. Der Künstler scannte einige 35 mm-Fotografien, die er zu einer Collage verarbeitete, welche mit wasserlöslichen Pigmenten ausgedruckt wurde. Anschließend behandelte er die Oberfläche der Drucke mit Wasser und übertrug sie auf Papier. Die so entstandene Kopie wurde fotografiert, und als herkömmlicher Siebdruck verarbeitet.

Künstlern wie dem Amerikaner Robert Rauschenberg (geb. 1925), dem Pionier im Bereich der multimedialen Collagen. In seinen mit dem Computer erzeugten Collagen von Fotografien führt der amerikanische Künstler Scott Griesbach (geb. 1967) die Rekontextualisierung der Collage fort, indem er berühmte Akteure und Augenblicke der Kunstgeschichte nochmals Revue passieren lässt – oftmals im Kontext der Absorption von Kunst und Ideen durch die Technik. Sein *Dark Horse of Abstraction* zeigt die vier apokalyptischen Reiter bei einem Hindernisrennen, bei dem Künstler wie Edward Hopper Jackson Pollocks abstrakt-expressionistischem Pferd auf dem „Entwicklungspfad des Formalismus" hinterherjagen. Griesbach spielt auf humorvolle Weise auf die Suche nach der reinen Form in der Kunst und die Gegenbewegungen dazu an, die diese Entwicklung sowohl vorausahnen lassen als auch in Frage stellen. In Griesbachs digitaler Fotocollage *Homage to Jenny Holzer and Barbara Kruger* (1995) ist der Subtext von der

20. **Scott Griesbach**, *Dark Horse of Abstraction*, 1995.

Aneignung künstlerischer Ideen (durch die Technik) ebenfalls präsent. Das Bild zeigt die beiden Künstlerinnen, die beide bedeutende Rollen bei der künstlerischen Beschäftigung mit Text und Typografie gespielt haben – insbesondere in Bezug auf die Strategien und Techniken der Werbung –, am Steuer eines großen altertümlichen LKWs.

Die Sprache der Werbung ist offensichtlich mit der Geschichte der Bildmanipulation und der allgemeinen Verbreitung der Bilder in einer Mediengesellschaft – die mit den digitalen Medien und dem Internet noch weiter zugenommen hat – auf das Engste verknüpft. In der Ästhetik der Werbung kann sich die Funktion eines „Bildes" bruchlos von bloßer Repräsentation zur Signatur einer Marke wandeln, wobei ihm eine Idee oder ein Wert eingeschrieben wird. Diese auf dem Bild beruhende Konsumkultur hat durch die von der Digitaltechnik eröffneten Möglichkeiten der Bildbearbeitung und -manipulation, Montage und Collage eine neue Qualitätsstufe erreicht, – eine Tatsache, die in der Kunst vielfach thematisiert wird.

Die Arbeiten der Gruppe KIDing® – bestehend aus dem aus Angola stammenden Künstler João António Fernándes (geb. 1969) und dem portugiesischen Grafikdesigner Edgar Coelho Silva (geb. 1975)

21. **Scott Griesbach**, *Homage to Jenny Holzer and Barbara Kruger*, 1995. Mit dieser Arbeit spielt Griesbach auf die Wirkung von Krugers und Holzers künstlerischem Stil an, die offene Provokation durch Fragen über die Macht als Motor der Conditio humana. Er meinte, dass man von ihrer Kunst „wie von einem LKW" überrollt werde.

– überschreiten mit ihrem Konzept einer „Kunstagentur" die Grenzen zwischen Kunst und Werbung, häufig, indem sie die Werbe- und Markenästhetik persiflieren. Ihre Serie *I Love Calpe* (1999) besteht aus verschwommenen Bildern, die durch Form und Farbe (und den Titel) an Urlaub gemahnen, in diesem Falle an den spanischen Urlaubsort Calpe an der Costa Blanca. Obwohl die unscharfen Bilder kaum als Bedeutungsträger fungieren können, ergibt sich ihr Sinn aber unmittelbar aus den kleinen, darübergelegten Firmen- und Werbelogos. Die Art und Weise, wie in diesen Bildern Bedeutung erzeugt wird, dreht die Vorgehensweise der Werbesprache um, indem die suggestive Kraft der Bilder ausgeschaltet und die „Marke" in den Vordergrund gestellt wird. Die darübergelegte, eingeblendete Information fügt sich nicht ein, sondern stört ganz bewusst die Genese des perfekt durchkonstruierten Bildes und seiner Botschaft. Die Sprache der Werbung und der Massenunterhaltung taucht auch in der Serie Bollywood Satirized auf. Sie wurde von dem in Großbritannien geborenen und in den USA lebenden Annu Palakunnathu Matthew (geb. 1964) geschaffen, dessen Arbeiten sich mit Geschlechter- und Rassenfragen beschäftigen. *Matthews Bomb* (1999) und *What Will People Think?* (1999) sind Bollywood-Filmplakate, die die übliche Bildsprache der „Traumfabrik" verwenden. Durch die Beschriftung lenken Matthews Plakate die Aufmerksamkeit auf Gender- und kulturelle Stereotypen sowie auf die Nuklearpolitik, und dekonstruieren so die Herausbildung von Botschaft und Kontext über mentale Vorstellungsbilder.

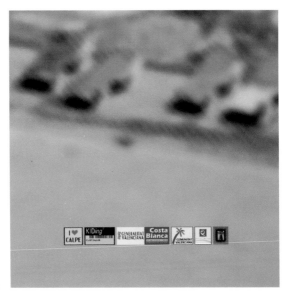

22. **KIDing®**, *I Love Calpe*, 1999.

23. (oben) **Annu Palakunnathu Matthew**, *Bollywood Satirized: Bomb*, 1999.

24. (rechts) **Annu Palakun-nathu Matthew**, *Bollywood Satirized: What Will People Think?*, 1999.

Neben den Veränderungen im Bereich von Collage, Montage und Compositing haben die Digitaltechniken durch die Erschaffung alternativer oder simulierter Wirklichkeiten, durch das Gefühl des „Hyperrealen", auch die traditionelle Auffassung von Realismus in Frage gestellt. Die Frage des Realismus in der Kunst ist untrennbar mit der Geschichte der Fotografie verbunden. Die Vorstellung, dass eine fotografische Aufnahme die Wirklichkeit „so wie sie ist" aufzeichnet und wiedergibt, ist ein wichtiger Aspekt in der Beurteilung dieses Mediums und gleichzeitig eine zweifelhafte historische Konvention. Die Subjektivität des Fotografen – zum Beispiel in der Wahl des Blickwinkels, des Standpunktes, der Beleuchtung – ist offensichtlich jeder fotografischen Aufnahme eingeschrieben. Die Geschichte der „Inszenierungen" und der Manipulation von Fotos ist so alt wie die der Fotografie selbst. Mit manipulierten Fotos von „Séancen" bewies man die Existenz von Geistern; und historische Bilder wurden oftmals zu Propagandazwecken retuschiert, wobei gelegentlich eine Person mit unpopulären politischen Überzeugungen einfach aus der Szene getilgt wurde. Die Tatsache, dass das digitale Medium eine makellose Rekonstruktion und Veränderung der Wirklichkeit erlaubt, scheint allerdings die Aufmerksamkeit dafür geschärft zu haben, wie fragwürdig die Authentizität aller Bilder ist.

Digitaltechnik wird häufig benutzt, um die Mechanismen der Repräsentation zu verändern und zu hinterfragen, sei es in einem historischen oder in einem überwiegend ästhetischen Kontext. In seiner Serie von Digitaldrucken *The Bone Grass Boy: The Secret Banks of the Conejos River* stellt der in Los Angeles beheimatete Künstler Ken Gonzales-Day (geb. 1964) klischeehafte Darstellungen von Indianern und Latinos in den Frontier-Romanen des spä-

25. **Ken Gonzales-Day**, *Untitled #36 (Ramoncita at the Cantina)*, 1996.

26. **Patricia Piccinini**, *Last Day of the Holidays*, 2001.

ten neunzehnten Jahrhunderts in Frage, in dem er sich selbst in die „historischen Dokumente" einfügt. Das Werk ist in der Zeit des mexikanisch-amerikanischen Krieges (1846–48) angesiedelt; das digital (re)konstruierte Bild ersetzt eine nicht vorhandene, authentische Historie. *In Untitled #36 (Ramoncita at the Cantina)* (1996), steht die Protagonistin Ramoncita für die indianische/Latina-Figur des Berdache. (Hierbei handelt es sich um eine abfällige Bezeichnung für einen passiven homosexuellen Partner, für gewöhnlich ein femininer Junge. Der Begriff stammt aus dem Französischen (bardache) und ist über spanische und italienische Zwischenformen vom persischen bardaj hergeleitet.) Gonzales-Day beschreibt die Serie als ein „fiktives Ready-made", ein Objekt, das nie existiert hat, aber wie ein historisches Dokument aussieht. *The Bone Grass Boy* hinterfragt die Unterschiede und Grenzziehungen zwischen Kulturen, Rassen und Klassen, und ebenso zwischen dem digitalen Medium und der Fotografie, und ihr Verhältnis zur Realität.

Wiederum eine andere Art von fabrizierter Wirklichkeit findet sich in *Last Day of the Holidays* (2001), von der aus Sierra Leone stammenden, in Australien ansässigen Künstlerin Patricia Piccinini (geb. 1965), deren Arbeiten häufig eine Art von synthetischem Realismus evozieren. Die Szene mit dem Jungen auf dem Skateboard, der auf dem Parkplatz einem Alien begegnet, erscheint gleichzeitig artifiziell und vertraut. Piccinini bezieht sich auf Zeichentrick- und Animationsfilme (insbesondere in Kombination mit Realfilm) und spielt mit einer Ästhetik des „Niedlichen" in der Popkultur, indem sie eine Wirklichkeit schafft, die die Fantasieprodukte dieser Kultur bruchlos einbindet. Einen diametral entgegengesetzten Ansatz bei der Bildbearbeitung verfolgt der amerikanische Künstler Charles Cohen (geb. 1968), dessen archivalische Tintenstrahldrucke *12b* (2001) und *Andie 04* (2001) Fragen der Repräsentation im Zusammenhang von einer durch das Auslöschen von Bildteilen erreichten Abstraktion behandeln. Indem er die menschlichen Figuren aus pornografischen Szenen tilgt, unterlaufen Cohans Arbeiten den ursprünglichen Zweck der Bilder

27. (oben links)
Charles Cohen, *12b*, 2001.

28. (oben rechts)
Charles Cohen, *Andie 04*, 2001.

und erzeugen eine Leerstelle, durch die die Abwesenheit eine ganz eigene Präsenz gewinnt.

Das Löschen ist ebenfalls ein Schlüsselelement in der Serie Residente Pulido des venezolanischen Künstlers Alexander Apóstol (geb. 1969). Apóstols *Royal Copenhague* (2001) und *Rosenthal* (2001) zeigen berühmte moderne Gebäude ohne Türen oder Fenster. Die Gebäude evozieren eine trostlose Stadtlandschaft, deren Architektur als unzugängliches, monolithisches Monument und Artefakt fungiert – eine Leere, die aus dem Glauben an die Perfektion der Form herrührt. Die Namen der Bilder stammen von berühmten Porzellankollektionen, eine Anspielung sowohl auf ihre Strukturen als auch auf eine gewisse Fetischisierung durch die Konsumgesellschaft, in der alltägliche Gegenstände zu Sammlerstücken werden können, die mit ihrem ursprünglichen Zweck kaum noch etwas zu tun haben.

Neben diesen alternativen Wirklichkeiten, die durch digitale Bildbearbeitung entstehen, gibt es Werke, die eine Art „Hyperrealismus" verbreiten, eine intensivierte Wirklichkeit, die weder künstlichen noch abbildenden Charakter zu haben scheint. Obwohl die räumliche und zeitliche Logik gewahrt ist, bleibt die Wirklichkeit dieser Werke doch problematisch. In seinen Serien *Artists Rifles und Action* fügt sich der britische Künstler Paul Smith (geb. 1969) als Protagonist in Bilder ein, um die Mythen

29. **Alexander Apóstol**,
Residente Pulido: Royal Copenhague, 2001.

30. **Alexander Apóstol**,
Residente Pulido: Rosenthal, 2001.

31. (gegenüberliegende Seite, oben)
Paul Smith, aus der Serie
Action, 2000.

32. (gegenüberliegende Seite, unten)
Paul Smith, aus der Serie
Action, 2000.

33. (diese Seite)
Paul Smith, aus der Serie
Artists Rifles, 1997. In *Artists Rifles* ist Smith jeder einzelne Soldat in den Szenen des Armeelebens; er verweist damit auf den Verlust der Individualität in der Armee und die Anonymität der militärischen Gewalt.

einer stereotypen Männlichkeit und deren Glorifizierung zu dekonstruieren. Die Action-Serie zeigt Smith als omnipotenten Actionfilm-Superhelden – im Sprung von einem Gebäude zum nächsten oder im freien Fall nach dem Fallschirmsprung aus einem Flugzeug. Für den Künstler (und für jedermann) werden die von der Filmindustrie propagierten heroischen Fantasien Wirklichkeit. In Galerien werden seine Arbeiten als Lichtkästen unter der Decke installiert; dadurch wird die Illusion noch verstärkt, da der Betrachter gezwungen ist, zu seinem Helden aufzublicken. Die ausgefeilte „Hyperrealität" des niederländischen Künstlers Gerald von der Kaap (geb. 1959) in seinem *12th of Never* (1999) birgt einen ganz ähnlichen Subtext: Das Werk handelt von der Erosion der Individualität vor dem Hintergrund der Massenverkehrsmittel und der Massenmedien mit ihrer stilisierten Sprache der Superlative und der Ausschmückungen. Mit der aus der Abstraktion erwachsenden Perfektion beschäftigt sich der Ameri-

kaner Craig Kalpakjian (geb. 1961). Er zeigt häufig alltägliche „Landschaften", etwa Bürogebäude oder Detailansichten von Innenräumen, die gespenstisch real wirken und doch vollkommen computergeneriert sind. In Kalpakjians digitalem Video *Corridor* (1997) folgt der Zuschauer einem scheinbar endlosen Gang, der mit seiner gleichmäßigen Struktur und Beleuchtung das Gefühl von Leere und Vollkommenheit zugleich erzeugt. Die synthetische Natur der computergenerierten Welt in *Corridor* verweist auf die Künstlichkeit vieler der Räume und Bürogebäude, die wir tagtäglich nutzen, und auf das Gefühl der Entfremdung, das moderne Architektur erzeugen kann.

35. **Craig Kalpakjian**, *Corridor*, 1997.

42

Die verfeinerten Möglichkeiten der Bildbearbeitung führten auch zu einer gewissen „Dematerialisation" der naturalistischen Aspekte der Repräsentation; oder zumindest zu einer Neudefinition des Verhältnisses von Betrachter, Natur und ihrer Abbildung. Zahlreiche digitale Kunstwerke beschäftigen sich mit der Vorstellung einer verbesserten Natur oder mit der Problematik von künstlichem Leben und künstlichen Organismen. Ein Beispiel für dieses neu gefasste Verhältnis von Natur und Abbildung sind die hochauflösenden Scans von Motten – *Great Tiger Moth, Ctenucha Moth, Leopard Moth* (2001) – von Joseph Scheer (geb. 1958). Die Bilder entstehen, indem ein Scanner über den Körper von Motten fährt, was eine weitaus detailliertere Abbildung ermöglicht, als je-

36. (oben)
Joseph Scheer, *Arctia Caja Americana (Great Tiger Moth)*, 2001.

37. (mitte)
Joseph Scheer, *Ctenucha Virginica (Ctenucha Moth)*, 2001.

38. (rechts)
Joseph Scheer, *Zeuzera Pyrina (Leopard Moth)*, 2001. Obwohl man geneigt ist, die Drucke dem Fotorealismus zuzurechnen, unterscheiden sich ihre visuellen Eigenschaften radikal von denen einer Fotografie. Statt des einzelnen Brennpunkts einer Kamera führt die Gleichmäßligkeit des Scans zu einer schon fast übernatürlichen Detailgenauigkeit, zu einer gesteigerten physischen Präsenz der Natur.

mals mit einer Kamera erzielt werden könnte. Die Oberflächen-
struktur des Insektenkörpers entwickelt eine beinah greifbare Realität. Diese Vorstellung einer verbesserten Natur zeigt sich auch in
Mere (1994) von Peter Campus – ein wegweisender Künstler in der
Videokunst – und in *Untitled #339* (1996), ein C-Print eines
digitalen Bildes, von Oliver Wasow (geb. 1960). Campus' Insekt
und Wasows Landschaft suggerieren eine vollkommene Fremd-
heit, und doch glaubt man, dass sie irgendwo tatsächlich existieren
könnten. *Mere* and Wasows Landschaft sind weder „hüben" noch
„drüben" angesiedelt: sie zeigen einen stilisierten oder dramatisie-
renden, malerischen Blick und verzichten doch nicht auf grund-

39. **Peter Campus**, *Mere*, 1994.

40. **Oliver Wasow**, *Untitled #339*, 1996. Wasows Gesamt-
werk besteht aus Landschafts-
bildern, die ans Phantastische
grenzen; sein besonderes Interesse gilt der Synthese von
Fiktion und Realität, oder Kultur
und Natur, und wie sie unsere
Sicht der uns umgebenden
Welt bedingen.

sätzliche räumliche und zeitliche Bezugspunkte, um eine glaubwürdige bildliche Darstellung zu erreichen.

Die Serien *Horror Vacui* und *Digital Hide* des spanischen Künstlers Daniel Canogar (geb. 1964) sind Collagen, die sich mit den Relationen zwischen dem Körper und seinen Abbildern beschäftigen. Canogar bildet Strukturen und Muster aus Körperteilen, die gleichzeitig naturalistisch wirken und über den Naturalismus hinausgehen. Die ineinander verschränkten Hände in *Horror Vacui* (1999) lassen an Verstümmelungen und die Geburt eines „Anderen" als einer organischen, durch die Technik entstandenen Gesamtheit denken. Insbesondere sein Werk *Digital Hide 2*

41. **Daniel Canogar**, *Horror Vacui*, 1999.

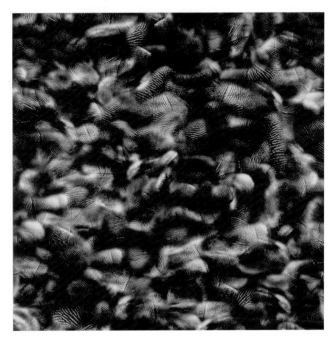

42. **Daniel Canogar**, *Digital Hide 2*, 2000.

(2000) scheint eine ganz neue Anatomie zu erschaffen – die menschlichen Fingerabdrücke sind der „digitalen Haut" eingeschrieben und doch ist sie nicht als existierende biologische Form zu identifizieren. Canogars „Neu-Verfassung" des Körpers arbeitet im Grenzbereich der Furcht vor und der Faszination für durch die Technik geformte Organismen. Die Vorstellung von durchkonstruierten, künstlichen Lebensformen steht im Zentrum der Klone-Serie des australischen Künstlers Dieter Huber (geb. 1962), der technisch transformierte Pflanzen, Menschen und Landschaften abbildet. Seine Arbeiten stellen ausdrücklich eine Verbindung zur Gen- und Biotechnik und dem sich wandelnden Verständnis von

43. (mitte links) **Dieter Huber**, *Klone #100*, 1997.

44. (mitte rechts) **Dieter Huber**, *Klone #76*, 1997.

45. (unten) **Dieter Huber**, *Klone #117*, 1998–9.

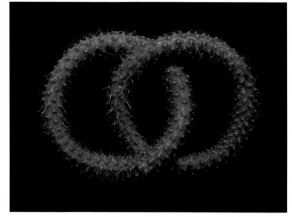

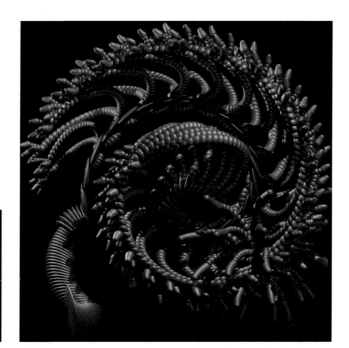

46. (oben links)
William Latham, *HOOD2*, 1995.

47. (oben rechts)
William Latham, *SERIOA2A*, 1995. Ergebnis von Lathams Arbeiten ist eine computergenerierte Natur, die den Eindruck unerschöpflicher Möglichkeiten macht, und die die Grenzen zwischen animierten Szenen und virtuellen Skulpturen überschreitet. Lathams Bilder stellen keine natürlichen Formen dar; sie illustrieren eine Ästhetik der computergenerierten Morphologie, einer künstlichen Natur, die an lebende Organismen erinnert, sich davon jedoch deutlich unterschiedet.

Organismen in einem neuen, technischen Zeitalter her. Hubers *Klone #100* (1997) und *Klone #76* (1997) zeigen mutierte Pflanzen, die zugleich real und fremdartig wirken, das Ergebnis einer fiktiven, die Natur bearbeitenden Ingenieurskunst. Der täuschend nüchterne und wissenschaftliche Charakter von Hubers Fotos verstärkt den Eindruck, dass das Dargestellte real sei.

In seinem Schaffensprozess kombiniert der Künstler analoge und digitale Techniken, beginnend mit analogen Bildern, die digitalisiert und im Rechner bearbeitet, aber schlussendlich als Fotografien präsentiert werden. Auch Hubers Landschaften sehen täuschend echt aus. Ihre makellose Komposition und das perfekte Arrangement verweisen allerdings auf eine künstliche, geschönte Natur. Eine völlig andere Art der computergenerierten „Natur" stellen die Arbeiten des britischen Plastikers William Latham dar, der als Research Fellow am IBM Scientific Centre im südenglischen Winchester arbeitet. In Zusammenarbeit mit Stephen Todd entwickelte er Programme, die es dem Benutzer ermöglichen, plastische, dreidimensionale (3D) Formen nach definierten „genetischen" Eigenschaften zu gestalten. Über Algorithmen, die fraktale, spiralige Mutationen erzeugen, simuliert Latham die Geometrie natürlicher Formen um künstliche „Organismen" zu erzeugen. Seine Programme, die auch als kommerzielle Software weiterentwickelt wurden, verwenden zufällige Mutationen und Regeln „natürlicher Selektion", um eine Formenevolution zu starten – genetische Variationen, die auf ästhetischen Auswahlkriterien beruhen. Evolutionäre und behavioristische Algorithmen werden in der Kunst inzwischen vielfach verwendet. Dieser Bereich wird in dem Abschnitt über künstliches Leben weiter vertieft werden.

Häufig wird argumentiert, dass das digitale Bild keinen abbildenden Charakter habe, weil es codiert sei und die physische Wirklichkeit weder aufzeichne noch reproduziere. Diese These mag auf der Ebene des „Bildinhalts", der ja vielfach eine physische Realität simuliert und abbildet, strittig sein, in Bezug auf die Produktion des digitalen Bildes trifft sie jedoch zu. Das digitale Bild besteht aus diskreten, modularen Elementen, Pixeln, die auf Algorithmen, d. h. mathematischen Formeln beruhen. Obwohl diese Bits im Grunde nicht mehr als eine Abfolge von „Lichtern" sind, sind sie nicht von Natur aus auf ein physisches Objekt zur „Abbil-

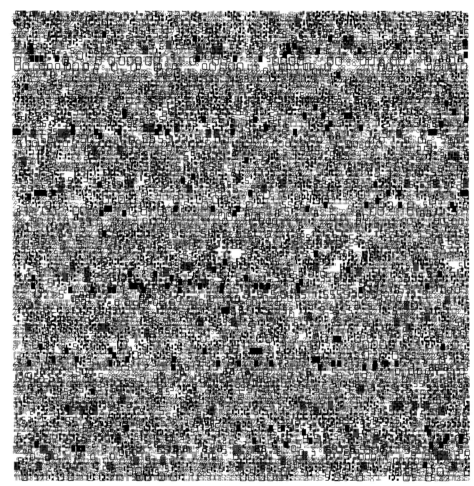

49. **Andreas Müller-Pohle,**
Face Code 2134 (Kyoto),
1998—99.

dung" angewiesen, und sie stehen auch in keinem festgelegten Verhältnis zur wirklichen Welt. Viele digitale Bilder thematisieren genau diese Tatsache – oftmals in Bezug auf und in Kontrast zu anderen Medien wie der Fotografie. Gelegentlich wird ein ansonsten unsichtbarer Prozess auch visualisiert, indem die Bildinformation übersetzt und „codiert" wird. Die Serie *Face Codes* des deutschen Künstlers Andreas Müller-Pohle (geb. 1951) vereinigt die analoge und und digitale Abbildung auf der Ebene des Bildes selbst. Die Face Codes sind eine Auswahl aus mehreren hundert, 1998 in Kyoto und Tokio aufgenommenen Videoporträts. Die Porträtbilder wurden digital verarbeitet, indem zuerst eine Schablone erzeugt wurde, an die anschließend die Position des Kopfes und der Augen, der Lippen und des Kinns angepasst wurde. Die individuellen Gesichter wurden so in eine einheitliche Struktur überführt. Anschließend öffnete der Künstler die Bilddateien als ASCII-Textdateien (ASCII bedeutet American Standard Code for Information Interchange, ein Format für Textdateien, das alphabetische und numerische Zeichen als Folge von 7 Binärziffern darstellt). Mit einem Programm, das sowohl westliche als auch asiatische Zeichensysteme darstellen konnte, wurde der ASCII-Code in japanische Schrift (eine Mischung aus den Zeichensystemen Kanji, Hiragana, Katakana und Rōmaji) umgewandelt. Acht aufeinanderfolgenden Kanji-Zeichen, die aus dem konvertierten alphanumerischen Code ausgewählt wurden, werden unter

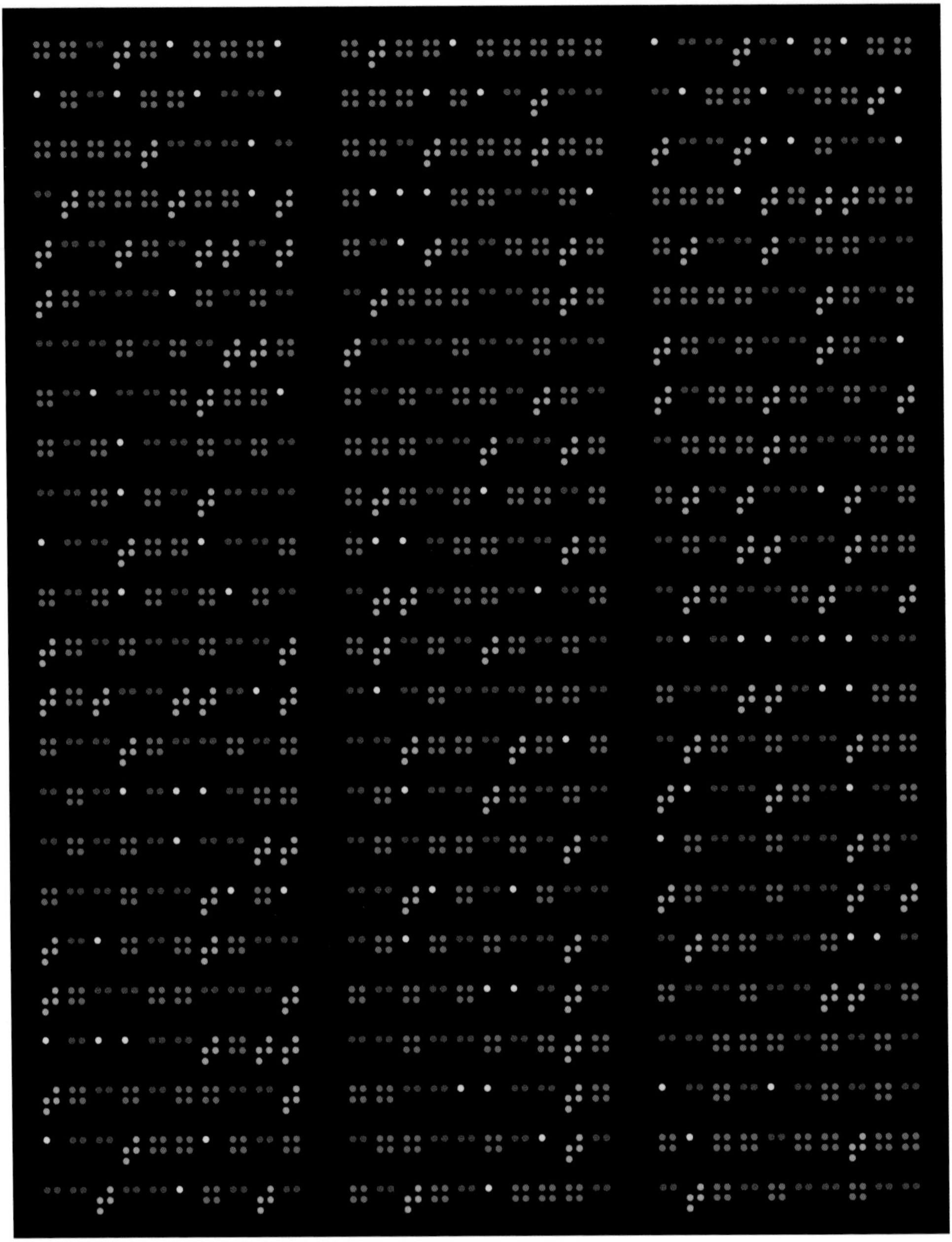

den Porträts eingeblendet. Auf diese Weise schreibt sich die „genetische" Struktur des Bildes in seine Oberfläche ein. Durch die am Anfang der Bearbeitung über das Raster erfolgte „Auslöschung" der Individualität der Gesichter verweist *Face Codes* auf den Nivellierungsprozess, den die digitale Abbildung vollzieht, wo jede visuelle Information letztlich nur eine kalkulierbare Größe ist. Die Vorstellung vom menschlichen Gesicht als der Summe seiner Daten wird durch die „Untertitel", die diese Daten als Zeichensystem abbilden, noch hervorgehoben. Der genetische Code im eigentlichen Sinne ist das Thema von Müller-Pohles *Blind Genes* (2002). Für dieses Werk suchte er in einer Gendatenbank im Internet nach dem Schlüsselwort „Blindness". Die Gensequenzen, die die Suchanfrage lieferte, wurden unabhängig von ihrer Qualität oder Vollständigkeit verwendet. Auch Teilergebnisse oder hypothetische Sequenzen waren gültige Antworten – ein Verweis auf den zum damaligen Zeitpunkt aktuellen Forschungsstand und den metaphorischen Charakter des künstlerischen Verfahrens. Die DNS-Basen CGAT (Cytosin, Guanin, Adenin, Thymin) ordnete Müller-Pohle dann in Blöcken zu je zehn, anschließend wurden sie in Braille codiert und eingefärbt (A: gelb, G: blau, C: rot, T: grün). Die Länge der Sequenzen bestimmt die Höhe der einzelnen Bilder der Serie. Durch diese Datenkonvertierung zeigt sich der organisch-genetische „Code" für Blindheit als Braille, dem Code- und Zeichensystem, das eine Schnittstelle zur Welt der Sehenden bildet.

Die Sichtbarmachung von Zeichensystemen ist ebenfalls Thema in den „conversation maps" des amerikanischen Künstlers Warren Neidich (geb. 1956) – darunter *I am in love with him, Kevin Spacey* (2002) und *I worked on my film today. Are you dating someone now?* (2002). Auf den ersten Blick erinnern diese „conservation maps" an abstrakte Gemälde von Wellenformen. Tatsächlich aber sind es Darstellungen von Alltagsgesprächen in Zeichensprache, wobei an den Fingern und Armen der Teilnehmer Lampen befestigt waren. Neidich fotografierte diese Gespräche mit sehr langen Belichtungszeiten, die daraus entstandenen Schwarz-Weiß-Fotodokumente wurden digitalisiert und anschließend im Rechner mit Hilfe eines Bildbearbeitungsprogramms übereinanderkopiert und coloriert. Die Karten, die als Lichtkästen gezeigt werden, enthalten fünf bis dreißig übereinandergelegte Gespräche. Neidichs „conservation maps" dokumentieren nicht nur mit Hilfe der Digitaltechnik einen Vorgang und transformieren ihn auf eine visuelle Ebene, sondern sie bilden ihn auch in Form von „vergleichenden Gesprächsmustern" ab. Das ursprüngliche Foto wird scheinbar in ein abstraktes Bild umgewandelt. Eine wichtiges Merkmal von Digitalbildern, die sich mit Kodierung und Visualisierung beschäftigen, ist allerdings, dass sich das Verfahren und die Bedeutung der Abbildung nicht immer auf der visuellen Ebene enthüllt – oft sind

50. **Andres Müller-Pohle**, *Blind Genes, IV_28_AF254868*, 2002.

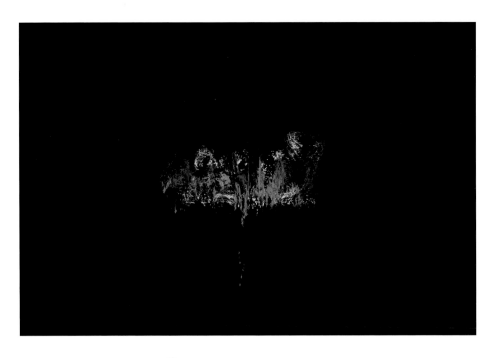

51. (gegenüberliegende Seite, oben)
Warren Neidich, *Conversation Map (I worked on my film today. Are you dating someone now?)*, 2002.

52. (gegenüberliegende Seite, unten)
Warren Neidich, *Conversation Map (I am in love with him, Kevin Spacey)*, 2002.

zusätzliche Informationen nötig, die beim „Verständnis" eines Werks helfen.

Die vielfältigen Möglichkeiten, digitale Bilder zu konstruieren, indem man Wesensmerkmale unterschiedlicher Kunstgattungen (oder was man dafür hält) herausgreift und miteinander kombiniert, haben häufig die Grenzen zwischen verschiedenartigen Medien, wie etwa Malerei und Fotografie, verwischt. In Casey Williams (geb. 1947) *Tokyogaze III* (2000) und *Opal Sun I* verschmilzt beispielsweise Fotografie mit einer Art von Farbfeldmalerei. Williams Bilder wurden von zahlreichen Bootsfahrten im Hafen von Houston, Texas, inspiriert, und sind von einer industriellen Ästhe-

53. (rechts) **Casey Williams**, *Tokyogaze III*, 2000.

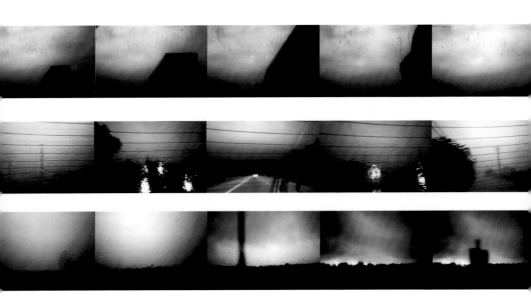

54. **Ana Marton**, *3x5*, 2000
(oben ausgerollt, rechts gerollt).

tik geprägt. Dass die Bilder auf Leinwand gedruckt sind, unterstreicht die künstlerische Anmutung, und bildet ein Gegengewicht zu der weniger strukturierten und nuancierten Qualität des verwendeten Tintenstrahldrucks.

Eine völlig andere Art von Medienfusion findet in den gerollten Digitaldrucken der aus Rumänien stammenden Künstlerin Ana Marton statt. In ihrer Serie *3×5* (2000) überlagern sich unterschiedliche „Dimensionen" der fotografischen Abbildung, von der ursprünglichen Filmrolle bis zur zweidimensionalen „Aufzeichnung der Wirklichkeit". Zwar scheinen sich digitale Medien und insbesondere die traditionelle Malerei und das Zeichnen, was ihre jeweilige Sprache angeht, einander diametral gegenüberzustehen, trotzdem werden diese Medien gelegent-

lich von Künstlern, die digitale Techniken als einen Zwischen-
schritt bei der Anfertigung eines Gemäldes, einer Zeichnung oder
eines Druckes nutzen, zu einer neuen Einheit zusammengeführt.
Für seine Serie *Rhapsody Spray I* (2000) bearbeitete der in London
ansässige Künstler Carl Fudge (geb. 1962) ein gescanntes Bild der
japanischen Animefigur (Zeichentrickfigur) Sailor Chibi Moon am
Computer, das dann als eine Serie von Siebdrucken produziert
wurde. Zwar hat der Druck eine ganz traditionelle Körperlichkeit,
die abstrakte Komposition mit ihren gestreckten und kopierten
Elementen besitzt aber eine ausgeprägt digitale Anmutung. Trotz
der digitalen Manipulation geht der ursprüngliche Bildzusammen-
hang nicht verloren; die einzelnen Attribute der Animefigur sind
in Farbgebung und Form weiterhin zu erkennen (eine charakteris-
tische Eigenschaft von Animefiguren ist, dass sie ihre Gestalt ändern und sich in unterschiedliche Persönlichkeiten verwandeln
können). Anime als ein Genre der Popkultur hat auch außerhalb
Japans eine eingeschworene Anhängerschaft gefunden. Die ästhetischen Einflüsse der Animes sind in vielen digitalen Kunstwerken,

55. **Carl Fudge**, *Rhapsody Spray I*, 2000.

insbesondere in dem später noch behandelten Animationsbereich, zu erkennen.

Die Ästhetik der digitalen Komposition spielt auch im Werk von Chris Finley (geb. 1971), der für seine Gemälde digitale Vorlagen anfertigt, eine wesentliche Rolle. Finleys Arbeitsprozess spiegelt die inhärenten Beschränkungen von Bildbearbeitungsprogrammen: Er beschränkt sich darauf, mit einem vordefinierten Satz von Optionen zur Bestimmung von Farbe, Form und Gestalt zu arbeiten, und kombiniert Elemente, die er durch Drehung oder Kopieren bearbeitet hat. Diese Komposition bildet er dann auf der Leinwand nach, wobei die Farben so gemischt werden, dass sie denen der digitalen Palette entsprechen. Das Resultat sind Gemälde, in denen sich traditionelle Kunstfertigkeit mit den fest umrissenen Formen und Farbfeldern der computergenerierten Malerei verbin-

56. **Chris Finley**, *Goo Goo Pow Wow 2*, 2001.

det. Eine völlig andere Vorgehensweise nutzt Joseph Nechvatal (geb. 1951), dessen mit Rechner- und Roboterunterstützung gemalte Bilder mit Hilfe eines virusähnlichen Programms erzeugt werden, dass das Bild verändert und Störungen einfügt. Zunächst entwirft Nechvatal das Bild am Computer und manipuliert einzelne Bildelemente, vor allem durch das erwähnte Virusprogramm. Dann schickt er die Dateien per Internet an einen computergesteuerten „Malroboter", der das eigentliche Gemälde erzeugt. Der Künstler selbst hat mit dem eigentlichen Malvorgang, der letztendlich als „telepräsentischer" Akt abläuft, nichts zu tun. In Bildern wie *vOluptuary drOid décOlletage* (2002) und *the birth Of the viractual* werden intime menschliche Körperteile mit Ornamenten aus Blumen oder Früchten vermischt und zu einer von einem Virus erzeugten Collage kombiniert. Das hybride Bild suggeriert

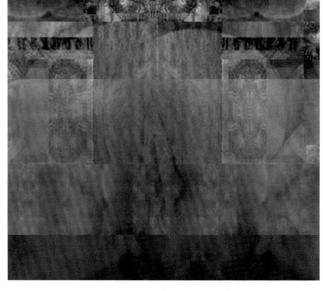
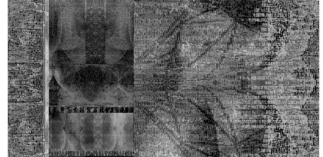

57. (rechts oben) **Joseph Nechvatal**, *the birth Of the viractual*, 2001.

58. (rechts) **Joseph Nechvatal**, *vOluptuary drOid décOlletage*, 2002.

59. **Jochem Hendricks**, *EYE*,
2001.

60. (gegenüberliegende Seite,
oben)
Jochem Hendricks, *Blinzeln*,
1992.

61. (gegenüberliegende Seite,
unten)
Jochem Hendricks,
Fernsehen, 1992.

eine Androgynität, die Nechvatal auf die Metamorphosen des rö-
mischen Dichters Ovid zurückführt. Ovid stellt Transmutationen
als ein universelles Prinzip dar, das das Wesen der Welt bestimmt.
Nechvatals Gemälde wollen eine Schnittstelle zwischen dem Biolo-
gischen und der Technik, dem Viralen, Virtuellen und dem Wirklichen oder dem Zwischenzustand des „Viractual", wie es der
Künstler nennt, schaffen. Während Nechvatals Schnittstelle sich
im Bild selbst manifestiert, nutzt der deutsche Künstler Jochem
Hendricks (geb. 1957) digitale Technik als ein Mittel, um den Blick
des Künstlers unmittelbar sichtbar zu machen. Für seine Augenzeichnungen verwendet Hendricks ein brillenähnliches Gerät, das
die Augenbewegungen abtastet und diese Daten an einen Drucker
sendet, der den Sehprozess in reale Zeichnungen umsetzt. In Arbeiten wie *Fernsehen* (1992) und *Blinzeln* (1992) wird die „Welt-
sicht" des Künstlers buchstäblich in ein Kunstwerk übertragen.
Hendricks Zeichnung EYE (2001) ist ein Diagramm seiner Lektüre
der „Eye" betitelten Unterhaltungsrubrik der San Jose Mercury
News. Ein früheres Werk, *Zeitung* (1994), kartografierte die Lektüre einer kompletten Ausgabe der *Frankfurter Allgemeinen Zeitung*.
Zwar erinnern Hendricks spröde Augenzeichnungen an frühe
Plotterzeichnungen, doch sind sie zugleich auch eine präzise

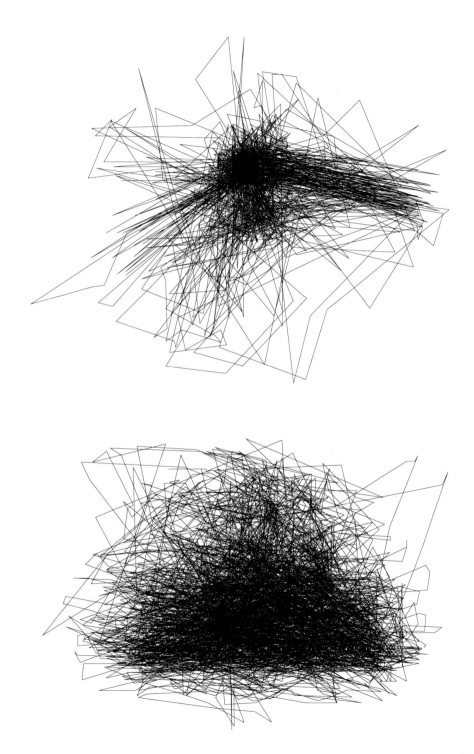

Aufzeichnung vom Ursprung des künstlerischen Prozesses und der optischen Wahrnehmung, vom Akt des „Sehens" selbst.

Es wurde behauptet, dass bei der Anfertigung von Kunstwerken wie Gemälden oder Zeichnungen am Computer die individuelle „Handschrift" mehr oder weniger verloren gehe – d. h. im Vergleich zu Papier oder Leinwand mangelt es dem am Computerbildschirm Geschaffenen an Persönlichkeit, an einem Stil, der sich dem Material eingeprägt hat. Dies ist sicher richtig, der Vergleich mit Malerei und Zeichnung ist allerdings problematisch. Die mit Hilfe eines Computers erzeugte Kunst ist eher mit anderen technisch vermittelten Kunstgattungen wie Film, Video und Fotografie vergleichbar, in denen die Individualität und der Stil eines Künstlers sich nicht in einem direkten physischen Eingreifen manifestieren. Die Idee, sämtliche Elemente des Gestaltungsprozesses, die Programmierung der Software und viele andere Aspekte der Produktion von digitaler Kunst bilden trotzdem hochgradig individuelle Ausdrucksformen, die die ästhetische Signatur eines Künstlers tragen.

Plastik

Digitale Techniken, von Modellierungssoftware bis hin zu Fertigungsmaschinen, werden immer häufiger in unterschiedlichen Stadien des Entwurfs und der Realisation von Plastiken genutzt. Manche Bildhauer verwenden sie sowohl für den anfänglichen Entwurf als auch für die Ausformung des physischen Objekts, andere kreieren Plastiken, die ausschließlich in der Virtualität existieren, etwa in Form eines CAD-Modells (Computer-Aided Design, rechnergestützter Entwurf) oder als digitale Animation.

Es gibt unterschiedliche Arten von computergesteuerten Fertigungsmaschinen, sogenannte Stereolithografen (3D-Drucker), die es ermöglichen, physische, dreidimensionale Objekte zu produzieren. Diese werden über sogenannte Rapid-Prototyping-Verfahren hergestellt, die die Produktion eines Prototypen nach einem CAD-Modell automatisieren (beispielsweise, indem das Objekt aus einem Materialblock herausgefräst wird oder indem es schichtweise aufgebaut wird). Rapid Prototyping wird ebenfalls häufig genutzt, um Gussformen für Plastiken herzustellen. Neue Werkzeuge für die Modellierung und den Aufbau von Objekten haben die Konstruktion und die Rezeption dreidimensionaler Erfahrungswelten verändert und die künstlerischen Möglichkeiten der Bildhauer erweitert. Digitale Medien übertragen die Vorstellung vom dreidimensionalen Raum in die Virtualität und führen zu neuen Relationen von Form, Volumen und Raum. Die „Begreifbarkeit" ist damit nicht länger notwendigerweise eines der zentralen Merkmale der Plastik. Der „transmaterielle" Aspekt der virtuellen Räume verändert die traditionellen Erlebnisweisen, die von der

Schwerkraft, den Größenrelationen, dem Material usw. bestimmt waren. Skalierungen, proportionale Verschiebungen, exzentrische Blickwinkel, Morphing und 3D-Montage sind nur einige der Techniken, die im Bereich der digitalen Plastik zur Anwendung kommen.

Zwar haben manche digital produzierten Objekte keine für das Medium charakteristischen Eigenschaften, d. h. man hätte sie auch mit konventionellen Mitteln realisieren können, andere hingegen verweisen unmittelbar auf ihren Entstehungsprozess. Für den Betrachter ist es unmittelbar einsichtig, dass Robert Lazzarinis (geb. 1965) *Skulls* (2000) ohne digitale Technik nicht möglich wären. Sie basieren auf 3D-CAD-Dateien, die verzerrt und als Plastiken ausgeformt wurden. Die Schädel bewirken eine solche perspektivische Verzerrung, die sich mit keinem uns bekannten dreidimensionalen Objekt vereinbaren lässt (tatsächlich kann das Anschauen

62. **Robert Lazzarini**, *skulls*, 2000.

dieser Objekte Übelkeit verursachen). Gleichzeitig aber sind diese Schädel auch ein Teil der Kunstgeschichte:

Sie erinnern uns an Hans Hohlbeins anamorphen Totenschädel im Vordergrund seines bekannten Gemäldes *Die Gesandten* (1533) in der Nationalgalerie London sowie an diverse andere Verzerrungen, die im Laufe der Jahrhunderte in der Malerei dargestellt wurden.

Der Bildhauer Michael Rees (geb. 1958) verwendet Rapid Prototyping, um Objekte zu erzeugen, die von der medizinischen Anatomie inspiriert sind. Sie sondieren etwas, das er als „spirituell-psychologische Anatomie" bezeichnet. In seiner Serie *Anja Spine*

63. **Michael Rees**, *Anja Spine Series 5*, 1998.

64 (rechts)
Michael Rees, *A Life Series 002*, 2002. Rees verbindet Körperteile miteinander, ohne sich um die Funktionsfähigkeit des Resultats zu kümmern, und zeigt so den Körper als mutabel und klonbar. Die Verwendung von Gliedmaßen als modulare Elemente impliziert, dass Körperteile Bauelemente sind, die nach Belieben umgestaltet werden können, und verweist auf die Verdinglichung unserer Körper. Der Künstler hat auch Animationen kreiert, beispielsweise *A Life movie (monster Series)* von 2002 (rechts unten), in denen die künstlichen Skulpturenkörper lebendig werden und ihre Permutationen vorführen.

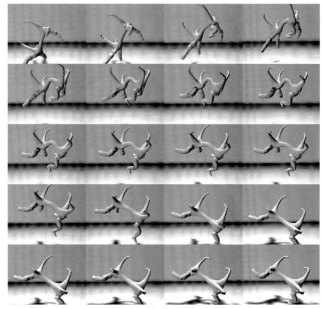

(1998) sind anatomische Elemente und organische Formen, beispielsweise eine Wirbelsäule mit seitlich herausragenden Ohren, zu komplexen plastischen Strukturen verschränkt. Sie werfen Fragen über die wissenschaftliche Überprüfbarkeit einer Sinnlichkeit auf, die den bekannten Aufbau des Körpers transzendiert. Rees nutzt die Wissenschaft und ihre Bildsprache, um unterschiedliche Systeme, analytische und intuitive, miteinander zu verweben. „Anja" ist der Hindu-Ausdruck für das sechste der Chakren, der Ener-

giezentren, die Zugänge für Lebensenergie bilden, den Körper stärken und die Selbsterkenntnis befördern. „Anja" bedeutet „Meisterung" im Sinne einer spirituellen Leitung; es ist zwar noch ein Teil der körperlichen Existenz, aber mit den Grundelementen verbunden. In seiner Serie *A Life* (2002) ging Rees seinem Interesse an den Permutationen des menschlichen Körpers im Zusammenhang mit künstlichem Leben weiter nach.

Fragen zur Relation von Körper und Repräsentation stellt Karin Sanders (geb. 1957) Arbeit *1:10* (1999–2000). Es handelt sich hierbei um Porträts in Form von Miniaturplastiken im Maßstab 1 zu 10, die nach einem 360-Grad-Scan des Porträtierten entstehen. Die aus dem Scan resultierende Datei wird als dreidimensionaler Plastikgegenstand hergestellt und in Airbrushtechnik bemalt, wobei ein Foto der Person als Referenz für die Farbgebung dient. Sander selbst ist an der eigentlichen Anfertigung des Objekts, die komplett maschinell erfolgt, nicht beteiligt, und betont auch, dass sie die äußere Erscheinung des Probanden nicht durch Hinweise zur Haltung oder Bekleidung beeinflusse. Das fertige Objekt scheint zwar eine Plastik zu sein, aber es stellt gleichzeitig auch die Idee der Plastik in Frage. Die Künstlerin arbeitet zu keinem Zeitpunkt selbst mit irgendeinem physischen Werkstoff, und der fertige Gegenstand trägt nicht ihre „Handschrift". Er ist tatsächlich weniger ein körperliches „Abbild" als vielmehr eine akkurat verkleinerte Kopie einer Person, die den Eindruck einer reinen Unmittelbarkeit macht. Im Kern bleibt Sanders Arbeit konzeptuell, eine Idee, die unter Rückgriff auf diverse Techniken umgesetzt wurde.

Sanders Arbeitsprozess veranschaulicht das Konzept des Telemanufacturing, die Möglichkeit, Dinge digital zu „teleportieren", die dann zu dem Zeitpunkt und genau da, wo sie benötigt werden, produziert werden. Vermittels Telemanufacturing können virtuelle 3D-Objekte an entfernt liegenden Orten in eine haptische Erfahrung umgesetzt werden – eine Idee und die Beschreibung einer Form werden buchstäblich begreifbar. Erschwingliche 3D-Drucker werden vermutlich in nicht zu ferner Zukunft massenmarkttauglich. Sie werden den digital übertragenen Informationen eine weitere physische Dimension hinzufügen.

65. **Karin Sander,**
Bernhard J. Deubig 1:10, 1999.

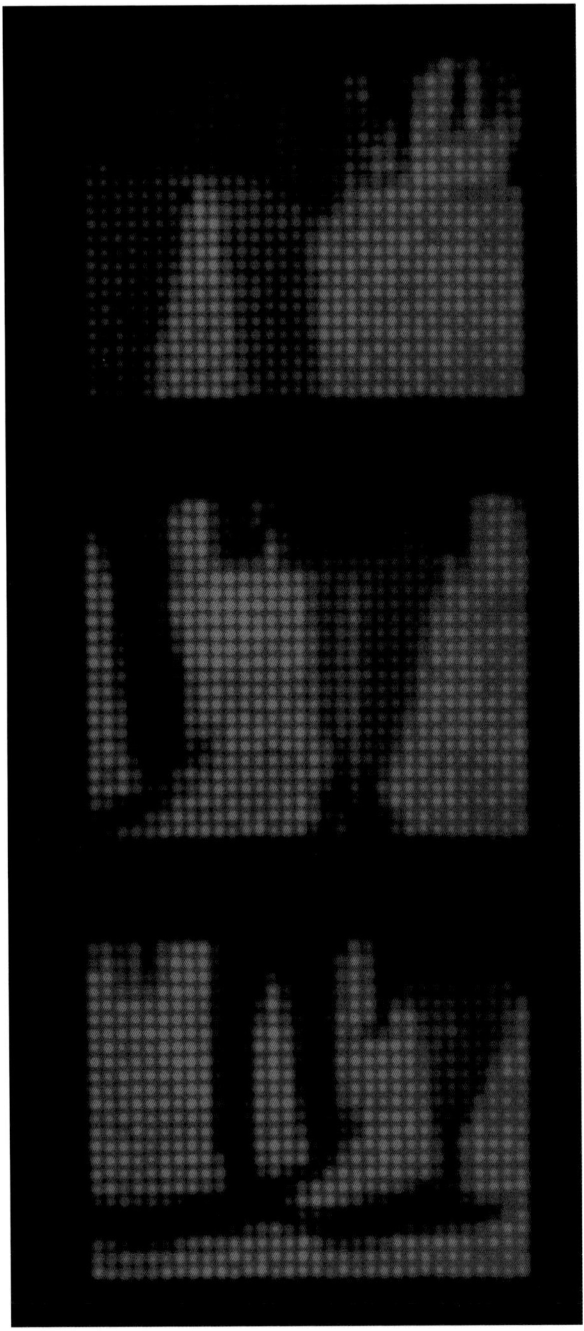

Kapitel 2   Digitaltechnik als Medium

Digitaltechnik als künstlerisches Medium einzusetzen bedeutet, dass ein Werk ausschließlich – von der Produktion bis zur Präsentation – die digitale Plattform nutzt und dass es die dem Medium eigenen Möglichkeiten aufzeigt und erkundet. Die spezifischen Merkmale des digitalen Mediums konstituieren allerdings eine ganz eigene Ästhetik: Es ist interaktiv, partizipatorisch, dynamisch und anpassbar, um nur einige Schlüsseleigenschaften zu nennen. Die Kunst selbst tritt in zahlreichen Erscheinungsformen auf und ist extrem hybrid. Das reicht von der interaktiven Installation mit oder ohne vernetzte Bestandteile über die von einem Künstler programmierte Software-Art bis zu ausschließlich internetbasierter Kunst oder jeder Kombination daraus. Über all diese unterschiedlichen Spielarten gibt dieses Kapitel einen Überblick, wobei die jeweils verwendeten, spezifischen formalen Mittel besonders berücksichtigt werden sollen.

Technik entwickelt sich oft schneller als die Rede, die sie interpretiert und bewertet. Wir sind immer noch dabei, Methoden zu entwickeln, um die Kunst, die digitale Technik als ihr Medium nutzt, zu beschreiben – das gilt sowohl für die sozialen und wirtschaftlichen als auch für die ästhetischen Aspekte. Die Charakteristika, die man gemeinhin dem digitalen Medium zuschreibt, müssen präziser gefasst werden, denn oft werden sie so allgemein verwendet, dass sie kaum etwas bedeuten. Der Begriff „interaktiv" beispielsweise sagt inzwischen aufgrund seiner inflationären Verwendung für zahllose Arten des Austauschs fast nichts mehr aus. Genau genommen ist jede Rezeption eines Kunstwerks interaktiv, denn sie basiert auf einem komplexen Wechselspiel von unterschiedlichen Kontexten und der Bedeutungsproduktion durch den Rezipienten. Andererseits bleibt diese Interaktion bei der Rezeption traditioneller Kunstgattungen ein mentaler, im Geist des Betrachters stattfindender Vorgang: Das Material des Gemäldes oder der Plastik verändert sich nicht beim Anschauen. Digitale Kunst erlaubt dagegen unterschiedliche Arten des Navigierens, Zusammenstellens oder Partizipierens, die über den erwähnten rein mentalen Akt hinausgehen. Zwar haben schon die Performancekunst, Happenings oder die Videokunst damit experimentiert, den Nutzer bzw. Zuschauer in das Kunstwerk mit einzubeziehen, aber nun konfrontiert uns das digitale Medium mit einzigartigen und komplexen Optionen eines mittelbaren oder unmittelbaren Eingreifens.

Die Möglichkeiten komplexer Interaktion in der Digitalkunst gehen weit über eine simple Mausbedienung, die lediglich eine etwas ausgefeiltere Art darstellt, sich das Werk anzuschauen, oder

66. **Jim Campbell**,
5th Avenue Cutaway #2, 2001.

die Sorte von Interaktivität, bei der eine Benutzeraktion lediglich eine vordefinierte Antwort abruft, hinaus. Sehr viel grundsätzlicher unterscheiden sich hiervon virtuelle Kunstobjekte, die als offene, wissensvermittelnde „Erzählungen" (sogenannte „information narratives") mit einer fluktuierenden Struktur, Logik oder Coda angelegt sind und die die Kontrolle über Inhalt, Kontext und Zeit auf den Rezipienten übertragen. Es gibt zahlreiche Arten dieser Kunstwerke, bei denen der Künstler oder das Publikum in ganz unterschiedlichem Maße das visuelle Erscheinungsbild bestimmen können. Digitale Kunst ist nicht immer ein Gemeinschaftsprojekt im wortwörtlichen Sinne, aber sie ist oft „partizipatorisch" und benötigt den Input durch zahlreiche Benutzer. In einigen Kunstwerken interagieren die Benutzer innerhalb der Parameter, die der Künstler vorgegeben hat; bei anderen bestimmen sie diese Parameter selbst, oder werden zu Teilnehmern einer entfernt stattfindenden Live-Performance. In manchen Fällen bestimmt letztendlich der Zuschauer, wie das Werk aussieht: Ohne irgendeine Eingabe mag ein solches Werk buchstäblich nur aus einem leeren Bildschirm bestehen.

Das digitale Medium ist „dynamisch", es kann auf Änderungen in einem Datenstrom oder auf die Echtzeitübertragung von Daten reagieren. Diverse Kunstwerke – einige davon werden später noch besprochen werden – haben „Live"-Daten aus Börse oder Finanzwirtschaft als Quelle für unterschiedliche visuelle Darstellungen verwendet. Wichtig ist allerdings, dass das digitale Medium nicht von Natur aus ein visuelles ist. Es besteht immer aus einem meistens verborgenen „Back-End" aus Programm- oder Scriptcode und einem für den Benutzer sicht- und erfahrbaren „Front-End", das von Ersterem abhängt. Das Resultat kann von komplexen Bilddarstellungen bis zu höchst abstrakten Kommunikationsprozessen reichen. Manche digitale Kunst ist überwiegend visuell, andere Arbeiten beschäftigen sich eher mit Rohdaten oder Datenbanken. Eine weitere wichtige Eigenschaft des Mediums ist seine „Flexibilität", es kann sich an die Bedürfnisse des einzelnen Benutzers bzw. an seine Eingaben anpassen. Ein Beispiel sind Kunstwerke, bei denen das individuelle Profil des einzelnen Nutzers bestimmt, wie sich das Werk entwickelt und verändert.

Diese charakteristischen Merkmale des digitalen Mediums müssen nicht notwendigerweise alle in einem Werk zu finden sein; sie können vielmehr in unterschiedlichen Kombinationen eingesetzt werden. Ein gutes Beispiel für ein digitales Kunstwerk, das nur einige der Eigenschaften des Mediums aufweist, ist Jim Campbells (geb. 1956) Serie *5th Avenue Cutaway* (2001) – ein dynamisches Objekt, das weder interaktiv noch partizipativ oder anpassbar ist. Die Arbeit besteht aus rechnergesteuerten, aus roten Leuchtdioden (LEDs) zusammengesetzten Schirmen. Auf diesen sind ursprüng-

67. **John F. Simon jr.**, *Color Panel v 1.0*, 1999. Diese Arbeit ist eine dynamische Farbstudie, in der ein vom Künstler selbst geschriebenes Programm verschiedene Möglichkeiten und „Farbregeln" (wie sie Anfang des zwanzigsten Jahrhunderts von Malern wie Paul Klee und Wassily Kandinsky vorgeschlagen wurden) in Abhängigkeit von Zeit und Bewegung durchprobiert. Die Elektronik besteht aus den wiederverwerteten Resten eines Laptops (Bildschirm, Prozessor, Speicher, Festplattenlaufwerk); das Acryl-Displaygehäuse ist eine Spezialanfertigung.

lich auf Video aufgenommene Szenen mit Menschen zu sehen, die die 5th Avenue in Manhattan entlanggehen. Vor den Schirmen sind in unterschiedlichen Winkeln und Abständen zu den LEDs Scheiben aus speziell behandeltem Plexiglas platziert, durch die die Szenerie in unterschiedlichem Maße (von sehr stark bis kaum sichtbar) verpixelt wird, sodass sich der Eindruck eines Übergangs von einem digitalen zu einem analogen Bild ergibt. Das Resultat ist nicht bloß eine Reflexion über Abstraktion, sondern auch über die Ästhetik der unterschiedlichen Medien. Ein weiteres Beispiel für ein dynamisches, digitales Kunstwerk ist John F. Simon jr.'s (geb. 1963) Serie von Farbschirmen, die aus einer selbsterstellten Hard- und Software sowie LCD-Bildschirmen besteht. Die Schirme zeigen, wie sich dynamische, von dem Programm des Künstlers berechnete Kompositionen entfalten. Der Betrachter kann buchstäblich zusehen, wie die Algorithmen den Bildschirm in stets neuen Variationen beschreiben. Die Arbeiten von Campbell und Simon erweitern unsere Vorstellungen von einem Kunstwerk im digitalen Zeitalter, wobei sie seinen Objektcharakter überwiegend beibehalten und es zugleich in eine sich verändernde, zeitbasierte Struktur transformieren.

Für die Praxis des digitalen Schaffens ist ein Aspekt besonders bedeutsam: dass Information endlos weiterentwickelt, wiederverwendet und in unterschiedlichen Kontexten reproduziert werden kann – aus der Rekombination erwachsen neue Ideen. Die Möglichkeit, Informationen in einen neuen Kontext zu stellen und immer wieder anders zu kombinieren, folgt einer Datenbanklogik, die ja den Kern eines jeden digitalen Kunstprojekts bildet. In den Worten des Medientheoretikers Lev Manovich: Ein digitales Kunstwerk kann als eine oder mehrere Schnittstellen zu einer Datenbank mit multimedialen Inhalten beschrieben werden. Manovichs Definition verweist auf die Tatsache, dass ein virtuelles Objekt ein Interface benötigt, über das es vom Benutzer oder Betrachter erlebt werden kann. Der Begriff der Schnittstelle ist beinah schon zum Synonym für die Navigations- bzw. Steuerungsmethoden und -vorrichtungen geworden, die es Anwendern ermöglichen, mit dem virtuellen dreidimensionalen Raum eines Computerprogramms zu interagieren. Immerhin ist dieser Begriff schon über ein Jahrhundert alt. Er bezeichnet einen Raum, in dem sich unabhängige „Systeme" (wie Mensch/Maschine) treffen, und das Steuerungsinstrumentarium, das es dem einen System erlaubt, mit dem anderen zu kommunizieren. Das Interface dient als Steuerungsapparatur und als Übersetzer für die beiden Parteien, das die eine für die jeweils andere wahrnehmbar macht. Wir sind schon so lange von Schnittstellen umgeben, dass wir sie kaum noch bemerken. Wann immer wir die Knöpfe und Tastenfelder der Fernsehgeräte, Videorekorder, der Fernbedienungen, Stereoanlagen, Mikrowellenherde, der Aufzüge, Telefone und Faxgeräte bedienen, wir sind auf Schnittstellen angewiesen, um mit den Apparaten und der Welt außerhalb unserer selbst zu kommunizieren. Und immer verändern die Schnittstellen auf subtile Weise die Kommunikationsmuster. Die Gestaltung und der Charakter digitaler Schnittstellen, mit ihren Konventionen, ihren strukturellen Eigentümlichkeiten wie auch ihren Versprechungen und Beschränkungen sind auf das Engste mit der Art und Weise, wie wir digitale Kunst wahrnehmen, verbunden.

Gattungen in der Digitalkunst

Es ist problematisch, zu behaupten, dass sich alle digitalen Kunstwerke sinnvoll in unterschiedliche Gattungen einteilen lassen. Meist kombinieren diese Arbeiten unterschiedliche Bestandteile (etwa eine reale Installation mit einer Klang- oder Internetkomponente) und widersetzen sich einer ausschließlich formalen Klassifizierung. Nichtsdestotrotz ist es wichtig, sich der formalen Mittel, auf die sich ein Kunstwerk stützt, bewusst zu sein. Letztlich geht es bei jedem Objekt – auch dem virtuellen – um seine Materialität; sie bestimmt die Art und Weise, wie es Bedeutung erzeugt. Zu den Gattungen, denen ein digitales Kunstwerk zugerechnet werden kann, gehören Installation; Film, Video und Animation; Netzkunst und Software Art; und Virtuelle Realität und Klanginstallationen. Zwar sind die formalen Aspekte eines Werks stets untrennbar mit seinem Inhalt verbunden (das Medium ist Teil der Botschaft), trotzdem ist eine auf der Form beruhende Einteilung nicht unbedingt hilfreich, um die Themen, die sich in einer gegebenen Kunstrichtung entwickelt haben, abschließend zu umreißen. In diesem Kapitel werden anhand von Beispielen diverse formale Kategorien in der digitalen Kunst skizziert. Ein späteres Kapitel behandelt dann Kunstwerke aus allen diesen Kategorien mit Blick auf einige der markantesten Themen und Problemstellungen, mit denen sie sich beschäftigen. Viele der auf den folgenden Seiten erwähnten Arbeiten wurden an Veranstaltungsorten gezeigt, die sich dem digitalen Medium schon seit Längerem widmen – wie etwa das ZKM in Karlsruhe, das ICC in Tokio oder das Ars Electronica Festival in Linz – und mit Unterstützung der Forschungslabore von Bildungseinrichtungen oder -organisationen wie dem Banff New Media Center in Kanada, dem Canon Artlab in Japan oder dem V2 in den Niederlanden produziert wurden.

Installationen

Digitalkunstinstallationen gibt es in einer Vielzahl von Ausprägungen. Einige erinnern an großangelegte Videoinstallationen mit mehreren Projektoren oder an Videoarbeiten, die den Betrachter per Echtzeit-Digitalisierung in ihre Bildwelt einbeziehen. Viele haben das Ziel, eine „Umgebung" zu kreieren, die eine mehr oder minder umfassende Immersion ermöglicht; dies reicht von Arbeiten, die über Projektionen eine Umgebung für das Publikum aufbauen, bis zu solchen, die es in einer virtuellen Welt eintauchen lassen. Diese Immersion hat eine lange Geschichte, die untrennbar mit Kunst, Architektur und symbolischen Systemen verbunden ist. So kann man Höhlenmalereien als frühe, immersive Umgebungen verstehen; in gleicher Weise zielten mittelalterliche Kirchen darauf ab, eine Umgebung zu schaffen, die ihre Besucher durch die Kombination aus Architektur, Licht und Symbolik verändert. Genau wie ihre Pendants im Videobereich sind digitale Installationen oft an ihren Standort anpassbar; ihre Größe ist nicht unbedingt festgelegt. Da sie innerhalb des realen Raums existieren und zu ihm in eine Beziehung treten (egal ob es sich um einen umschlossenen oder einen offenen Raum handelt), gehört diese grundlegende räumliche und architektonische Dimension stets dazu, was für das Kunstwerk selbst mehr oder weniger relevant sein mag. Unter formalen Gesichtspunkten sind im Bereich der großen digitalen Environments die folgenden Spielarten am häufigsten vertreten: architektonische Modelle; Navigationsräume, die Schnittstellen oder Bewegungen untersuchen; die Erforschung der Konstruktion virtueller Welten sowie verteilte, vernetzte Modelle, die es dem Benutzer ermöglichen, sich aus der Ferne an dem Kunstwerk zu beteiligen. Auf die eine oder andere Weise beschäftigen sie sich alle mit den potenziellen Beziehungen zwischen dem realen Raum und dem Virtuellen; was sie unterscheidet, ist die Gewichtung, die den beiden Bereichen jeweils zukommt, und die verwendeten Methoden, um den einen Raum in den anderen zu überführen. Einige Kunstwerke versuchen, Eigenschaften der virtuellen Welt in die reale Umgebung zu übertragen; andere sind bestrebt, das Reale im Virtuellen abzubilden; wieder andere zielen darauf ab, beide zu vereinen.

Der australische Künstler Jeffrey Shaw (geb. 1944) hat eine Reihe von einflussreichen Projekten im Bereich der Digitalkunst verwirklicht. Er beschäftigt sich in seiner bahnbrechenden Arbeit *The Legible City* (1988–91) mit Fragen der Bewegung und Navigation im Zusammenhang mit Architektur. Das Projekt ermöglicht es Besuchern, sich in einer simulierten Stadt aus computergenerierten, dreidimensionalen Buchstaben, die Wörter und Sätze bilden, zu bewegen, indem sie die Pedalen eines stationären Fahrrades treten. Diese „Textarchitektur" beruht auf den Karten wirklicher Städte und wird auf eine große, vor dem Betrachter befindliche Leinwand projiziert. In den Versionen *Amsterdam* und *Karlsruhe* richtet sich die Größe der Buchstaben nach der der Gebäude, die sie ersetzen; die Texte sind aus Archivauszügen kompiliert, die historische Ereignisse beschreiben. In der *Manhattan*-Version (1989) bestehen die Texte aus acht verschiedenfarbigen Geschichten, die in der Form fiktiver Monologe der Stadtbewohner (darunter der ehemalige Bürgermeister Koch, Donald Trump und ein Taxifahrer) präsentiert werden. Dadurch, dass die Nutzer die Geschwindigkeit und die Richtung ihrer Tour selbst bestimmen können, erzeugt *The Legible City* eine direkte Verbindung zwischen der realen und der virtuellen Welt: Lenker und Pedale sind mit einem Rechner verbunden, der ihre Bewegungen in Veränderungen der Landschaft auf der Leinwand umsetzt. Shaws Arbeit berührt zahlreiche Themen, die von grundsätzlicher Bedeutung für die Konstruktion virtueller Umgebungen sind. Die Textkomponente transformiert „buchstäblich" die Eigenschaften von Hypertext und Hypermedia in eine Architektur, in der die „Leser" ihre eigene Erzählung konstruieren, indem sie Wege durch das nicht-hierarchische Textlabyrinth wählen. Mit anderen Worten: Die

Stadt wird zu einer „Informations-Architektur", deren Gebäude aus Geschichten bestehen, die vom Standort der Installation abhängen und diesem gleichzeitig etwas Neues hinzufügen. So verweisen sie auf eine Geschichte immaterieller Erfahrungen, die nicht unmittelbar über die dingliche Form des Gebäudes selbst zugänglich sind.

Die Erweiterung einer realen Architektur um virtuelle Gedächtnisinhalte und Erzählungen hat der mexikanisch-kanadische Künstler Rafael Lozano-Hemmer (geb. 1967) als eine „relationale Architektur" bezeichnet, die er als die technische Erweiterung von Gebäuden und öffentlichen Räumen mit einem künstlichen Gedächtnis definiert. Lozano-Hemmer hat eine ganze Serie derartiger Projekte umgesetzt, bei denen er Gebäude und Plätze um audiovisuelle Elemente ergänzt, die auf weitere historische, politische oder ästhetische Kontexte verweisen. Dadurch, dass sie ein reales Ge-

70. **Rafael Lozano-Hemmer, mit Will Bauer und Susie Ramsay,** *Displaced Emperors (Relational Architecture #2),* 1997.

bäude zu einem artifiziellen Konstrukt erweitern, unterscheiden sich Lozano-Hemmers Projekte zwar deutlich von der rein virtuellen Architektur der *Legible City*; beiden gemeinsam ist aber, dass sie mit der Spannung zwischen realer und virtueller Architektur experimentieren. In seinem Projekt *Displaced Emperors (Relational Architecture #2)*, das 1997 in Linz gezeigt wurde, stellte Lozano-Hemmer über historische Kuriositäten, die scheinbar nichts miteinander zu tun haben, eine Verbindung zwischen Mexiko und Österreich her: das mexikanische Kaiserreich (1864-67) unter dem Österreicher Maximilian von Habsburg und die Federkrone („Penacho de Moctezuma") eines der letzten Aztekenherrscher, die sich im Besitz des Museums für Völkerkunde in Wien befindet. Der Eingriff selbst transformierte die Außenseite des Habsburgerschlosses in Linz: Indem die Besucher (deren Bewegungen berührungslos über Sensoren abgetastet wurden) auf die Fassade zeig-

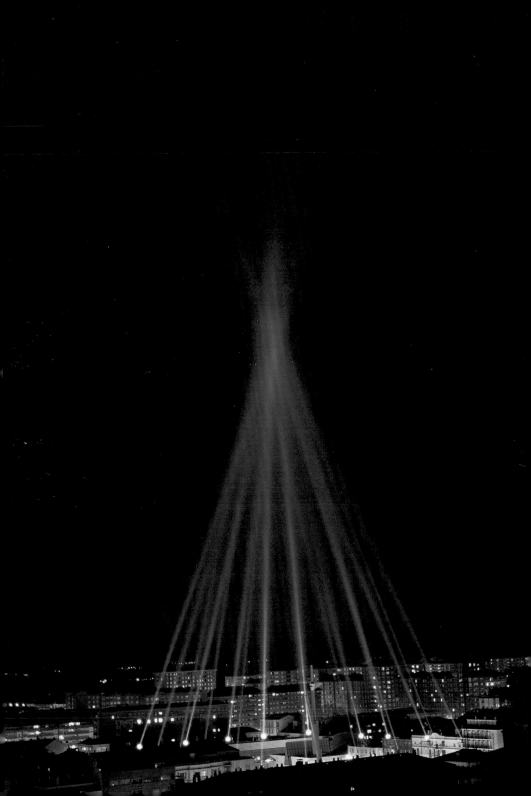

71. **Rafael Lozano-Hemmer**, *Vectorial Elevation (Relational Architecture #4)*, 2002. In dieser Arbeit, die in Mexiko (1999) und danach im Baskenland (2002) gezeigt wurde, konnten Besucher die Suchscheinwerfer über das Internet steuern. *Vectorial Elevation* steht in der Tradition früher rechnergesteuerter Freiluft-Lichtinstallationen, beispielsweise Otto Pienes (geb. 1928) *Olympic Rainbow* (1972) oder der Laserskulpturen von Norman Ballard (geb.1950) und Joy Wulke (geb. 1948).

72. **Erwin Redl**, *Shifting, Very Slowly*, 1998–99.

ten, lösten sie die Projektion einer großen, animierten Hand aus, die an der Stelle erschien, wo sie hingedeutet hatten. Wo sich die Hand über das Gebäude bewegte, wurden Innenräume projiziert, sodass es aussah, als ob die Teilnehmer mit ihren Bewegungen das Innere des Gebäudes offenlegen konnten. Allerdings waren dies nicht die tatsächlichen Innenräume des Linzer Schlosses, sondern die der Habsburgerresidenz in Mexiko Stadt, Schloss Chapultepec. Durch Drücken eines „Montezuma-Knopfes" konnte man außerdem den Federkopfschmuck als Projektion an diversen Stellen erscheinen lassen. Auf diese Weise versetzt und vertauscht *Displaced Emperors* die wohlgeordneten Stränge der Kolonialgeschichte, gibt einem vertrauten Ort einen gänzlich unbekannten Kontext und verwickelt das Publikum in historische Machtverhältnisse. Der Künstler setzte die Arbeit mit architektonischen Eingriffen in seinem Projekt *Vectorial Elevation* (seit 1999) fort, die die urbane Landschaft mit über einem Dutzend ferngesteuerter gigantischer Suchscheinwerfer transformiert.

Einen ganz anderen Ansatz bei der architektonischen Erkundung des Raumes und seiner Strukturierung durch Licht verfolgen die Installationen des aus Australien stammenden Künstlers Erwin Redl (geb. 1963). Redls Lichtprojektionen sind ein weiteres Beispiel für Arbeiten, die das digitale Medium auf eine sehr minimalistische Weise einsetzen und die genau diese Subtilität zum Schwer-

73. (gegenüberliegende Seite)
Erwin Redl, *Matrix IV,* 2001.

punkt des Werks selbst machen. Mehrere Jahre lang hat Redl umfangreiche, auf den jeweiligen Ausstellungsort zugeschnittene LED-Installationen realisiert, vielfach in Form von enormen „Vorhängen", die aus einer großen Anzahl von Schnüren bestehen, auf denen die kleinen LEDs aufgereiht sind. Gelegentlich sind die Lichter programmiert, langsam ihre Farbe zu wechseln, was der Raumkonstruktion eine weitere Ebene hinzufügt. Insbesondere

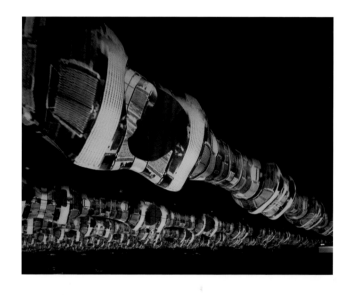

74. (rechts) **Asymptote,** *Flux-space 3.0,* 2002. Wie in den früheren Werken der Gruppe, *Fluxspace 1.0* (2000) und *Fluxspace 2.0* (2001), wird die Fluidität des virtuellen Raums zu einem Bestandteil der realen Installationsumgebung. Eine verzerrte und wie umgestülpt aussehende urbane Landschaft wird auf ein amorphes Gebilde, das in der Mitte eines Raumes mit verspiegelten Wänden hängt, projiziert. Die entstehenden Spiegelungen lassen eine virtuelle, den Betrachter umgebende 3D-Architektur entstehen.

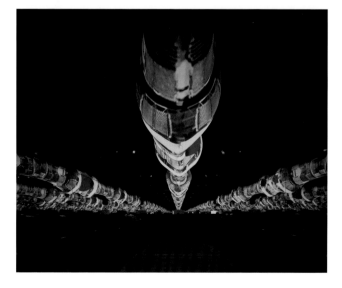

75. **Masaki Fujihata**, *Global Interior Project*, 1996. Die Teilnehmer interagieren über kubische Terminals, die einen Computer und einen Trackball enthalten. Mit Hilfe des Trackballs kann man durch ein Labyrinth miteinander verbundener virtueller Kuben reisen, die wie das Terminal im Installationsraum aussehen, und die sich durch den darin befindlichen Gegenstand (Apfel, Hut usw.) unterscheiden. Im virtuellen Raum wird jeder Teilnehmer von einer Figur – einem würfelförmigen Gebilde mit dem Videobild des Teilnehmers darauf – repräsentiert, und die Leute können sich unterhalten, wenn sie sich in den Räumen treffen. Die Aktivitäten in den virtuellen Kuben werden durch einen Stapel von kleineren, mit Türen versehenen Kästen im Installationsraum abgebildet, von denen jede einem bestimmten Kubus entspricht. Wenn jemand einen virtuellen Raum betritt, öffnet sich die Tür des dazugehörigen Kastens.

Redls *Matrix*-Serie (seit 2000) scheint den virtuellen Raum in einen realen Raum zu überführen: Der virtuelle Raum wäre ohne das Lichtraster auf der Leinwand, das ein wesentlicher Bestandteil des Raumkonzepts ist, gar nicht sichtbar und zugänglich. *Matrix* transponiert die Raster und Ebenen des virtuellen Raums in reale Umgebungen; sie ermöglichen es den Besuchern, einen im Grunde immateriellen Raum emotional, „aus dem Bauch heraus", zu erfahren. Das Wechselspiel zwischen virtuellen und realen Strukturen und Architekturen war ebenfalls ein Schwerpunkt der von Asymptote, einem von Hani Rashid und Lise-Anne Couture gegründeten New Yorker Architekturbüro, realisierten Arbeiten. *Fluxspace* beschäftigt sich mit den Schnittmengen zwischen dem Virtuellen und dem Realen, um die unterschiedlichen Qualitäten beider Bereiche zu verschmelzen und Eigenschaften des digitalen Mediums in den realen Raum zu übertragen.

Sowohl die Arbeiten Redls auch die von Asymptote haben ein gemeinsames Thema: gewisse Eigenschaften des Virtuellen ins Reale zu übertragen und unsere Vorstellungen vom realen Raum zu erweitern. Das *Global Interior Project* (1996) des japanischen Künstlers Masaki Fujihata (geb. 1956) unternahm den Versuch, das Virtuelle und das Reale zu vermengen und zu vereinen. Dabei handelt es sich um ein vernetztes Multi-User-Environment, das eine Spiegelwelt aufbaut, in der die Installation die Architektur

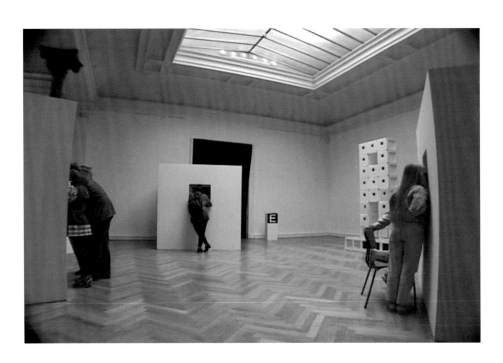

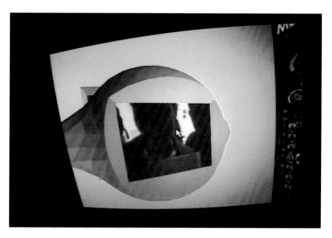

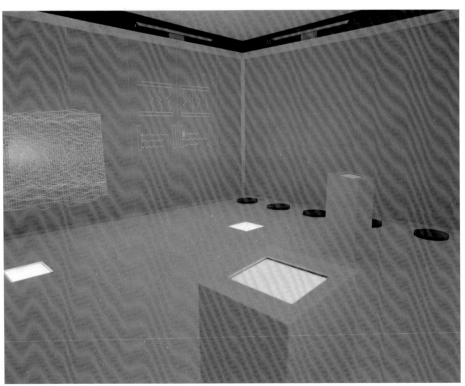

76. **Marko Peljhan in Zusammenarbeit mit Carsten Nicolai**, *Polar*, Artlab 10, Hillside Plaza, Tokyo, 2000. Die von den Besuchern mit Hilfe eines speziellen Aufnahmegeräts gesammelten Daten werden analysiert und in sieben Schlüsselwörter „übersetzt", die auf den beiden Monitoren im Ausstellungsraum erscheinen. Wenn man eines dieser Schlüsselworte auswählt, wird ein Suchsystem aktiviert, das aus Datenbanken und Webseiten im Internet ein Wörterbuch mit verwandten Begriffen zusammenstellt. Ausgehend von den Parametern, die die ursprüngliche Wissensdatenbank vorgegeben hat, können die Nutzer mit dem Verzeichnis arbeiten, es anpassen und weiterentwickeln. Die Netzzugriffe des Suchsystems und der Benutzer werden in Echtzeit in Wellenformen transformiert und im Installationsraum projiziert, der so zu einer Art lebender Matrix wird, die auf die Teilnehmer reagiert.

77. (auf der nächsten Doppelseite)
Jesse Gilbert, Helen Thorington und Marek Walczak, mit Hal Eager, Jonathan Feinberg, Mark James und Martin Wattenberg, *Adrift*, 1997–2001.

und Struktur des virtuellen Raumes repräsentiert und so zur Karte der virtuellen Welt zu werden scheint. Wie der Titel schon andeutet, verwischt *Global Interior Project* die Grenzen zwischen dem Innen- und dem Außenbereich, und entwirft komplementäre Räume des Virtuellen und des Realen, die nahtlos ineinander übergehen.

Der Architekt Marcos Novak hat den Cyberspace als eine „flüssige Architektur" beschrieben, in dem alle Strukturen programmierbar und daher in ständiger Bewegung sind, fähig, sich über die Gesetze der realen Welt hinwegzusetzen und auf den Betrachter auf intelligente Weise zu reagieren. Das Bemühen, eine solche auf den Besucher eingehende, „intelligente Umgebung" in der Wirklichkeit zu realisieren, spielt eine immer wichtigere Rolle in den Kunst- und Architekturprojekten, in denen die Vorstellungen von der Verflüssigung und Transparenz des Datenraums ein neues Verständnis der Realität inspirieren.

Die ultimativ intelligente Umgebung hat Stanislaw Lem in seinen Roman *Solaris* (1961) – der von Andrei Tarkowski und später von Stephen Soderbergh verfilmt wurde – erdacht, in dem der ganze fiktive Planet Solaris ein intelligentes System und vernunftbegabter Organismus ist, der in der Lage ist, die menschlichen Emotionen und Gedanken widerzuspiegeln. Lems Roman war eine unmittelbare Inspiration für das Projekt *Polar* (2000) – eine Zusammenarbeit zwischen dem slovenischen Künstler Marko Peljhan (geb. 1969), dem deutschen Musiker Carsten Nicolai (geb. 1965) und dem Canon Artlab – das zum Ziel hatte, einen intelligenten Datenraum in einer realen Umgebung nach-zubilden. Das Projekt zielt auf Gegensätze, es sondiert getrennte Pole im Datenraum und die Möglichkeiten, wie sich unterschiedliche Arten von Informationen in einer dynamischen Matrix materialisieren können. Jeweils zwei Leute betreten den Installationsraum; jeder ist mit einem Gerät ausgestattet, das es ihm erlaubt, sensorische Informationen – Bilder, Töne, Temperatur, Kulturen von Mikroorganismen, die auf Temperatur und Lichtverhältnisse in der Umgebung reagieren – aufzuzeichnen und zu sammeln. Jedes Besucherpaar verändert den Raum und erzeugt eine neue Ausgangsbasis für das nächste Paar.

Das Gegenstück zu Installationen wie *Polar* bildet eine weitere Art von Arbeiten, die die Repräsentation von realem Raum und realer Architektur im Reich des Virtuellen untersuchen. Den Performance-Charakter dieses Prozesses betont *Adrift* (1997–2001), ein kollaboratives Projekt von Jesse Gilbert, Helen Thorington, Marek Walczak und anderen, das im Laufe der Jahre in diversen Konfigurationen gezeigt wurde. Das jeweils mehrere Orte umspannende Projekt etabliert eine Verbindung zwischen virtuellen und realen geografischen Orten, indem es Kamerabilder aus dem

öffentlichen Raum mit virtuellen 3D-Räumen, Text und Klängen mischt, die auf eine halb-kreisförmige Leinwand am Standort der Installation projiziert werden. *Adrift* zeigt Reisen, die den Datenraum und den realen, medial vermittelten Raum zusammenfallen lassen, und erzeugt so eine Collage, deren unterschiedlichen Bestandteile die Sprache der jeweiligen Medien (Video, Text, Klang, 3D) und deren Verhältnis zum Raum reflektieren. Das Multimedia-Forschungsteam Knowbotic Research (Yvonne Wilhelm, Christian Hübler und Alexander Tuchacek) hat ebenfalls diverse Installationen realisiert, die die Abbildung realer Orte in einer Datenwelt im Kontext von sowohl natürlichen als auch urbanen Umgebungen untersuchen. Insbesondere ihr interdisziplinäres Projekt *Dialogue with the Knowbotic South (DWTKS)* (1994–97) thematisierte Probleme der Repräsentation und Simulation in Kunst und Wissenschaft, wo die Navigation in virtuellen Räumen und das Interface zu zentralen Fragestellungen geworden sind. Der Einsatz von 3D-Welten, Virtual Reality und Immersive Environments in der Wissenschaft stützt sich in zunehmendem Maße auf Simulationstechnik. Bei ihrem Versuch, Wirklichkeiten und Kommunikationsarten zu gestalten, beschäftigt sich die Kunst mit den gleichen Umgebungen – manchmal unter Rückgriff auf wissenschaftliche Daten. Sowohl der Kunst als auch der Wissenschaft sind die Räume zwischen den realen und den virtuellen Welten, die Lücken und Überschneidungen zwischen diesen unterschiedlichen Bereichen und Zuständen, wozu auch Subjektivität und Objektivität gehören, ein grundsätzliches Anliegen. *Dialogue with the Knowbotic South* ließ Nutzer nachvollziehen, wie Wissenschaft und Technik Natur – in diesem Fall Antarktika – in computerunterstützte Natur verwandeln. Die Installation *DWTKS* ermöglicht eine Interaktion mit einer dynamischen Datenlandschaft. Die Informationslandschaft umfasst Datensätze, Modelle und Simulationen der Antarktika-Forschung, die Verbindungen zu Naturereignissen am Südpol symbolisieren.

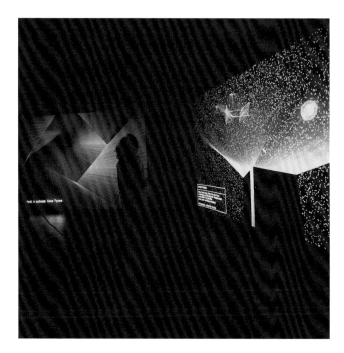

78. **Knowbotic Research,**
Dialogue with the Knowbotic
South, 1994–97.

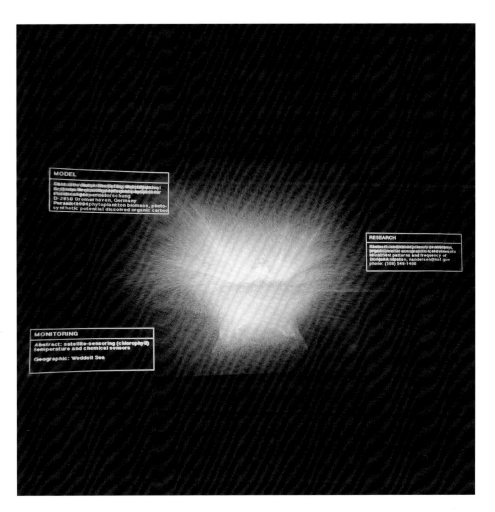

Die Besucher konnten sich sowohl in einer Webumgebung als auch durch ein am Installationsort in Echtzeit vom Computer berechnetes Modell der *DWTKS*-Umgebung bewegen.

Eine der zentralen Fragen, die *DWTKS* aufgeworfen hat, ist die nach dem Verhältnis von Repräsentation und Simulation. Das Problem der Repräsentation spielt eine wichtige Rolle in den Argumentationen von Theoretikern wie Friedrich Kittler, William Mitchell und Edmond Couchot, die das digitale Bild als eine Simulation begreifen. Mitchell unterscheidet zwischen dem Film- und elektronischen Bild, das er als „abbildhaft" („representational") bezeichnet, und dem simulierten, digitalen Bild als einem „bildhaften" („presentational"). Gewiss könnte man den Standpunkt vertreten, dass alles, was per Computer erzeugt und dargestellt wird, letztendlich eine Simulation ist; der Simulationsbegriff ist

79. **Knowbotic Research**, *10_DENCIES*, 1997–99. Dieses Projekt entwarf hypothetische Schnittstellen, um die Faktoren, die die Entwicklung von Städten beeinflussen, darzustellen und zu steuern. In Zusammenarbeit mit Architekten, Stadtplanern und -bewohnern entwickelte Knowbotic Research Datenprofile, die den aktuellen Zustand und die Entwicklungstendenzen von Tokio, Sao Paolo und Berlin abbildeten. Diese Profile wurden in „elektronischen Szenarien" zusammengefasst, an denen Interventionsmöglichkeiten und kollaborative Aktionen erprobt werden konnten. Über eine Internet-Schnittstelle konnten Nutzer in der ganzen Welt in den Dialog eintreten. Ziel von *10_DENCIES* war ein interdisziplinärer Diskurs über die Stadtentwicklung. In den Diskussionen über die Gestaltung dieser öffentlichen Räume, die vor Ort und in dem neuen öffentlichen Raum des Internet stattfand, verband das Projekt das Lokale und das Globale.

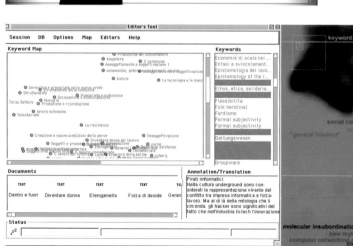

allerdings nicht für jede Art von digitalem Werk angemessen. Darüber hinaus ist es problematisch, Repräsentation und Simulation als Dichotomien aufzubauen. Simulation kann man als nachahmende Abbildung eines Systems oder Prozesses durch ein anderes System oder einen anderen Prozess definieren. Beispielsweise ersetzt ein Flugsimulator die Wirklichkeit des Fliegens durch die digitale Simulation dieses Prozesses. Trotzdem zielt die Simulation darauf ab, so „abbildend" und so nah an der Realität wie möglich zu sein. Diese „Abbildungsqualität" ist zu einem Hauptziel in der Wissenschaft geworden. Das Gleiche gilt für die Spiele- und Unterhaltungsindustrie, wo man bestrebt ist, das Aussehen von realen, physischen Objekten und Lebewesen zu imitieren. *Dialogue*

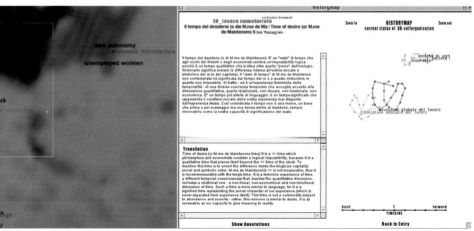

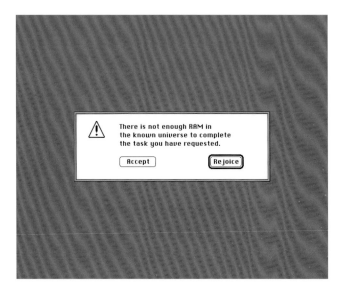

> There is not enough RAM in
> the known universe to complete
> the task you have requested.
>
> [Accept]   [Rejoice]

80. **Perry Hoberman**, *Cathartic User Interface*, 1995/2000. In Hobermans Installation konnten Nutzer ihrem Frust über die neumodischen Technologien freien Lauf lassen, indem sie mausähnliche Bälle auf eine aus ausrangierten PC-Tastaturen bestehende Wand warfen (oben rechts). Dies löste Projektionen der vertrauten Fenster und Pop-ups aus, die so oft die produktive Arbeit am Computer behindern (unten rechts): zum Beispiel ein Menü, das den Benutzer nach einem (ihm offensichtlich unbekannten) Passwort fragt, mit einem Knopf, der immerhin die Option „Aufgeben" anbietet.

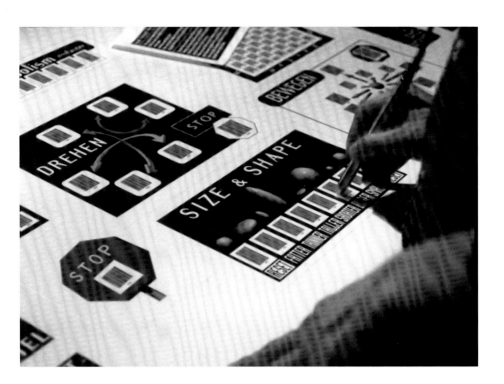

81. **Perry Hoberman**, *Bar Code Hotel*, 1994. In diesem Projekt wird der allgegenwärtige Strichcode zur Schnittstelle für eine virtuelle Umgebung. „Hotelgäste" erhalten einen speziellen Stift, der es ihnen erlaubt, die überall im Installationsraum verteilten Barcodes einzulesen und direkt an einen Computer zu übertragen, der daraus Objekte und Aktionen in einer projizierten virtuellen Welt generiert. Jedes Objekt in der Projektion ist einem Gast zugeordnet, der es aber nicht gänzlich kontrollieren kann: Die Gegenstände haben ihren eigenen Willen, zeigen eigene Verhaltensweisen, wenn sie miteinander und mit der Umgebung interagieren.

with the Knowbotic South hat die (ungelöste) Frage aufgeworfen, ob wissenschaftliche Erkenntnisse in eine ästhetische Form gebracht werden können, und ob es jenseits einer simplen Visualisierung Möglichkeiten für eine neue Bildsprache gibt. Knowbotic Research setzten ihre Untersuchung potenzieller Interaktionen zwischen dem Realen, dem Virtuellen und dem Hypothetischen in ihrem Projekt *10_DENCIES* (gesprochen: „tendencies", Tendenzen) (1997–99) fort, das sich mit Stadtentwicklung und urbanen Prozessen beschäftigte.

Die Navigation in jeder Art von virtuellem Raum hängt immer von diversen Interfaceebenen ab. Das Eingabegerät, sei es ein Fahrrad, eine Maus oder ein Joystick, bildet eine dieser Ebenen; ein wie auch immer gearteter Bildschirm eine weitere. Die virtuelle Struktur, die die Information repräsentiert – die Welt der Buchstaben in Jeffrey Shaws *The Legible City* oder die Zellen in *Global Interior Project* – fügt dem noch eine weitere Ebene hinzu. Schnittstellen öffnen ein Kunstwerk für die Interaktion, aber sie haben selbst auch eine inhaltliche Dimension, die eine nähere Betrachtung rechtfertigt. Der Amerikaner Perry Hoberman (geb. 1954) gehört zu den Künstlern, deren Arbeiten sich kritisch mit Schnittstellen auseinandersetzen. In Projekten wie *Timetable* (1999), *Cathartic User Interface* (1995/2000) und *Bar Code Hotel* (1994)

82. **Perry Hoberman**,
Timetable, 1999.

83. Bill Seaman mit Gideon May, *The World Generator/The Engine of Desire*, seit ca. 1995. Die Nutzer bauen eine virtuelle Welt, indem sie Bausteine wie 3D-Objekte, Bilder, digitale Filme, poetische Redewendungen und Klangobjekte auswählen, die dann auf eine Leinwand projiziert werden. Anschließend kann man sich dort umherbewegen und sie von allen Seiten betrachten. Ebenso ist es möglich, die Oberfläche von Objekten zu ändern und „Texturen" zu erzeugen, indem man ein Bild oder Video darauf projiziert, oder ein Video auf einem „Schirm im Schirm" vorzuführen, das abläuft, wenn man sich ihm (virtuell) nähert.

hat er die Bedeutung und die Konnotationen bei unterschiedlichen Arten von Interfaces untersucht. *Timetable* besteht aus zwölf Skalen am äußeren Rand eines großen runden Tisches, auf den von oben mittig ein Bild projiziert wird. Die Funktion der Skalen mutiert und ändert sich abhängig davon, was jeweils gerade auf sie projiziert wird – sie können sich in Uhren, Messuhren, Tachometer, Schalter, Steuerräder etc. verwandeln. Die 3D-Echtzeitdarstellung in der Mitte des Tisches wird durch die Bewegung der Skalen gesteuert und beeinflusst. Der Raum dieses *Timetable* verändert sich ständig, er wird im Verlauf seiner Benutzung komplexer und gewinnt neue Dimensionen hinzu. Jeder Zustand evoziert weitere Zustände; der zeitliche Rahmen, den jedes Interface vorgibt, wird so bewusst gemacht, und die unterschiedlichen Erwartungen und Assoziationen, die sie erzeugen und hervorrufen, werden herausgearbeitet.

Die Verbindungen zwischen realer und virtueller Architektur und realem und virtuellem Raum, die viele der genannten Projekte

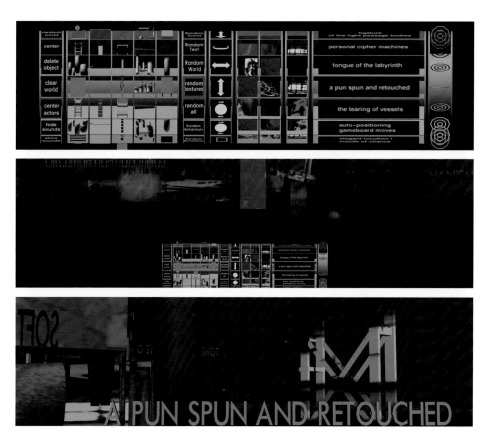

84. **Bill Seaman mit Gideon May,** *The Hybrid Invention Generator,* ca. 2002. In dieser neueren Arbeit Seamans können Nutzer „Erfindungen" machen, indem sie existierende industrielle und Konsumprodukte, beispielsweise eine Glühlampe und ein Mobiltelefon, kombinieren, aus deren Kreuzung dann ein neuer Gegenstand entsteht.

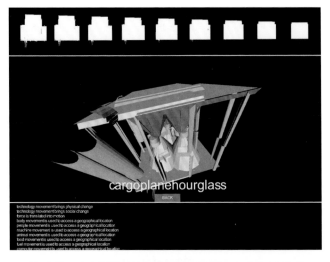

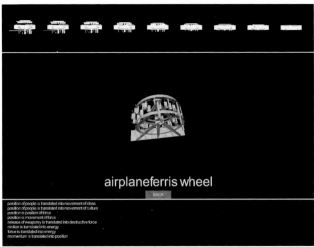

herstellen, haben ihr Pendant in den Installationen, die sich schwerpunktmäßig mit der Konstruktion virtueller Umgebungen beschäftigen. Der Amerikaner Bill Seaman (geb. 1956) ist einer der Künstler, die beständig auf diesem Feld tätig waren. Seine Arbeit *The World Generator/The Engine of Desire* (ca. 1995 bis heute) – eine virtuelle Umgebung, die in Zusammenarbeit mit dem Programmierer Gideon May entstand – ermöglicht es Teilnehmern, virtuelle Welten zu bauen und zu erkunden. *The World Generator* erzeugt einen kombinatorischen Raum, der ein immer komplexer werdendes Geflecht von Bedeutungen generiert, ein Prozess, der ein ganz wesentlicher Schwerpunkt von Seamans Kunst gewesen ist. 1995 prägte er den Begriff „Recombinant Poetics" für eine Art von computerbasierter Kunst, die die Erforschung von medialen Grundbausteinen in variablen Abfolgen und Kombinationen ermöglicht und die ausdrücklich die Verbindung zu den literarischen Experimenten von OULIPO sucht. Außerdem beschäftigte sich Seaman in früheren Projekten wie *Passage Sets/One Pulls Pivots at the Tip of the Tongue* – hier konnten Nutzer ein Multimediagedicht aus Worten, Bildern und Filmclips kreieren – mit der navigierbaren Kombination von Text und Bildern. Diese Experimente setzte er in seinem Werk *The Hybrid Invention Generator* fort.

Der Cyberspace ist zu einem generellen Begriff geworden, der auf alles angewandt wird, was über einen Computerbildschirm zugänglich ist; allerdings haben die besprochenen Projekte gezeigt, dass die Räume, in die wir eintreten, sich tatsächlich vollkommen voneinander unterscheiden und sich einer einfachen Kategorisierung widersetzen. Einige dieser Räume sind 3D-Welten (abbildhaft oder ungegenständlich), die in dem zweidimensionalen Bildschirmformat existieren. Viele sind bestrebt, die physische Welt und ihre Gesetze nachzubilden: beispielsweise wenn Straßen und Gebäude in einer Geschwindigkeit vorbeiziehen, die eine Fahrrad-

85. **Jeffrey Shaw**, *The Golden Calf*, 1994. Die Arbeit besteht aus einem Podest und einem Farbbildschirm, auf dem die virtuelle Skulptur eines goldenen Kalbs zu sehen ist. Die Besucher können das Kalb von allen Seiten betrachten, indem sie den Monitor um das Podest herumbewegen. Die Installation hängt in hohem Maße vom jeweiligen Standort ab: Fotos der Installationsumgebung werden auf das Kalb projiziert, sodass die Besucher den Raum auf dem Körper des Tiers gespiegelt sehen. Abhängig von den Lichtverhältnissen und dem Betrachtungswinkel kann es auch passieren, dass man sein eigenes Spiegelbild auf dem Bildschirm sieht, was den Spiegeleffekt verdoppelt und die Grenzen zwischen dem Realen und dem Virtuellen verwischt.

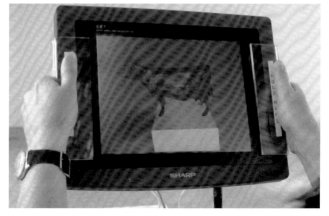

fahrt suggeriert. Andere setzen sich über die Gesetze der Schwerkraft hinweg und erlauben es dem Nutzer, über Räumen zu schweben und sie aus der Vogelperspektive zu erfahren. Die virtuelle Welt, die die Nutzer erleben, mag in Wirklichkeit nicht existieren, und nur ein Teil davon mag auf dem Bildschirm sichtbar sein, gleichzeitig existiert sie aber permanent als ein mathematisches Konstrukt. Eine glaubhafte Weltenschöpfung erfordert Kontinuität: Die Umgebung muss sich stetig entfalten; die Lichtreflexion auf einem Objekt darf nicht von einer Szene zur nächsten wechseln, da so sehr schnell der Eindruck entsteht, dass man auf eine Abfolge von Standbildern und nicht auf eine Szene oder „Welt" schaut. Sogar wenn eine Umgebung nicht aus vorher aufgezeichneten Sequenzen besteht, sondern „ad hoc" aus einer Datenbasis generiert wird, existieren ihre Bestandteile bereits vorher als ein Konglomerat aus Berechnungen. Gleichzeitig aber hängen psychologische Effekte nicht nur von der Struktur einer Umgebung ab. Der Adrenalinstoß, den Computerspiele auslösen, beruht oftmals auf der psychologischen Wahrnehmung von Geschwindigkeit und nicht auf dem Realismus der Grafik. Zwar erzeugt der Cyberspace neue „Welten", die sich vor unseren Augen entfalten; er ist aber auch mit der Geschichte des bewegten Bildes verbunden, das unsere Annahmen über die medial vermittelte Abbildung der Welt beeinflusst hat.

Film, Video und Animation

Das digitale bewegte Bild und das „Digitalkino" bilden ein besonders umfangreiches Gebiet, das durch die Geschichte etlicher Medien beeinflusst ist. Wie der Theoretiker Lev Manovich gezeigt hat, haben digitale Medien das Kino selbst, so wie wir es kennen, auf vielfältige Weise neu definiert. Was die Filmindustrie angeht, so wird sich das Kino höchstwahrscheinlich auch weiterhin zu einer zunehmend hybriden Gattung entwickeln, die Filmaufnahmen mit digitalen Effekten und 3D-Modellen kombiniert, und auf diesem Wege die Geschichte des Films beenden, die auf der Vorstellung des „Aufzeichnens von Realität" beruht. Es wird sich zeigen, ob es eine Art von Digitalkino geben wird, die ausschließlich aus abbildhaften, aber computergenerierten Welten besteht.

Das digitale Medium hat das bewegte Bild auf vielfältige Weise und in unterschiedlichen Bereichen beeinflusst und umgestaltet. Für Installationen bietet die Digitaltechnik mannigfaltige Möglichkeiten für eine verbesserte filmische Repräsentation, eine Fortsetzung der Verräumlichung des Bildes in einer realen Umgebung, wie sie der Theoretiker Gene Youngblood in seinem Buch *Expanded Cinema* (1970) skizziert hat. Die Interaktivität ist ein weiterer Aspekt des digitalen Mediums, der eine erhebliche Auswirkung auf den Spiel- und Dokumentarfilm hat und die untrennbar mit der Idee der Datenbank verbunden ist: der Möglichkeit, Elemente aus einer Sammlung von Bildsequenzen zusammenzubauen und umzugestalten.

Ein entscheidender Aspekt der Filmgeschichte ist der Begriff des Realismus, die Aufzeichnung „wirklicher Ereignisse". Die Idee des „Realismus" selbst hat durch die Webcams, die Livebilder von jedem Punkt der Welt über das Internet übertragen können, eine neue Dimension erlangt. Zuvor schon hatten Videokünstler Live-Aspekte in Installationen, die Überwachungstechnik einsetzten, erkundet.

Obwohl das Fernsehen nun schon seit Längerem Live-Ereignisse präsentiert, ist mit dieser Art von One-to-many-Sendesystem immer noch ein ziemlicher Aufwand in Bezug auf die Kontrolle

86. **Michael Naimark**, *Be Now Here*, 1995–97. Diese immersive virtuelle Umgebung besteht aus einer stereoskopischen Projektionsleinwand und einem sich drehenden Boden, von dem aus man das Werk per 3D-Brille erlebt. Die Zuschauer sind umgeben von Bildern öffentlicher Stätten, die (Mitte der 1990er Jahre) auf der Roten Liste des gefährdeten Welterbes der UNESCO standen (darunter Jerusalem, Dubrovnik, Timbuktu und Angkor, Kambodscha). Über ein Bedienterminal kann man die Zeit und den Ort auswählen.

und Filterung verbunden. Ereignisse, die in einem Many-to-many-Sendesystem live gestreamed werden, stellen diese Art der Kontrolle in Frage bzw. geben sie auf.

Die frühen bewegten Bilder des neunzehnten Jahrhunderts, die von vorkinematografischen Apparaten erzeugt wurden, beruhten meist auf handgezeichneten Bildern. Dieser Zweig der Kinogeschichte entwickelte sich zur Animation, ein Medium, das durch die Möglichkeiten der digitalen Plattform ebenfalls neuen Schwung und eine neue Popularität gewonnen hat. Heute assoziieren wir Kino und das bewegte Bild überwiegend mit dem Realfilm, aber dies ist tatsächlich nur ein Teil seiner Geschichte. Die 3D-Welten, die üblicherweise in der Digitalkunst erschaffen werden, bilden eine weitere Spielart des bewegten Bildes, die in ihrer eigenen Kategorie existiert.

Zu den Künstlern, die sich mit den Problemen rund um die Verräumlichung des bewegten Bildes beschäftigt haben, gehören Michael Naimark, der zahlreiche Studien im Bereich der „dimen-

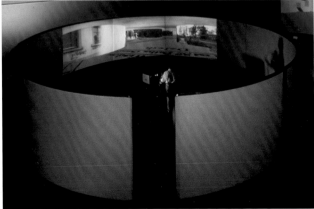

87. **Jeffrey Shaw**, *Place, a user's manual*, 1995. Shaws Installation besteht aus einer zylindrischen Leinwand und einer runden, motorisierten Plattform in ihrer Mitte. Auf einen 120-Grad-Ausschnitt des Schirms werden mit einer Panoramakamera aufgenommene Landschaftsbilder projiziert. Als Benutzerinterface dient eine modifizierte Videokamera. Durch Drehen der Kamera und Zoomen wird die Plattform selbst gedreht bzw. bewegt sich der Betrachter vor und zurück. Außerdem ist auf dem Schirm der sephirotische Baum des Lebens – ein hebräisches Diagramm mit Symbolen, die das Reich des Spirituellen repräsentieren – zu sehen, sodass jeder reale Ort mit einer symbolischen Stätte verknüpft ist. Wenn der Nutzer ein Geräusch macht, erscheinen dreidimensionale Kommentare im Bild, die ihn für kurze Zeit in die Szene einschreiben.

88. Luc Courchesne, *The Visitor – Living by Numbers*, 2001. Courchesnes Installation wurde von Pier Paolo Pasolinis Film *Teorema* (1969) und einem Traum, den seine Tochter im Alter von zehn Jahren hatte, inspiriert. Während der Reise durch die ländliche Gegend, die auf die Innerseite der umgedrehten Kuppel projiziert wird, begegnet man auch Einheimischen. Die Entscheidungen, die man trifft – bei ihnen zu bleiben oder (wie in Pasolinis Film) wegzugehen – erzeugen ein Gefühl von Gemeinschaft und persönlicher Bindung.

sionalized movies" betrieben hat und der eine entscheidende Rolle bei der Realisierung der ersten interaktiven Videodiscs gespielt hat, sowie Jeffrey Shaw. Naimarks *Be Now Here* (1995) und Shaws Installation *Place, a user's manual* (1995) kombinieren mehrere Mediengattungen, von der Landschaftsfotografie über Panoramen bis zum sogenannten „Immersive Cinema" und definieren die grundlegende räumliche Eigenschaft des Kinos als einer Projektion auf eine flache Leinwand in einem abgedunkelten Raum neu. Ein noch intimeres, „panoramaartiges" Hineinversetzen des Zuschauers in eine Filmumgebung erfolgt in *The Visitor – Living by Numbers* (2001) des Kanadiers Luc Courchesne (geb. 1952), der verschiedene Arten von interaktiven Filmen, darunter interaktive Porträts, realisiert hat. In der Installation treten Besucher unter eine kleine Projektionskuppel, die an ihre Größe angepasst werden kann, sodass ihr Kopf von dem Behältnis umschlossen ist. Die Projektion entführt die Zuschauer zunächst ins ländliche Japan.

Von hier aus können sie sich durch das Video (das vermittels einer Panoramalinse aufgezeichnet wurde) bewegen, indem sie eine Zahl zwischen eins und zwölf nennen, die jeweils die Route ändert, die sie durch den Film nehmen. Courchesnes Projekt ist eine Reflexion über das erzählerische Tempo und die Zeit, die die Kamera und der Zuschauer mit einem Ort oder einer Person benötigen, um persönliche Geschichten und Geschichte zu entdecken.

Rafael Lozano-Hemmers *Body Movies* (2001) kombiniert Techniken der Illusionsmalerei (Trompe-l'œil) und des Schattenspiels und untersucht interaktive Porträts im öffentlichen Raum. Das Projekt, das 2001 in Rotterdam gezeigt wurde, verwandelte den Schouwburgplein in ein 1200 Quadratmeter großes interaktives Projektions-Environment. Über ferngesteuerte Projektoren, die rund um den Platz installiert waren, wurden Porträts von Leuten aus Städten rund um den Globus auf die Wände geworfen. Diese Porträts wurden jedoch von starken Scheinwerfern, die am Boden des Platzes aufgebaut waren, überstrahlt; die Bilder wurden erst dann sichtbar, wenn die Schatten von Passanten auf die Wände fielen, wodurch die Porträts innerhalb der Silhouetten erschienen. Das Projekt hat zwar einen ausgesprochen performativen Charakter, es erlangte jedoch dadurch eine neue Dimension, dass Leute wiederholt auf den Platz zurückkehrten, um ihre eigenen gigantischen Schattenspiele aufzuführen.

89. **Rafael Lozano-Hemmer**, *Body Movies: Relational Architecture #6*, 2001. Die Arbeit kehrt das traditionelle Verhältnis von Licht und Dunkelheit – den zentralen Bestandteilen des Kinos – bei der Erzeugung der Bilder um, denn hier sind die Schatten notwendig, damit die Projektionen sichtbar werden. Je nachdem wie nahe die Passanten den Scheinwerfern auf dem Platz kamen, waren ihre Schatten zwischen zwei und zweiundzwanzig Meter groß. Ein kamerabasiertes Messsystem verfolgte die Schatten; sobald alle Porträts in einer Szene zu sehen waren, wechselte der steuernde Computer zu einer anderen Zusammenstellung.

Die Verräumlichung des bewegten Bildes muss nicht notwendigerweise in Form einer immersiven Umgebung oder als großflächige Projektion erfolgen, sie ist vielmehr jeder Präsentationsbzw. „Darreichungsform" inhärent. Die Arbeiten von Jennifer und Kevin McCoy experimentieren mit einer ganz anderen Art von erweitertem Kino, das sich auf die Struktur von Einzeleinstellungen und ihre Botschaften konzentriert. Ihre Videoinstallationen *Every Shot Every Episode* (2001) und *How I learned* (2002) nutzen eine datenbankgestützte Erzählung als formales Mittel. Sie übertragen das Medium Film/Video in den Bereich der Digitalkunst, indem sie die Eigenschaften beider verschmelzen. Die Arbeiten werden in

90. (oben rechts)
Jennifer und Kevin McCoy,
Every Shot Every Episode,
2001.

91. (rechts)
Jennifer und Kevin McCoy,
How I learned, 2002. Indem die Arbeit Filmeinstellungen beziehungsweise -sequenzen systematisch in Kategorien wie zum Beispiel „Wie ich lernte, Schläge zu blocken", „Wie ich lernte, Arbeiter auszubeuten" oder „Wie ich das Land lieben lernte" anordnet und präsentiert, zeigt sie, wie erlerntes Verhalten kulturell bedingt ist.

Form von CD-Videos präsentiert, die ordentlich an einer Wand aufgestapelt oder aufgestellt sind. Die Zuschauer können sich auf die altmodische, „handgreiflich"-interaktive Art etwas heraussuchen und abspielen. Zwar scheinen die Arbeiten Videoinstallationen im klassischen Sinne zu sein, sie wären allerdings ohne die Möglichkeiten des digitalen Mediums zur Klassifikation, Wiedergabe und Neuzusammenstellung vorhandenen Materials nicht zu verwirklichen gewesen. *Every Shot Every Episode* besteht aus allen Einstellungen von zwanzig Folgen der amerikanischen Fernsehserie *Starsky and Hutch*, die in einer Datenbank nach Einzelelementen wie „Jeder Zoom-out" oder „Jedes Klischee" aufgeschlüsselt sind. Die Arbeit untersucht die elementare Ästhetik vertrauter Genres und ermöglicht es dem Publikum, sie auf eine neue Art zu erfahren, indem sie die unterschwelligen Botschaften der Klischees und der Repräsentationsformen offenlegt, die der Zuschauer sonst nicht unbedingt bemerken würde. Auf Basis der Datenbankfunktionalität der Neuen Medien reflektieren diese Arbeiten kritisch über die Wesensmerkmale unterschiedlicher „Bereiche" der Medienkunst und ihre sozialen und technologischen Auswirkungen. Der Datenbestand selbst wird gleichsam zu einer kulturellen Erzählung; er verweist auf die Möglichkeiten, aus den angesammelten Materialien interaktive Erzählungen zu verfassen.

Das Element der Interaktion in Film/Video setzt kein digitales Medium voraus; es wurde bereits von Künstlern genutzt, die in ihren Projektionen mit Licht experimentiert haben (zum Beispiel, indem das Publikum über „Schattenspiele" in das Kunstwerk einbezogen wurde) oder eine Live-Bilderfassung per Video nutzten, die das Publikum zum „Gegenstand" des projizierten Bildes und des Kunstwerks machte. Jim Campbell gehört zu den Künstlern, die häufig interaktive Elemente in ihre (sowohl digitalen als auch analogen) Videoarbeiten integriert haben. Eines seiner früheren Werke, *Hallucination* (1988–90), unterminiert und verwirrt unsere Vorstellungen vom Livebild. Wolfgang Staehles *Empire 24/7* (2001) – ein Bild des Empire State Building, das live über das Internet gestreamt wird – ist eine täuschend einfache, jedoch überzeugende Aussage über die ästhetischen Implikationen des „Livebildes". Genau wie Andy Warhols gleichnamiges Werk (ein siebenstündiges Video des Gebäudes) suggeriert Staehles *Empire* ein sich ständig wandelndes fotografisches Bild, das zu einer ununterbrochenen Aufzeichnung kleinster Veränderungen des Lichts und von jedem Aspekt der Umgebung wird. Die Arbeit wirft fundamentale Fragen über das Wesen des live übertragenen (und trotzdem medial vermittelten) Bildes und seine Verortung im Kontext der Kunst auf. Macht das „Livebild" frühere Kunstgattungen obsolet? Welche Rolle spielen die Ästhetik der Ver- und Bearbeitung und Vermittlung bei unserer Wahrnehmung eines Kunstwerks?

92. **Jim Campbell**, *Hallucina-tion*, 1988–90. Das Video funk-tioniert wie ein Spiegel, in dem der Zuschauer sehen kann, wie er sich in der Galerie dem Bild-schirm nähert. Beim Näher-kommen geht sein Körper in Flammen auf, wobei das Feuer auch zu hören ist; plötzlich erscheint auf dem Bildschirm eine Frau neben dem brennen-den Betrachter. Campbells Arbeit spielt mit den „Halluzina-tionen" von Realität und Inter-aktivität im Fernsehbild; er ver-wischt die Grenzen zwischen dem Livebild und dem konstru-ierten Bild, und stellt infrage, inwieweit der Nutzer diese kon-trolliert.

93. **Wolfgang Staehle**,
Empire 24/7, 2001

Mittlerweile sind wir es gewohnt, Livebilder von berühmten Gebäuden oder Orten im Fernsehen oder über Webcams zu sehen. Wenn man diese Art von Bildern allerdings an einer Galerie- oder Museumswand sieht, stellt dies einen fundamentalen Kontextwechsel dar, der grundlegende Fragen über die Repräsentation und das Wesen der Kunst selbst aufwirft. *Empire 24/7* ist ein in hohem Grade flüchtiges, zeitbasiertes Dokument, das niemals wiederholt werden kann und wird (außer als Archivversion). Genauso im September 2001, als Staehle in der Postmasters Galerie in New York eine Einzelausstellung hatte, in der er drei Liveansichten präsentierte, von denen eine die Bilder einer auf das Zentrum von Manhattan gerichteten Webcam zeigte. Die Ereignisse des 11. September waren live auf den Wänden der Galerie zu sehen – ein unerwarteter und schockierender Rahmen für die Idee des „ultimativen Realismus" in der Kunst.

Die Untersuchung von nicht-narrativen bewegten Bildern in der Digitalkunst hat ihr Pendant in den Arbeiten, die auf interaktiven Bilderzählungen aufbauend ein digitales Kino konstruieren. Ganz offensichtlich bietet das digitale Medium ausgefeilte Interaktionsmöglichkeiten, die es dem Publikum erlauben, die eigentliche Geschichte selbst zusammenzustellen und zu beeinflussen. Dabei stellt interaktives Video eine besondere Herausforderung dar, weil Bilder dazu tendieren, Ort, Zeit und Rolle sehr viel prononcierter als Text zu determinieren und zu prägen. Zwar kann eine textgebundene, mit Hyperlinks versehene Erzählung auch Elemente der „Montage" und des „Jump-cut" beinhalten, die bildliche Umsetzung der Szene bleibt aber ein komplett mentaler Vorgang, der durch die Interpretation und die Bedeutung, die der Leser beisteu-

94. **Grahame Weinbren**,
Sonata, 1991–93

ert, bestimmt wird. Graham Weinbren, der etliche der Klassiker in dem Genre des sogenannten „Narrative video" schuf, hat klar gemacht, was es heißt, auf die Kontrolle über eine Bildsequenz zu verzichten: Es bedeutet, das Kino, so wie wir es kennen, aufzugeben. Weinbrens Stück *Sonata* (1991–93), eine Erzählung, in der der Betrachter den Erzählfluss selbst verändern kann, vermischt zwei klassische Arbeiten: Die biblische Geschichte Judiths, die vortäuschte, den General Holofernes zu verführen, und ihn stattdessen enthauptete, und Tolstois Kreutzersonate, in der ein Mann seine Frau verdächtigt, mit einem Violinisten fremdzugehen, und sie tötet. Die Zuschauer können von einer Geschichte zur anderen wechseln oder jede aus unterschiedlichen Blickwinkeln erleben, indem sie durch einen speziellen interaktiven Bilderrahmen auf die Projektionsleinwand zeigen. Die Tatsache, dass die beiden von Weinbren miteinander verschmolzenen Geschichten über die zentralen Themen Mord und Verführung einander spiegeln und gegensinnig verlaufen, bildet einen narrativen Rahmen für den Leser, sodass auf eine lineare Entwicklung verzichtet werden kann. Das Potenzial des interaktiven Erzählens steht auch im Zentrum von Toni Doves digitalen Videoinstallationen *Artificial Changelings* (1998) und *Spectropia* (1999–2002), die ersten beiden Folgen einer Trilogie interaktiver Filme, die sich mit dem Unbewussten in der Konsumwirtschaft beschäftigen. *Artificial Changelings* ist die Geschichte von Arathusa, einer Kleptomanin aus dem neunzehnten Jahrhundert, und Zilith, einer Hackerin aus der Zukunft. Die Installation besteht aus einem gebogenen Rückprojektionsschirm

95. (rechts und auf der gegenüberliegenden Seite, oben) **Toni Dove**, *Artificial Changelings*, 1998. In dem Bereich direkt vor der Leinwand befinden sich die Zuschauer im Kopf einer Figur; betritt man den nächsten Bereich, spricht die jeweilige Figur den Betrachter direkt an; die dritte Zone ruft einen Trance- oder Traumzustand hervor. Der Bereich, der am weitesten von der Leinwand entfernt ist, löst eine Zeitreise aus, die den Zuschauer in dem jeweils anderen Jahrhundert auftauchen lässt, und wechselt so von einer Realität zur nächsten. Innerhalb jeder Zone verändern Bewegungen des Zuschauers Bild und Ton.

96. (Mitte und unten)
Toni Dove, *Spectropia*, 1999–2002. *Spectropia* verwendet die Zeitreise und die Besessenheit durch eine übernatürliche Macht als Metaphern, um zwei Erzählstränge – der eine spielt in der Zukunft, der andere 1931, nach dem Zusammenbruch des Aktienmarktes – miteinander zu verbinden. Das Interface nutzt Bewegungssensoren, Spracherkennung und Soundboards mit Sprachsamples. Die Zuschauer können sich durch die Räume bewegen, mit den Figuren sprechen, sie bewegen sowie Klänge erzeugen und manipulieren.

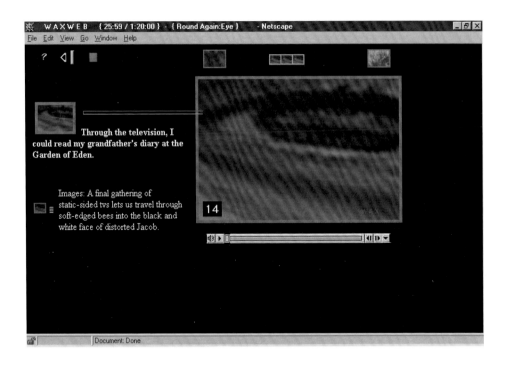

Through the television, I could read my grandfather's diary at the Garden of Eden.

Images: A final gathering of static-sided tvs lets us travel through soft-edged bees into the black and white face of distorted Jacob.

97. **David Blair**, *WAXWEB*, 1993.

und vier sensorüberwachten Bereichen auf dem Boden davor. Indem sie die aktiven Zonen betreten, können Zuschauer/Teilnehmer die Erzählung beeinflussen und steuern. Wie in Weinbrens *Sonata* spiegeln die Geschichten einander. Doves Filme nutzen dies (und die Konsumkultur, neue Technologien, und die dadurch verursachten ökonomischen und psychischen „Störungen") als eine narrative Technik, die dem Zuschauer bei der Orientierung hilft.

Der erste abendfüllende interaktive Online-Spielfilm war David Blairs *WAXWEB* (1993), eine Hypermedia-Version seines Films *Wax or the Discovery of Television Among the Bees.*

WAXWEB ist 85 Minuten lang und besteht aus 80.000 Teilen, was deutlich macht, dass dieses Werk der Idee des „Datenbankkinos" verpflichtet ist. Die Benutzer können die einzelnen Teile der Erzählung zusammenzusetzen, eine Reflexion über die Geschichte des Kinos und der Kinematografie. Mit ihrem Werk *201: A Space Algorithm* (2001) erproben Jennifer und Kevin McCoy die Möglichkeiten des Datenbankkinos, insbesondere im Hinblick auf die Zeit. Es handelt sich dabei um ein Online-Programm, das es den Zuschauern ermöglicht, Stanley Kubricks Science-Fiction-Film *2001: Odyssee im Weltraum* zu überarbeiten, indem man Einstellungen auswählt und die Erzählzeit verkürzt oder verlängert. Die Benutzer kontrollieren nicht nur die räumliche, sondern auch die zeitliche Komponente der Erzählung, und stellen so das räumliche und zeitliche Bezugssystem des Kinos in Frage.

Das Potenzial des Online-Kinos ist aufgrund der Bandbreitenproblematik, die es nur erlaubt, relativ kurze Filmschnipsel zu „senden", ohne dass es zu lästigen Verzögerungen kommt, noch ein wenig eingeschränkt – es sei denn, der Benutzer verfügt über eine Breitbandverbindung. Trotzdem sind Internet-Kurzfilme schnell zu einem eigenen Genre geworden. Programme wie Macromedia Director und Flash, mit denen man „Filme" realisieren konnte, indem man Video, Animationen und andere multimediale Bestandteile kombinierte, ermöglichten eine weitere Form der Produktion und Präsentation, neben dem digitalen oder digitalisierten Video. Mark Amerikas Flash-Projekt *Filmtext* (2001–02) ist ein digitales Gedankenverzeichnis („digital thoughtography"), das die Ausdrucksmittel von Film und Text mit Multimedia-Elementen verbindet und ihre jeweiligen Eigenschaften reflektiert. Eine der originellsten Umsetzungen des „Internetfilms" ist *Discrete Packets* (2002) des britischen Künstlers Nick Crowe, der Filme mit der Sprache des Webbrowsers kombiniert. Das Projekt selbst besteht aus der Homepage – das Layout und die verwendeten Grafiken sind klassische Beispiele für geschmackloses Webdesign –

98. Nick Crowe, *Discrete Packets*, 2002.

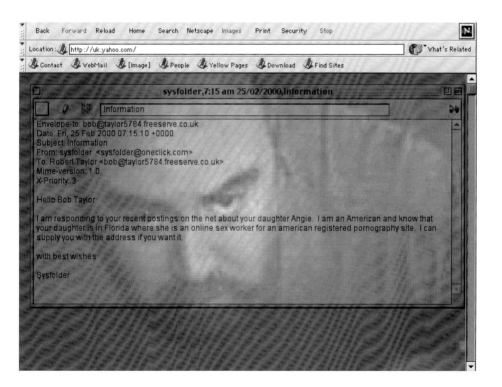

eines Mannes namens Bob Taylor aus Manchester. Die Seite enthält Links zum lokalen Fußballclub und Taylors Appell, ihm bei der Suche nach seiner Tochter Angela zu helfen, die seit 1984 vermisst wird. Das Projekt erzeugt ein verwickeltes Netz von Tatsachen und Fiktionen, einerseits indem tatsächlich existierende Webseiten (etwa Vermisstenseiten im Netz, wo dann auch tatsächlich Angelas Name aufgelistet ist) verlinkt werden, andererseits über einen (in Director erzeugten) Film, der Taylors Suche dokumentiert und die Handlung vorantreibt. Dieser Clip läuft in einem Browserfenster und wird über dessen Bedienelemente gesteuert.

Programme wie Flash und Director haben auch zu einer neuen Welle von Animationen beigetragen, ein Genre, das aufgrund der Fortschritte in der Digitaltechnik im Filmbereich ein Revival hatte. Animation ist eines der Genres, das sich einer Klassifizierung am meisten widersetzt. Sie hat beständig Disziplinen und Techniken verschmolzen und ist auch heute noch im Grenzbereich zwischen der Unterhaltungsindustrie und der Welt der Kunst angesiedelt. Inwieweit die Animation als eine Kunstgattung betrachtet werden kann und sollte, ist immer noch umstritten; sicher ist jedenfalls,

99. **Philippe Parreno und Pierre Huyghe**, *No Ghost, Anywhere Out of the World, No Ghost, Just a Shell*, seit 2000.

dass sie nun häufiger in Ausstellungen einbezogen ist. 2001 hat das PS1 Contemporary Art Center in New York der Gattung „Animations" eine ganze Ausstellung gewidmet, die unterschiedliche Techniken und Klassiker des Genres den Projekten etablierter Künstler gegenüberstellte. Die Verquickung von kommerziellen und künstlerischen Aspekten zeigt das Projekt *No Ghost Just a Shell* der beiden französischen Künstler Pierre Huyghe und Philippe Parreno. Sie kauften bei einer der großen japanischen Agenturen, die sich auf die Produktion solcher Standardcharaktere spezialisiert haben, eine *Manga*-Figur (Comicfigur), eine generische Schablone, die für die Verwendung in Animationen und Comics gedacht ist. Die Figur, Annlee, hat nur reduzierte Gesichtszüge (ihre Augen sind lediglich dunkle Löcher), keine Geschichte und kein Leben; sie ist eine Hülle mit einem Copyright, die darauf wartet, mit einer Geschichte gefüllt zu werden. Parreno und Huyghe haben Animationen geschaffen – *Anywhere Out of the World* (2000) und *Two Minutes Out of Time* – in denen Annlee über ihre absurde und tragische Situation nachdenkt. Außerdem gaben sie die Figur an andere Künstler (Liam Gillick und Dominique Gonzalez-Forster) weiter, die ebenfalls damit arbeiteten. Diese Weitergabe stellte den Status von Copyright und Eigentum noch zusätzlich in Frage. Der Titel der Arbeit *No Ghost Just a Shell* spielt auf den berühmten Manga *Ghost in the Shell* von Masamune Shirow an, eine Science-Fiction-Geschichte, die in einer durch das Netz grenzenlos gewordenen Welt spielt und in der technologisch aufgerüstete Menschen (Cyborgs) in virtuellen Umgebungen leben. Ihr Gegenspieler ist eine körperlose, nichtmenschliche Entität, die sich nach Belieben auf den Datenautobahnen bewegt – bis sie feststellt, dass sie eine eigenständige Lebensform ist und eine physische Existenz verlangt. Wir mögen zwar noch keine „Ghosts in the Shell" sein, das futuristische Szenario von Shirows Manga und die Probleme, mit denen sich Parrenos und Huyghes Arbeiten beschäftigen, verweisen aber auf etliche der Schlüsselfragen, die das Internet und seine Nutzung als Medium der Kunst aufgeworfen hat.

Netzkunst und Nomadische Netzwerke

Mit der Ankunft des World Wide Web Mitte der 1990er fand die Digitalkunst eine neue Ausdrucksform. Seit seinen Anfängen in den 1960ern war das ARPANET kontinuierlich und gleichmäßig gewachsen. Nachdem die National Science Foundation 1984 die Entwicklung des Netzwerks mit übernahm, wuchs es mit einer beispiellosen Geschwindigkeit weiter (das ursprüngliche ARPANET endete offiziell 1987). Zu den wegbereitenden Kunstinstitutionen im Netz gehörte das in New York ansässige und von Wolfgang Staehle gegründete The THING, das bereits 1991 als Mailbox

(BBS, Bulletin Board System; ein elektronisches Nachrichtensystem) für zeitgenössische Kunst und Kulturtheorie existierte. Heute hat The THING natürlich einen viel aufwendigeren Webauftritt und ist in mehreren Städten auf unterschiedlichen Kontinenten mit Netzknoten präsent. Das World Wide Web (WWW), wie wir es heute kennen, wurde in den frühen 1990ern von Tim Berners-Lee und dem CERN (Conseil Européen pour la Recherche Nucléaire, Europäische Organisation für Kernforschung) mit dem Ziel konzipiert, ein „verteiltes kollaboratives Multimedia-Informationssystem" aufzubauen. Das World Wide Web basiert auf dem Hypertext Transfer Protocol (HTTP), das es erlaubt, auf in HTML (Hypertext Markup Language) verfasste Dokumente zuzugreifen. HTML ist eine Sprache, mit der sich Querverweise (Hyperlinks) zwischen Dokumenten und beliebigen Netzknoten setzen lassen. Wie das Internet war auch das frühe WWW von Bildungs- und Forschungsinstituten dominiert; ein überwiegend unregulierter Raum für den freien Informationsaustausch.

Die Kolonisierung des Internets durch den Kommerz, die „Dotcom"-Blase und der nachfolgende Zusammenbruch, die wir heute mit dem WWW verbinden, begann erst in den späten 1990ern. Die Kunst im Internet ist in vielfältiger Weise von den Spannungen zwischen der Idee des freien Informationsraums und den kommerziellen Nutzungen gekennzeichnet.

Netzkunst gab es seit den frühen Anfängen des World Wide Web, als sich diverse, gleichzeitig entstandene „Bewegungen" entwickelten. Heute ist „Netzkunst" der Oberbegriff für zahlreiche, sich oftmals überlappende künstlerische Betätigungsfelder. Es gibt Hypertextprojekte, die mit nichtlinearen Erzählungen experimentieren; oder Projekte von Aktivisten, die das Netzwerk und seine Möglichkeiten zur schnellen Verteilung von Informationen als eine Bühne und Plattform der Einmischung nutzen, sei es, indem sie bestimmte Gruppen unterstützen oder kommerzielle und Unternehmensinteressen in Frage stellen. Es gibt performance- und zeitbasierte Projekte, die innerhalb eines bestimmten Zeitrahmens stattfinden, während dessen sie von Webteilnehmern in der ganzen Welt miterlebt werden können. Künstler haben Webcams und Videotelefonie-Software wie CUseeMe (ein praktisch vergessener Vorläufer heutiger Systeme wie Skype) genutzt, um Phänomene wie Telepräsenz und Kommunikation über das Netzwerk zu erforschen. In Europa machte eine Kerntruppe von Künstlern, darunter die Russen Olia Lialina (geb. 1971) und Alexei Shulgin (geb. 1963), der britische Aktivist und Künstler Heath Bunting, der Slowene Vuk Cosic sowie das in Barcelona beheimatete Jodi-Kollektiv (Joan Hemskeerk und Dirk Paesmans) auf das Genre der Netzkunst aufmerksam. Sie waren über die von den Medientheoretikern und -kritikern Geert Lovink und Pit Schultz gegründete und den Themen Internetkultur und -kritik gewidmete Online-Mailingliste nettime verbunden, und formierten die „net.art"-Bewegung. Der Begriff „net.art" (mit Punkt) wurde zum ersten Mal offiziell verwendet, als Vuk Cosic 1996 in Triest ein „net.art per se" betiteltes Treffen im kleinen Kreis organisierte, an dessen „Exklusivität" sich sofortige Kritik entzündete. Diese bezog sich im Kern auf die Frage, warum es nötig sei, eine Untergruppe für ein Genre zu gründen, das erstens global und überhaupt immer noch marginalisiert sei. Diskussionen über das Genre der Netzkunst fanden außerdem auf Rhizome statt, einem in New York von Mark Tribe gegründeten Onlineforum für Neue Medienkunst. Obwohl Rhizome ursprünglich der Neuen Medienkunst im Allgemeinen gewidmet war, entwickelte es sich im Laufe der Jahre zu einer auf die Netzkunst spezialisierten Community-Plattform. Recht schnell begründete die Netzkunst ihre eigene Welt im Netz, mit Online-Galerien, Kuratoren und Kritikern, darunter Tilman Baumgärtel und Josephine Bosma. Eine der ersten Online-Galerien war Benjamin Weils äda'web. Hier waren sowohl Werke von Netzkünstlern als auch von etablierten Künstlern wie Jenny Holzer und Julia Scher, die ihr Arbeitsfeld um das neue Medium erweitern wollten, zu sehen. In diesen frühen Jahren waren die Finanzierungskonzepte für Netzkunst und Onlinegalerien oft genauso experimentell wie die eigentliche Kunst. Nachdem äda'web seine finanzielle Unterstützung verloren hatte, wurden die Galerie und ihre „Besitztümer" auf Dauer vom Walker Art Center in Minneapolis archiviert, das schon früh damit begonnen hatte, Netzkunst auszustellen und zu unterstützen. Das Machida City Museum of Graphic Arts in Tokio hatte zwar bereits 1995 erstmals einen Wettbewerb für „Kunst im Netz" gesponsert, aber eine breite Anerkennung der Netzkunst sollte bis zum Ende des Jahrhunderts noch kaum festzustellen sein.

Das frühe WWW war überwiegend ein – nicht besonders ausdifferenziertes – Textmedium; frühe Netzkunstwerke waren daher oft sehr konzeptionell, von einem Geist der Gemeinschaft und der spontanen Aktionen gekennzeichnet. 1997 organisierte Alexei Shulgin den WWWArt Award, der darin bestand, dass man vorhandenen Seiten Preise in Kategorien wie der „Erforschung touristischer Semiotik" oder „Flashing" vergab. Ersterer ging an eine Seite mit in aller Welt gebräuchlichen Verkehrszeichen; für den zweiten muss man wissen, dass blinkende Texte oder Animationen ein Kennzeichen der frühen Entwicklungsstadien des Web waren. Shulgin organisierte außerdem die Form Art Competition (1997), bei der die Teilnehmer aufgerufen waren, Kunstwerke aus Interfaceelementen wie zum Beispiel Radiobuttons, Scrollbalken und Pull-down-Menüs zu kreieren. Vuk Cosic machte ASCII-Art populär, indem er Bilder und Videos schuf, die ausschließlich aus

100. **Olia Lialina**, *My Boyfriend Came Back from the War*, 1996. In diesem interaktiven, internetbasierten Werk treiben die Nutzer die Geschichte weiter, indem sie auf Bilder und Worte klicken, wodurch sich das Fenster in immer mehr Frames aufteilt. Lialina erweiterte die Arbeit zum „Letzten wirklichen Netzkunstmuseum" (*The Last Real Net Art Museum*), das die Variationen anderer Künstler über ihr Werk versammelt. Das Projekt verweist auf das Potenzial digitaler Netzwerke bei der Schaffung und der Präsentation von Kunst und die unbegrenzten Möglichkeiten zur Umgestaltung der Information, die ein offenes System, nicht aber das traditionelle Museum bieten kann.

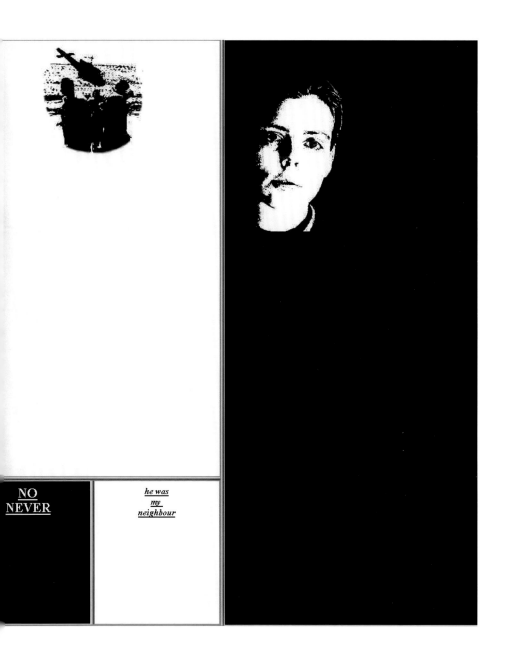

NO
NEVER

he was
my
neighbour

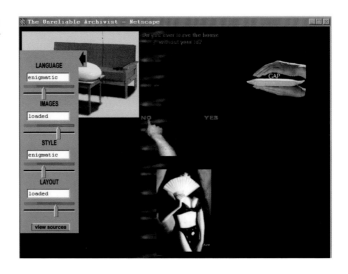

101. Jon Ippolito, Keith Frank und Janet Cohen, *The Unreliable Archivist*, 1998.

alphanumerischen Zeichen bestanden. Zusammen mit Walter van der Cruijsen und Luka Frelih arbeitete er als ASCII Art Ensemble zusammen. Das Duo Jodi drehte die gebräuchlichen Webinterfaces und Desktopelemente „auf links": Seiten mit scheinbar „kaputtem" HTML-Code und mit integrierten Scrollbalken und Icons störten die Ordnung von Desktop und Browser. Jodis Webseite war eine dezidierte Low-tech-Grafikattacke – eine Erinnerung an die Standardisierung des Interface und die seinen Bestandteilen und seiner „Zeichensprache" eigene Schönheit.

Die frühe Netzkunst hat einige Genreklassiker hervorgebracht, darunter Olia Lialinas *My Boyfriend Came Back from the War* und Heath Buntings *Read Me (Own, be ownded or remain invisible)*. Lialinas Arbeit ist eine Reflexion über Kriege (auf der Wort- und der Bildebene) und über die Kommunikation und die Verbreitung von Informationen über das Web. Wenn man die Schwarz-Weiß-Bilder, Kommentare, Fragen und Aussagen in den Frames des Browserfensters anklickt, teilt sich der Frame (und das Gespräch) in immer komplexere Fragmente auf. Buntings *Read Me* besteht aus einem kurzen biografischen Text über den Künstler, in dem jedes Wort zu dem entsprechenden Domainnamen verlinkt ist – zum Beispiel „is" nach „is.com", „qualifications" nach „qualifications.com" usw. Bunting macht damit deutlich, dass Präsenz und Identität im Web davon abhängen, wer die Domains und die „Sprache" besitzt – ob man besessen wird oder unsichtbar bleibt.

Als ein Informationssystem, das beständig im Fluss ist und sich neu gestaltet, scheint sich das Internet einer systematischen Sichtung seiner Bestandteile zu widersetzen. Links ermöglichen es, Texte und Grafiken in ein kontextuelles Netzwerk einzubetten, und sie machen ein Netz von Verweisen sichtbar, dessen Knoten an ganz unterschiedlichen, voneinander getrennten Orten in der realen Welt liegen können. Innerhalb dieses Netzwerks lassen sich Informationen unendlich oft wiederverwenden und reproduzieren, zwei Ideen, die die Basis einer Vielzahl von Online-Kunstprojekten bilden. Diese reichen von sogenannten Web Collidern – Projekten, die vorhandene Informationen mischen und sie wie Teilchenbeschleuniger „kollidieren" und zu neuen Informationsbausteinen werden lassen – bis hin zu Experimenten, die Information als eine künstliche Lebensform begreifen. *The Unreliable Archivist* von Jon Ippolito, Keith Frank und Janet Cohen verwendet zum Beispiel die Projekte von der äda'web-Seite als Ausgangsmaterial, das die Besucher über vier Schieberegler für Sprache, Bilder, Stil und Layout umgestalten und in eine Collage verwandeln können. Die Autorschaft und die Gestalt des ursprünglichen Projektes verschwinden;

102. **Thomson & Craighead**, *CNN Interactive Just Got More Interactive*, 1999.

der Rahmen für das Verständnis der Collage ist zum überwiegenden Teil durch die subjektiven Kategorien bestimmt, die die Macher des *Archivist* vorgegeben haben. Eine andere Herangehensweise an den „Remix" wählte das 1994 von den Briten Jon Thomson und Alison Craighead gegründete Duo Thomson & Craighead. Ihr Projekt *CNN Interactive Just Got More Interactive* (1999) stellt der CNN-Webseite ein separates Browserfenster zur Seite, das als eine Art „Spieldose" fungiert. Diese erlaubt es den Nutzern, die Nachrichten, die die Seite bringt, mit einer Reihe von Musikstücken zu begleiten. Durch die mediale „Aufbereitung" deckt *CNN Interactive* den Infotainment-Charakter der Nachrichten auf und setzt „noch einen drauf". Auch Aktivisten nutzen die Technik des Remixens – insbesondere von Aussagen und Produkten aus dem kommerziellen Bereich – in ihren Projekten häufig; diese werden später noch ausführlicher besprochen.

Ein netzspezifisches Genre ist die sogenannte „Browser Art", die Programmierung alternativer Browser, die die Konventionen des Websurfens neu definieren.

Die Art und Weise, wie wir gegenwärtig Informationen im Internet wahrnehmen, beruht auf Konventionen, nicht auf inhärenten

103. **I/O/D**, *WebStalker*, seit 1997. In seinem Essay „Visceral facades: taking Matta-Clark's crowbar to software", stellte Matthew Fuller von I/O/D eine Verbindung zwischen *WebStalkers* Aufbereitung von Informationsstrukturen und dem Zerteilen (splitting) von Gebäuden her, das der amerikanische Künstler Gordon Matta-Clark praktiziert hatte – beides Prozesse, die die Struktur ihrer jeweiligen Medien offenlegen.

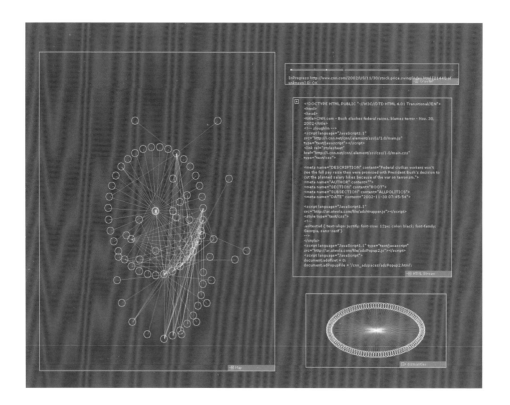

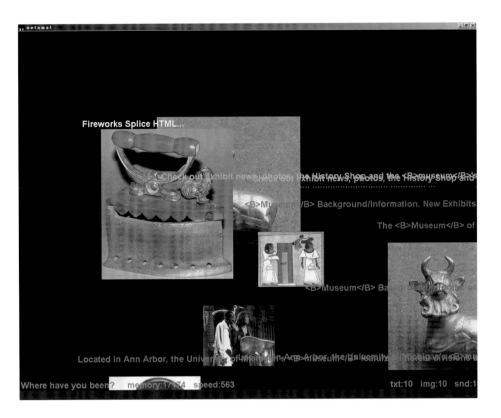

104. **Maciej Wisniewski**, *netomat™*, seit 1999.

Eigenschaften des Mediums: Wir sehen vordefinierte Webseiten durch die „Brille" des Browsers, dessen Vorbild für die Darstellung letztendlich die Druckseite eines Buches (oder sogar das antike Format der Schriftrolle) ist. Seit den Anfängen des Internet haben zahlreiche Kunstprojekte diese Konventionen in Frage gestellt. Die britische Gruppe I/O/D etablierte mit ihrem *WebStalker* im Alleingang das „Medium" der alternativen Browser. *WebStalker* ist ein Programm, das es den Nutzern ermöglicht, in einem leeren Fenster einen Rahmen (Frame) aufzuziehen und die Informationen, die dort angezeigt werden sollen, auszuwählen: beispielsweise eine grafische Übersicht über eine Website, die ihre sämtlichen Einzelseiten als Kreise und die Verlinkungen zwischen ihnen als Linien darstellt; der über eine Adresse (URL) zugängliche Text oder der Quellcode einer HTML-Seite; eine Reihe von URLs, die man für einen späteren Zugriff abspeichern möchte. Obwohl der *WebStalker* keine Grafiken anzeigte, erweiterte er die Funktionen vorhandener Browser auf eine kreative und ästhetisch ansprechende Weise, die die Paradigmen der konventionellen Informationsdarstellung und der „Internet-Architektur" in Frage stellte.

Einen anderen Ansatz bei der Präsentation von Webinhalten verfolgt der *netomat*™ (seit 1999) von dem in New York ansässigen Maciej Wisniewski (geb. 1958). *Netomat*™ gibt das Seitenformat traditioneller Browser auf und betrachtet das Internet als einen riesigen Datenbestand von Dateien. Nachdem der Benutzer Worte und Satzteile eingegeben hat, hält das Programm Rücksprache mit dem Internet, um Texte, Bilder und Audioklänge abzurufen, die es ohne Rücksicht auf das Layout der Quelle auf den Bildschirm fluten lässt. *Netomat*™ nutzt eine speziell entworfene, audiovisuelle Sprache, um das unbekannte Internet zu erforschen. Es nimmt seine Benutzer mit auf eine Reise in das „Unterbewusste" des Internets und zeigt, wie das immer weiter wachsende Netz kulturelle Vorstellungen und Themen beständig deutet und umdeutet. Die Software ist auch insofern bemerkenswert, als sie Kunst und Kommerz verbindet. Netomat war ursprünglich ein Kunstprojekt, aber ist nun auch ein Unternehmen, das auf der erwähnten Sprache basierende Produkte entwickelt und verkauft. *WebStalker, netomat*™ und Andruid Kernes *Collage Machine* (seit 1997) – letztere ermöglicht es Nutzern, Texte und Bildmaterialien von ausgewählten Websites zu collagieren und zu modifizieren – sind nur drei Beispiele für Browser-Kunst, die die Konventionen unserer Netzerfahrung neu definiert.

105. **Mark Napier**, *Riot*, 1999.

Ein Projekt mit einem eher politischen Anspruch ist *Riot* (1999) des Amerikaners Mark Napier (geb. 1961), ein „inhaltsübergreifender" Webbrowser, der in einem einzigen Fenster Texte, Bilder und Links von den drei aktuellsten URLs, auf die *Riot*-Nutzer weltweit zugegriffen haben, kombiniert. Wie bei einem konventionellen Webbrowser gibt der Nutzer zuerst eine Adresse in die Adresszeile ein oder wählt aus den Lesezeichen eine aus, um im Web zu surfen. Allerdings mixt das Projekt die unterschiedlichen Webseiten – zum Beispiel die von CNN, der BBC und Microsoft – ohne Rücksicht auf territoriale Konventionen wie Domains, Websites und Seiten zusammen und veranschaulicht damit, wie sich das Netz traditionellen Vorstellungen von Territorium, Eigentum und Autorität widersetzt. Gemeinsam ist allen diesen Projekten, dass sie uns das Netz in einer Weise erleben lassen, die sich radikal von dem unterscheidet, was uns vorkonfigurierte und kommerzielle Portale offerieren.

Einer der interessantesten Aspekte des Internets ist, dass es eine globale Plattform für den Austausch und für die unterschiedlichsten Interessengemeinschaften geschaffen hat. E-Mail und Mailinglisten boten schon früh die Möglichkeit, auch mit weit entfernten Menschen zu kommunizieren. Ihnen folgten bald ausgefeiltere Chat-Umgebungen, in denen sich mehrere Nutzer live „unterhalten" konnten. Zu den frühen Multi-User-Umgebungen, die sich im Web entwickelt haben, zählten MUDs – Multi-User Dungeons (bzw. Domains), die nach dem Vorbild der frühen textbasierten Dungeons & Dragons-Computerspiele und der Adventures wie Infocoms *Zork* gestaltet waren. In diesen Spielen bewegt man sich von Raum zu Raum, wobei jeder Raum und die dort befindlichen Gegenstände und möglichen Ausgänge mit wenigen Sätzen beschrieben werden. Man kann Hinweisen nachgehen und Gegenstände aufnehmen und benutzen, um Rätsel zu lösen und das Spiel zu gewinnen. Alle Eingaben des Spieler sind kurze Textkommandos („get candle", „n" für „gehe nach Norden", etc.). Online-MUDs beruhen auf dem gleichen Prinzip, erlauben es aber Tausenden von Spielern, sich durch ihre Räume zu bewegen, miteinander zu interagieren und an einem Rollenspiel teilzunehmen. MOOs (MUD, object-oriented) sind eine Erweiterung von MUDs, die auf einer ausgefeilteren, objektorientierten Programmierung beruhen, und dadurch von ihren Nutzern erweitert werden können. MOOs eignen sich für viele Dinge, von Abenteuerspielen bis hin zu Konferenzsystemen. Viele Universitäten haben auf ein bestimmtes Forschungsgebiet spezialisierte MOOs gebaut, die Studenten und Lehrkörper ein Online-Diskussionsforum bieten. Chat-Umgebungen traten mit Welten wie Time Warner Interactives *The Palace* in eine neue Entwicklungsphase ein. Hier werden sowohl Räume und Gebäude als auch ihre Bewohner grafisch dargestellt; die Gespräche zwischen den Menschen erscheinen als Comic-Sprechblasen über den Köpfen der Figuren. Diverse virtuelle Welten wurden in VRML (Virtual Reality Modeling Language), dem 3D-Gegenstück zu HTML, realisiert. Während der First International Conference on the World Wide Web 1994 präsentierten Mark Pesce – der gemeinhin als der Erfinder von VRML angesehen wird – und sein Partner Tony Parisi *Labyrinth*, den Prototypen einer 3D-Schnittstelle für das Web. Danach war man allgemein der Überzeugung, dass eine solche, für die Beschreibung dreidimensionaler Szenen geeignete Sprache dringend gebraucht werde.

Üblicherweise erschaffen sich die Nutzer solcher Multi-User-Umgebungen für ihr digitales Selbst eine grafische Darstellung und eine Identität, den sogenannten Avatar. Das Wort „Avatar", das zu einem festen Begriff in der Sprache des Cyberspace geworden ist, stammt aus dem Hinduismus und bedeutet „Herabkunft" – meist der einer Gottheit in Menschengestalt auf die Erde (obwohl die Definitionen sich je nach Quelle auch unterscheiden können). Es mag zwar schwierig sein nachzuvollziehen, wie nun genau der Begriff in den Jargon des Cyberspace Eingang fand; bemerkenswert sind jedenfalls seine Konnotationen mit der Identität und Gemeinschaft

106. **Adriene Jenik und Lisa Brenneis**, *Desktop Theater*, seit 1997. Die schlichten Grafiken der Umgebung und die spontanen Reaktionen und die Verwirrung der Leute, die zufällig in eine der choreographierten Performances hineinstolpern, geben der Arbeit eine heitere Note, und gleichzeitig verweisen sie auf die generellen Rahmenbedingungen einer Performance – sei es das Rollenspiel im Theater oder im wirklichen Leben.

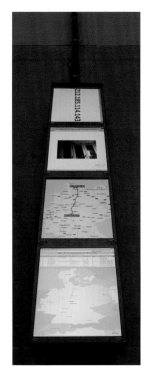

im Internet und dem Upload und Download (der Herabkunft) von Informationen auf einen bzw. von einem Server.

Mittlerweile gibt es zahlreiche Kunstwerke, die ihre eigenen text- oder grafikbasierten Multi-User-Welten kreieren; einige Projekte haben auch ihre eigenen MOOs gebaut oder vorhandene Umgebungen integriert. In ihrem Projekt *Desktop Theater* (seit 1997) „dringen" Adriene Jenik und Lisa Brenneis in die *The Palace*-Chat-Umgebung „ein", und führen mit ihren Avataren Performances auf, beispielsweise eine Umsetzung von Samuel Becketts *Warten auf Godot*. Diese Theateraktionen (an denen jedermann teilnehmen kann) werden so zu Experimenten in der Konstruktion von Online-Identitäten in einem Raum, in dem alle Ausdrucksmöglichkeiten auf zwei Dimensionen verkürzt sind.

Netzwerktechniken haben alle Lebensbereiche durchdrungen; es wäre daher falsch, das Internet und die Netze als ein abgetrenntes, virtuelles Territorium zu begreifen, das keine Verbindung mit der realen Welt hat oder hauptsächlich über die zu Hause oder in den Büros herumstehenden Computer zugänglich ist. Mobile, nomadische Netzwerke und -geräte, zum Beispiel Laptops, PDAs, Handys und Smartphones treiben die Vernetzung noch weiter voran. Beispiele für Projekte, die diese Geräte als künstlerisches Medium nutzen, werden weiter hinten im Buch besprochen. Diese Projekte sind die Fortsetzung früherer künstlerischer Experimente mit Telekommunikationsgeräten wie Telefon oder Fax. Mehrere Kunstprojekte, darunter *Speakers Corner* von Jaap de Jonge, eine durch den Medientheoretiker und -kurator Matt Locke organisierte Auftragsarbeit, nutzten SMS (Short Message Service). Die reale *Speakers Corner* des Projekts war ein fünfzehn Meter langes, interaktives LED-Textdisplay an der Fassade des The Media Centre in Huddersfield in Nordengland. Teilnehmer konnten mit dem System interagieren, indem sie Textbotschaften entweder von ihrem Handy, über ein Telefon vor dem Gebäude, das Sprache in Text umwandelte, oder über eine Webseite schickten. Auch andere Künstler haben dazu beigetragen, das Potenzial der SMS-Kurznachrichten für eine vernetzte Kommunikation zu erweitern. Im Rahmen eines Auslandsstipendiums an der Waag Society in Amsterdam entwickelte Graham Harwood (ein Mitglied der Londoner Künstlergruppe Mongrel) in Zusammenarbeit mit Matthew Fuller *TextFM*, ein Programm, das Kurzmitteilungen in Sprache umwandelt und über einen lokalen Radiosender als Klangcollage im öffentlichen Raum verbreitet.

Eine weitere Netzwerktechnik, die im Rahmen von Kunstprojekten eingesetzt wurde, ist das Global Positioning System (GPS), ein Satellitennetzwerk, das Signale aussendet, mit deren Hilfe sich überall auf der Welt die genaue Position eines GPS-Empfängers feststellen lässt. Die Technik wird beispielsweise in Navigationsge-

108. James Buckhouse (in Zusammenarbeit mit Holly Brubach), *Tap*, 2002. Die Nutzer können aus einer Reihe von Stepptanzschritten diejenigen auswählen, die ihre Figur üben soll – die Tänzer machen anfangs noch Fehler – und ganze Tänze choreografieren. Man kann die Übungen entweder auf dem eigenen PDA durchführen oder auf die Geräte anderer Leute übertragen, deren Tänzer nun die neuen Schritte lernen und in ihr Repertoire aufnehmen können. *Tap* überträgt das Konzept des Lernens und der Verbreitung von Ideen durch Austausch in eine einfache, grafische Darstellung und kann als ein Mikrokosmos, ein Modell des Kommunikationsnetzwerks Internet betrachtet werden.

räten für Fahrzeuge, aber auch in Smartphones und anderen tragbaren Geräten eingesetzt. In ihrem Projekt *alpha 3.0* verfolgte das in Singapur beheimatete Künstlerkollektiv tsnunamii.net seine Bewegungen im realen Raum mit Hilfe eines GPS-Empfängers und steuerte damit einen Internetbrowser an, wodurch eine Synchronizität zwischen den Bewegungen und Gruppen im realen und virtuellen Raum hergestellt wurde. Für das Projekt *alpha 3.4* (2002), das Teil der Documenta XI in Kassel war, setzen die Künstler dieses Experiment fort, in dem sie tatsächlich und virtuell vom Ausstellungsort zum Standort des Dokumenta-Webservers in Kiel wanderten. Eingesetzt wurde ein von tsnunamii.net entwickeltes Programm namens webwalker 2.2, das den Nutzer, der eine Seite im Netz ansurfen will (hier: die Documenta-Homepage), auffordert, sich zuerst zum Standort des Servers zu begeben, der die Seite hostet (in diesem Fall nach Kiel).

Mobilgeräte wie PDAs oder Game Boys sind zwar als Entwicklungsumgebung recht eingeschränkt, aber sie sind als ein Bestandteil mobiler Netzwerke populär geworden, über das man Kunst aus dem Internet herunterladen, bei sich tragen und mit anderen Leuten teilen kann. Eines der frühen PDA-Projekte war *Tap* (2002) von James Buckhouse (geb. 1972), eine Tanzschule für animierte Figuren.

Diese Figuren konnte man auf einen Palm Pilot herunterladen, wo sie Tanzstunden nehmen, üben, ihre Kunst vorführen und voneinander lernen konnten. Lynn Hershman nutzte ebenfalls PDAs für die Verbreitung ihrer autonomen Figur *Agent Ruby* (2002), die Prinzipien der künstlichen Intelligenz nutzt und sich mit den Anwendern austauschen kann. Die vernetzte Kunst der Zukunft wird auf unterschiedlichen Plattformen existieren und wird ganz mühelos aus dem Internet auf diese Mobilgeräte überwechseln.

Software Art

Die Kategorie der sogenannten „Software Art" ist ein weiteres Beispiel für ungenaue Terminologie. Software wird im Allgemeinen als formale Anweisungen, die von einem Computer ausgeführt werden können, definiert. Allerdings nutzt jede Form der Digitalkunst auf der einen oder anderen Ebene Codes und Algorithmen. Viele der zuvor erwähnten Installationen beruhen auf eigens programmierter Software, auch wenn ihre realen oder virtuellen Oberflächen von der darunterliegenden Ebene der Daten und des Codes ablenken. Jede Grafik, jedes digitale Bild wurde letztendlich von Anweisungen (des benutzten Programms) erzeugt. Allerdings wird der Begriff „Software Art" für gewöhnlich nur für Projekte benutzt, die komplett von den Künstlern geschrieben wurden und direkt am Ausstellungsort auf einem Computer ausgeführt werden (mit oder ohne Einbindung von Live-Daten aus einem Netzwerk), oder die aus dem Internet heruntergeladen werden können, um auf einem Rechner installiert zu werden. Sowohl I/O/Ds *Web-Stalker* als auch Maciej Wisniewskis *netomat*™ sind also letztendlich (vernetzte) Software Art. Weitere Beispiele sind der *Auto-Illustrator* des britischen Software-Künstlers Adrian Ward (geb. 1976) und das in der Sprache Perl geschriebene Script *forkbomb.pl* des britischen Künstlers Alex McLean. *Auto-Illustrator* ist ein Grafikprogramm, das es Anwendern erlaubt, bei der Kreation ihrer grafischen Entwürfe mit einer Vielzahl von prozeduralen Techniken zu spielen. *Forkbomb.pl* vermittelt einen (künstlerischen) Eindruck davon, wie ein Rechnersystem unter Druck aussieht, indem es mit einer solchen Geschwindigkeit neue Prozesse erzeugt, dass das ganze System zum Stillstand kommt.

Was die Software Art von anderen künstlerischen Tätigkeiten, insbesondere von jeder anderen visuellen Kunst unterscheidet, ist, dass der Künstler gezwungen ist, eine rein verbale Beschreibung seines Werks zu verfassen. In den traditionellen Kunstgattungen manifestiert sich die Handschrift eines Künstlers sichtbar in der Ästhetik und der Ausführung. Bei der Software Art sind die sichtbaren Teile des Kunstwerks dagegen aus der Sprache des Codes abgeleitet: Die Handschrift der Künstler, die ihren eigenen Quellcode verfassen, zeigt sich in dem Programm selbst – und in seiner grafischen Ausgabe. John F. Simon jr. spricht vom Code als einer Form des kreativen Schreibens. Der Code wurde auch als ein Medium, die „Farben und Leinwand" des digitalen Künstlers bezeichnet, aber die Metapher reicht nicht weit genug, weil der Code es Künstlern erlaubt, ihre eigenen Werkzeuge zu schreiben – oder, um im Bild zu bleiben: das Medium ermöglicht es dem Künstler, seine eigene Palette und seinen eigenen Pinsel zu kreieren.

Virtual Reality und Augmented Reality

Ähnlich wie das Wort „Cyberspace" wird der Begriff „Virtual Reality" (VR, auch Virtuelle Realität) nun gemeinhin für jeden Raum benutzt, der von Computern erzeugt oder durch sie zugänglich wird; das reicht von der 3D-Welt eines Spiels bis zum Internet als einer alternativen virtuellen Realität, die aus einem unermesslich großen vernetzten Kommunikationsraum besteht. Die ursprüngliche Bedeutung von VR meinte allerdings eine Realität, die ihre Besucher vollkommen in eine dreidimensionale, vom Rechner erzeugte Welt eintauchen ließ, und es ihnen erlaubte, mit den virtuellen Objekten, aus denen diese Welt bestand, zu interagieren. Der Begriff wurde von Jaron Lanier geprägt, dessen 1983 gegründete Firma VPL Research die erste war, die kommerzielle, immersive VR-Produkte vorstellte. Zu diesen Produkten gehörten ein Handschuh für die Interaktion mit virtuellen Welten (1984), ein head-mounted Display, das es den Benutzern ermöglichte, 3D-Welten zu betreten (1987), und ein vernetztes Virtual-World-System (1989). Die VR ist die extremste Art, den Nutzer in eine virtuelle Umgebung hineinzuversetzen (oder umgekehrt), da sie den Bildschirm vermittels eines Headsets oder per Brille dem Benutzer direkt vor die Augen bringt und ihn in eine künstliche Welt versetzt, die die reale ersetzt oder erweitert. Eine vollständige Immersion in eine simulierte Welt, die es dem Benutzer erlaubt, mit allen ihren Bestandteilen zu interagieren, ist auch weiterhin mehr Traum als Wirklichkeit, obwohl die Technik beträchtliche Fortschritte gemacht hat. Vergnügungsparks mit ausgefeilten Spielszenarien, die Force-Feedback-Mechanismen nutzen, die die Ereignisse und Aktionen in der virtuellen Welt in taktile Sinneswahrnehmungen für den Nutzer übersetzen, gehören zu den am weitesten fortgeschrittenen Experimenten in dieser Richtung. Auf einer psychologischen Ebene kann man den Traum von einer solchen perfekten VR als Wunsch nach einer Entkörperung bzw. Vergeistigung begreifen, weil diese letztendlich verspricht, den überflüssigen Köper zurückzulassen, um die Datenlandschaft als ein Cyborg zu bewohnen. Aus dieser Sicht ist die virtuelle Realität Ausdruck und

Fortsetzung einer Flucht aus dem Körper, die im fünfzehnten Jahrhundert aus der Entdeckung der Linearperspektive hervorgegangen ist. Allerdings verneint dieses Ideal der Entkörperung ganz entschieden die Realität unserer Körper und die Realität unserer Interaktion mit Computern, die immer noch und ganz überwiegend ein physischer Prozess ist, der uns auf vielerlei Arten zwingt, uns den Gegebenheiten der Maschine anzupassen (d.h. beispielsweise ein Headset zu tragen).

Fragen der Verkörperung und Entkörperung und die Wahrnehmung des Raumes spielen bei den künstlerischen Erkundungen der virtuellen Realität ganz offensichtlich eine zentrale Rolle.

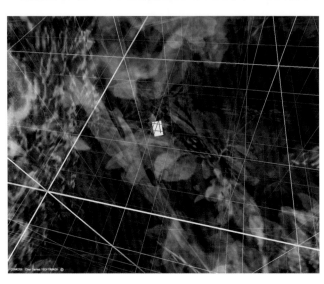

109. **Charlotte Davies**,
Osmose, 1995.

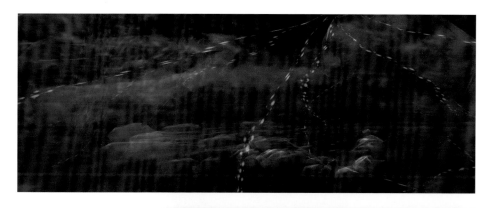

110. **Charlotte Davies**, *Éphémère*, 1998. Wie *Osmose* beruht auch dieses Werk auf natürlichen Welten, aber es ist vertikal in drei Hauptebenen (Landschaft, Erde, Körperinneres) gegliedert. Es hat Organe und Blutgefäße als organische Welten; hinzu kommt eine zeitliche Ebene, die über den Wechsel der Jahreszeiten und unterschiedliche Lebenszyklen eingeführt wird. *Éphémère*, das das Körperinnere als einen seiner Bereiche enthält, verwischt die Grenzen zwischen dem Subjekt und seiner Umgebung. Indem die Besucher es betreten, scheint sich das Körperinnere nach Außen zu kehren (oder auf sich selbst zusammenzustürzen). Davies Projekte stellen traditionelle Vorstellungen vom Körper und seiner Verbindung mit der realen Welt auf eine ganz grundsätzliche Weise in Frage, indem sie Besucher in eine virtuelle Welt eintauchen lassen, die von ihrem eigenen Körper und ihrer Atmung bestimmt ist.

Im Kunstbereich sind relativ wenige VR-Umgebungen entwickelt worden, die den Nutzer vollständig in eine alternative Welt eintauchen lassen; *Osmose* (1995) und *Éphémère* (1998) der kanadischen Künstlerin Charlotte Davies sind Klassiker des Genres. In *Osmose* betreten die Besucher vermittels eines head-mounted Displays und einer Weste, die das Atmen und die Balance ihres Trägers abtastet, eine virtuelle Welt. Am Anfang verfügt diese Welt über ein dreidimensionales Gitter mit einem Koordinatensystem, um die Orientierung zu erleichtern. Der Atemrhythmus und die Körperbalance transportieren den Besucher in einen Wald und andere Naturumgebungen. Eine der höchst wirksamen Strategien, die Davies bei der Erschaffung ihrer Welten nutzt, besteht drin, einen abbildenden Realismus zu vermeiden: Zwar beinhalten die Umgebungen einige gegenständliche Elemente, diese sind allerdings auch mehr oder weniger durchscheinend und verwenden Texturen, die an einen beständigen Fluss von

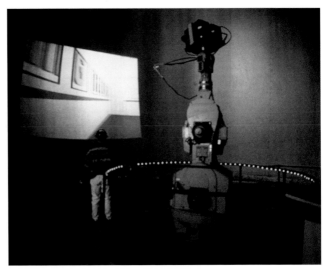

111. **Jeffrey Shaw**, *EVE*, 1993. Das ursprüngliche *EVE*, was „Extended Virtual Environment" bedeutet, wurde nach und nach für diverse Szenarien umgebaut. In einer Version, *The Telepresent Onlookers*, die 1995 am ZKM in Karlsruhe gezeigt wurde, waren die Projektoren innerhalb der Kuppel mit Kameras außerhalb derselben verbunden, wodurch der äußere in den inneren Raum übertragen wurde.

Teilchen denken lassen. Davies erschafft ihre Vision einer begrenzten Traumwelt mit der künstlerischen Sensibilität einer Malerin. Neben den natürlichen Umgebungen gehört aber auch eine Ebene des „Codes" und des „Texts" zu der VR-Welt von *Osmose*. Sie illustriert die Software, auf der das Werk beruht, und zitiert aus Aufsätzen der Künstlerin und aus anderen Texten zu den Themen Technik, Natur und Körper. Diese abstrakteren Metaebenen bilden innerhalb des Datenraums den Rahmen für die natürlichen Umgebungen.

Die überwiegend auf der Software beruhenden Möglichkeiten zur Immersion und zur Verkörperlichung, wie sie Davies Werk bietet, werden von anderen VR-Umgebungen im künstlerischen Bereich noch immer nicht genutzt. Die meisten VR-Projekte von Künstlern nutzen Hardware, um die immersive Wirkung ihrer virtuellen Welten zu erreichen. In Jeffrey Shaws *EVE* (1993) besteht die äußere Umgebung aus einer großen, aufblasbaren Kuppel mit zwei an einem Roboterarm montierten Projektoren in der Mitte, der die projizierten Bilder in einer fließenden Bewegung über die ganze Innenseite der Kuppel führen kann. Es handelt sich um räumliche Bilder, sodass die Besucher, die Polarisationsbrillen tragen, eine dreidimensionale Welt erleben. Diese Welt wiederum wird von einem einzelnen Zuschauer gesteuert. Dieser trägt einen Helm, der Position und Winkel seines Kopfes abtastet, wodurch die Positionierung der Projektoren gesteuert wird. Der Blick auf die Szenerie entspricht daher stets dem Blickwinkel dieses einen Betrachters. In diesem Fall ist die virtuelle Realität eine Multi-User-Umgebung, die nur von einem der Besucher gesteuert wird, während die anderen mit dem gewählten Blickwinkel vorlieb neh-

men müssen. Die Kontrolle über die Perspektive, die sonst dem Fotografen oder dem Kamera-
mann obliegt, wird so einem der „Betrachter" in die Hände gegeben.

Fragen der Verkörperlichung und des Verhältnisses zwischen Körper und Raum spielen auch bei
ConFIGURING the CAVE (1996) eine wesentliche Rolle, das von Shaw, der 1964 in Ungarn geborenen Agnes Hegedüs und dem Deutschen Bernd Lintermann (geb. 1967) kreiert wurde. Das Projekt
verwendet eine sogenannte CAVE (Cave Automatic Virtual Environment, oder Computer Automa-
ted Virtual Environment), die von den beiden Amerikanern Thomas DeFanti und Dan Sandin 1991
entworfen wurde. Die Umgebung wurde während ihrer Arbeit im Electronic Visualization Laboratory (EVL) an der Universität von Illinois in Chicago in Zusammenarbeit mit mehreren Mitarbeitern entwickelt und zum ersten Mal 1992 während der SIGGRAPH, dem jährlichen Treffen der Spe-
cial Interest Group for Graphics of the Association for Computing Machinery vorgestellt. Die CAVE
bildet die visuellen Reize, die das Gehirn bei der Interpretation der Welt nutzt, nach. Die Umgebung
erzeugt über vier Rückprojektionsschirme stereoskopische Bilder; hinzu kommt ein Lautsprecher-
system für 3D-Raumklang. Der Name CAVE ist eine Anspielung auf Platos berühmtes Höhlen-
gleichnis in seiner *Politeia*. Plato verwendete das Bild von Gefangenen in einer Höhle, die auf der
Höhlenwand sichtbare Schatten von Gegenständen für wirkliche Dinge halten, um seine Vorstellungen von Wirklichkeit, Abbildung und menschlicher Wahrnehmung zu entwickeln. *ConFIGURING
the CAVE* erzeugt seine Immersion durch Projektionen auf drei Wände und den Boden. Die Besucher können über eine fast lebensgroße hölzerne Puppe, die als ihr Avatar fungiert, mit der Umgebung interagieren: Wenn die Puppe bewegt wird, verändern sich Grafik und Sound.

Agnes Hegedüs' *Memory Theater VR* (1997) ist eine eher konzeptionell und historisch angelegte
Erkundung der virtuellen Realität. Das Projekt kombiniert vier verschiedene virtuelle Welten und
besteht aus einem interaktiven Film – sein Thema ist die Geschichte illusionärer visueller Räume
– der auf das Innere eines kreisrunden Raumes projiziert wird. Das Interface verdoppelt die Umgebung noch einmal, womit einmal mehr auf die Raumillusion verwiesen wird. Hegedüs' Projekt
stellt explizit eine Verbindung zu dem alten Konzept des Gedächtnistheaters her, das in der digitalen Kunst eine Art Revival erfahren hat, weil es die grundlegenden Konzepte des Informations-

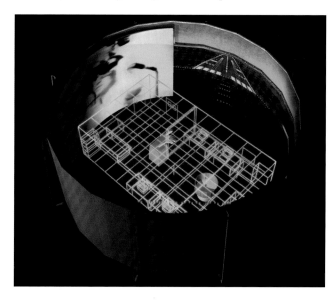

112. **Agnes Hegedüs**, *Memory
Theater VR*, 1997.

raums und der Informationsarchitektur vereint. Die Idee eines „Informationsraums" reicht Jahrhunderte zurück und ist eng verbunden mit dem antiken Konzept des Gedächtnispalastes und den in der Rhetorik entwickelten Mnemotechniken. Im zweiten Jahrhundert v. Chr. stellte sich der römische Redner Cicero vor, die Themen einer Rede in eine Abfolge von Räumen einer Villa einzuschreiben und dann die Rede zu halten, indem er mental von Raum zu Raum schreitet. Grundlage dieser Technik ist die Vorstellung, dass unser Gedächtnis räumlich arbeitet. Im sechzehnten Jahrhundert wurden die für Gedächtnissysteme verwendeten Bilder und Techniken zu Zeichensystemen und realen Gebilden weiterentwickelt, die als Zugänge zu einem transzendentalen Wissen von der Welt dienen sollten. Giulio Camillo (1480–1544) führte das Konzept des Gedächtnispalastes fort und baute ein hölzernes Gedächtnistheater, das in Venedig und Paris gezeigt wurde. Es bestand aus Säulen mit Bildern, Figuren und Ornamenten, die angeblich das gesamte Wissen des Universums enthielten und es Besuchern ermöglichen sollten, über jedes beliebige Thema nicht weniger geläufig als Cicero zu reden. Hegedüs' *Memory Theater VR* vereint diese und andere Vorläufer imaginierter Räume zu einer Reflexion über die Geschichte der „virtuellen Realität".

Neben den immersiven VR-Umgebungen gibt es eine andere Kategorie von Arbeiten, die komplexe dreidimensionale Welten kreieren, die aber nicht unbedingt eine extra dafür gebaute Umgebung benötigen, sondern als traditionelle Leinwand- oder Bildschirmprojektion ausgeführt sind. *Beyond Manzanar* (2000) des Amerikaners Tamiko Thiel und des Irano-Amerikaners Zara Houshmand ist eine interaktive 3D-Welt, die auf dem realen Ort Manzanar beruht, dem ersten von zehn Internierungslagern für japanischstämmige Amerikaner während des Zweiten Weltkriegs. Die 3D-Bilder werden in einem verdunkelten Raum in Originalgröße auf eine Wand projiziert. Die Betrachter können sich vermittels eines auf einem Podest angebrachten Joysticks bewegen und den Standpunkt ändern. Archivbildern aus dem Internierungslager werden japanische Schriftrollen und Gemälde gegenübergestellt. Die Umgebung, die sich ständig verändert – und auf den Besucher reagiert – illustriert einen Riss in der kulturellen Identität, indem sie die imaginäre Traumwelt des kulturellen Erbes mit der Realität politischer Ungerechtigkeit kontrastiert. Die Gegenüberstellung simulierter Welten in einem politischen Kontext ist auch in Peter D'Agostinos *VR/RV: A Recreational Vehicle in Virtual Reality* (1993) das zentrale Element. D'Agostino hat jahrzehntelang in den Bereichen Video und interaktiver Multimedia gearbeitet und zahlreiche Werke geschaffen, die Fragen der Politik und Identität behandeln. *VR/RV* ist die Projektion einer 3D-Welt, die (im wörtlichen Sinne) eine Reise auf der elektroni-

113. **Tamiko Thiel und Zara Houshmand**, *Beyond Manzanar*, 2000. Dieses Werk verzichtet auf Fotorealismus und kombiniert die Ästhetik von Computerspielen mit den Techniken des Bühnenbilds. Die Betrachter bewegen sich durch eine Landschaft aus sich verschiebenden Ebenen und erzeugen dabei alternative Wirklichkeiten: Wenn man eine Tür in einem der Lagergebäude öffnet, mag man sich vor einem japanischen Paradiesgarten befinden, der plötzlich verschwindet, wenn man ihn zu betreten versucht; oder man folgt einer Straße, die unerwartet von Stacheldraht versperrt ist.

114. **Peter D'Agostino**, *VR/RV: A Recreational Vehicle in Virtual Reality*, 1993.

schen Datenautobahn in einem computergenerierten Auto simuliert, indem sie Szenen aus Philadelphia, den Rocky Mountains,
Kuwait City und Hiroshima verbindet. Begleitet wird die Szenerie
von einem „Soundtrack", der den permanenten Sendersuchlauf
eines Autoradios mit CNN-Sendungen kombiniert. Das Projekt
reflektiert über die zunehmende mediale Aufbereitung der Welt
und die Art und Weise, wie diese durch die Technik geformt
wird. Insbesondere Hiroshima und Kuwait verweisen auf die mi-
litärische Anwendung von Technik, die wiederum mit der medialen Vermittlung von Kriegen zusammenhängt. Sowohl *Beyond
Manzanar* als auch *VR/RV* nutzen VR nicht, um eine glaubwürdige alternative Welt zu schaffen, sondern um unterschiedliche
„Wirklichkeitsebenen": reale Orte und unserer Vorstellungen davon, aufeinanderprallen zu lassen. Die Untersuchungen, die diese
Projekte durchführen, und die Erforschung der immersiven virtuellen Realitäten mögen noch in den Kinderschuhen stecken –
wobei der Stand der Technik hinter den verfolgten Konzepten zu-
rückbleibt – aber sie verweisen auf eine vermutlich nicht allzu ferne Zukunft, in der die virtuelle Realität sich zu einer zweiten Natur entwickelt, die unsere Vorstellungen von Wahrnehmung und
den Dualismus von „Geist" und „Fleisch" grundsätzlich in Frage
stellt.

Musik und Klang

Der Einfluss, den die Digitaltechnik auf die Komposition, Produktion und Verbreitung von Klang- und Musikprojekten hat, ist ein
so umfangreiches Thema, dass es ein eigenes Buch erfordern würde, und kann deshalb hier nur kurz skizziert werden. Computergenerierte Musik steht in einem engen Verhältnis zur elektronischen
Musik; sie hat die Evolution der Digitaltechnik auf vielfältige

Weise vorangetrieben und die Vorstellungen von Interaktivität mitbestimmt.

Abgesehen von den technischen Entwicklungen hat eine Vielzahl früher musikalischer Experimente, die das Potenzial des neuen Mediums aufzeigten, die Evolution von digitalen Klängen und digitaler Musik geprägt. John Cages Arbeiten mit Klangfunden und Regeln oder Pierre Schaeffers *Musique concrète* – ein Begriff, den Schaeffer 1948 für das Komponieren unter Rückgriff auf eine vorhandene Bibliothek experimenteller Klänge prägte – sind von großer Bedeutung für die Möglichkeiten des digitalen Mediums, vorhandene Musikdateien zu kopieren und zu remixen. Brian Enos Klang-Environments und Laurie Andersons audiovisuelle Installationen bzw. Performances beeinflussten die Entwicklung der digitalen Musik ebenfalls. Abgesehen von der Remix- und DJ-Kultur umfasst der weite Bereich der künstlerischen Klangprojekte unter anderem die reine Klangkunst (ohne visuelle Komponenten), audiovisuelle Installationen und Software, internetbasierte Projekte, die Echtzeit-Multi-User-Kompositionen und -remixe erlauben, sowie vernetzte Projekte, die Mobilgeräte und den öffentlichen Raum verbinden. Viele digitale Kunstwerke, von der Installation bis zur Netzkunst, haben akustische Anteile, ohne ausdrücklich auf die Musik fokussiert zu sein. Die wenigen hier beschriebenen Projekte sind nur Beispiele für die Nutzung von Digitaltechnik im Bereich der Akustik.

Zu den Künstlern, die mit Kommunikationsprotokollen für die simultane Erzeugung und die Verbindung von Grafik und Sound gearbeitet haben, zählt Golan Levin (geb. 1972) – Komponist, Performer und Ingenieur – der seinen Abschluss am MIT Media Lab gemacht hat, wo er mit John Maeda in der Aesthetics and Computation Group studierte. Levins *Audiovisual Environment Suite* (1998–2000) ist ein interaktives Programm, mit dem Grafiken und

115. **Golan Levin**, *Audiovisual Environment Suite*, 1998–2000. Levins *Scribble* (2000), ein live mit der *Audiovisual Environment Suite* eingespieltes Konzert war ein Wechselspiel von ausgearbeiteten und improvisierten Kompositionen, und erprobte ein experimentelles Interface für eine Multimedia-Performance. Die *Suite*-Software besteht aus fünf Schnittstellen für audiovisuelles Komponieren, mit deren Hilfe der Künstler abstrakte, von Klängen begleitete Grafiken erzeugen kann. Jede Schnittstelle unterscheidet sich von den anderen dadurch, wie die Mausbewegungen des Künstlers in Grafiken und in Töne von unterschiedlicher Höhe und Klangfarbe umgesetzt werden.

Klänge in Echtzeit und simultan erzeugt und manipuliert werden können und das versucht, zwischen den Musik- und Grafikbestandteilen passende, organisch fließende Übergänge zu schaffen. Viele der Medienprojekte, die sich mit der Kombination von Grafiken und Klängen beschäftigen, stehen in der Tradition der kinetischen Lichtspiele oder der „visuellen Musik" von Oskar Fischinger (1900–1967), einem deutschen abstrakten Maler und Trickfilmer. Multi-User-Umgebungen, Spiele und Filesharing standen Pate für John Klimas (geb. 1965) Programm *Glasbead* (1999), einem kollaborativen Interface, Instrument und „Spielzeug", das es den Spielern ermöglicht, Sounddateien zu importieren und eine Vielzahl von Klanglandschaften zu kreieren. Das Interface besteht aus einer rotierenden Kugel mit „Stengeln", die jeweils in einem hammer- oder glockenähnlichen Gebilde enden. Jeder „Glocke" kann eine Sounddatei zugeordnet werden, die beim Anschlagen mit einem „Hammer" abgespielt wird. *Glasbead* ist eine eigene, abgeschlossene Welt, in der sich Klang und Grafik gegenseitig ergänzen, und in der bis zu zwanzig Spieler über das Internet zusammen „jammen" können. Die Inspiration für das Projekt war Hermann Hesses Roman *Das Glasperlenspiel*, der musikalische Prinzipien auf die Konstruktion synästhetischer Mikrowelten überträgt.

Die partizipatorische, vernetzte Kreation von Klanglandschaften wird immer öfter auch mit Hilfe von tragbaren „Instrumenten" durchgeführt.

Mit der von ihm (zusammen mit neun Mitstreitern) entwickelten *Telesymphony* (2001) erweiterte Golan Levin sein Repertoire auf den Bereich der Mobilgeräte. Bei dieser Performance wurden Klänge erzeugt, indem die Handys im Publikum gezielt zum Klingeln gebracht wurden. Das Konzert fand 2001 während des Ars Electronica Festivals in Linz statt. Die Konzertbesucher wurden gebeten, ihre Telefonnummer vor dem Event an einem Webterminal zu registrieren, worauf sie eine Platzkarte für die Konzerthalle erhielten. Außerdem wurden

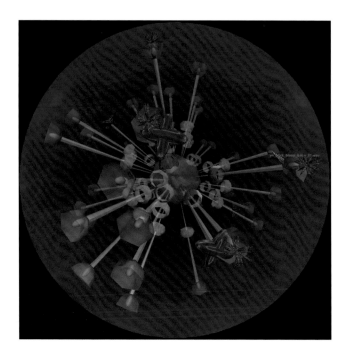

116. **John Klima**, *Glasbead*, 1999.

117. **Golan Levin**, *Telesymphony*, 2001. Wenn das Telefon eines Konzertbesuchers „gespielt" wurde, ging ein Strahler über ihm bzw. ihr an. Das so entstehende Lichtraster wurde auf seitlich von der Bühne aufgestellten Leinwänden als „Spielstand/Partitur" angezeigt. Die Künstler wählten die Handys über spezielle Software an; gelegentlich klingelten fast zweihundert Mobiltelefone gleichzeitig.

vordefinierte Klingeltöne an ihre Telefone geschickt. Da somit die Telefonnummer, der Platz und der Klingelton jedes Zuhörers bekannt waren, konnten die Musiker die Performance präzise choreografieren. Das Publikum wurde zu einer verteilten Melodie in einem „zellulären" [engl.: cell phone] Raum; die Gesamtheit der Belästigungen, die das Klingeln einzelner Telefone sonst darstellt, wurde zur Symphonie vereint. Ein ähnlich geartetes Projekt war die *Telephony*-Installation (2001) von Thomson & Craighead. Hier konnten Galeriebesucher und auch nicht vor Ort Anwesende zweiundvierzig in einem Raster an einer Wand installierte Telefone anzurufen, die sich außerdem noch gegenseitig anriefen, so dass sich eine Vielzahl von Klangebenen überlagerten. Arbeiten wie *Telesymphony* und *Telephony* setzten das Werk von Pionieren wie Max Neuhaus fort, der neue Formen von musikalischen Aufführungen entwickelte, indem er Klangkunstwerke in öffentlichen Räumen aufführte und mit verkoppelten bzw. vernetzten Klängen als einer Art von „virtueller Architektur" experimentierte. In der ersten Fassung seines Projekts *Public Supply* (1966) verband er den Sender WBAI in New York mit dem Telefonnetz, wodurch ein zwanzig Meilen großer akustischer Raum rund um New York entstand, zu dem die Teilnehmer mit ihren Anrufen beitragen konnten.

Akustische Projekte können auch in Form von interaktiven Installationen oder Klangskulpturen umgesetzt werden, die auf Nutzereingaben reagieren oder Daten in Klänge oder Grafiken übertragen. Die Klangskulptur *Ping* (2001) des Amerikaners Chris Chafe (geb. 1952) und des gebürtigen Schweizers Greg Niemeyer (geb. 1967) ist ein Audionetzwerkprojekt, das die durch das Internet reisenden Daten hörbar macht. Quelle der Klänge, die die Installation erzeugt, sind die Ausgaben des „ping"-Kommandos, das bestimmte Datenpakete an einen Server sendet, um seine Erreichbarkeit zu testen, und dabei die Laufzeit der Datenpakete misst. *Ping* übersetzt die Verzögerungen in den Laufzeiten der Daten in hörbare Informationen. Die Installation ermöglicht es den Nutzern, Instrumente oder Tonlagen zu ändern, die Lautsprecherkonfiguration zu beeinflussen und die Liste der Webseiten, die „angepingt" werden, zu erweitern oder zu ändern.

Der unsichtbare Rhythmus und Takt des Internetdatenverkehrs werden in eine Sinneserfahrung transformiert. In *Piano – as image media* (1995), einer audiovisuellen Installation des Japaners Toshio Iwai (geb. 1962) gibt ein virtueller Notensatz vor, welche Tasten eines Flügels betätigt werden, und dies wiederum löst die Projektion computergenerierter Grafiken auf einer Leinwand aus. Die Notensatz wird von den Nutzern „geschrieben", indem sie Punkte auf einem sich vorwärtsbewegenden Raster, das vor den Flügel

118. Chris Chafe und Greg Niemeyer, *Ping*, 2001.

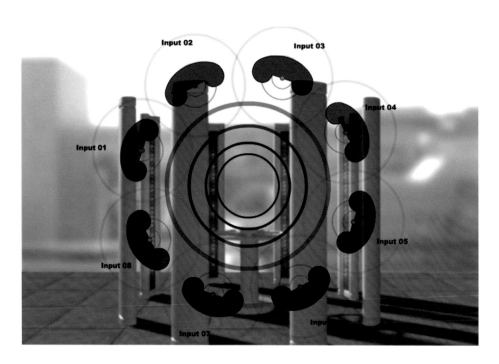

119. **Toshio Iwai**, *Piano – as image media*, 1995.

projiziert wird, setzen. Die gespielten Melodien und auch die erzeugten Grafiken werden durch das vom Anwender zusammenge-
stellte Punktemuster generiert. Iwais Projekt verbindet Notation,
Klang und visuelle Umsetzung, und ebenso das Mechanische und
das Virtuelle. Der massive Flügel wird zum „visuellen Medium";
er wird von dem einem medialen Element gesteuert und steuert
selbst ein anderes. Iwais Projekt demonstriert, wie bruchlos und
leicht sich unterschiedliche Medieninhalte ineinander umwandeln
lassen – was eine wesentliche Eigenschaft des digitalen Mediums
ist – und evoziert eine synästhetische Erfahrung, die sich nicht
mehr nur auf ein einziges Element der Sinneswahrnehmung
beschränken muss.

Kapitel 3   Themen der Digital Art

Viele Themen der Digital Art sind besonders charakteristisch für das digitale Medium. Das bedeutet allerdings nicht, dass diese Themen in den eher traditionellen Medien nicht vorkommen, oder umgekehrt, dass die Digital Art sich nicht mit Fragen befasst, die Künstler schon seit Jahrhunderten beschäftigen. Unter den für das Medium charakteristischen Themen, die in diesem Kapitel behandelt werden, sind: künstliches Leben und künstliche Intelligenz, Telepräsenz und Telerobotik, Datenbankästhetik, Mapping und Datenvisualisierung, Netzaktivitäten und Taktische Medien; Spiele und narrative Hypermedia-Umgebungen, mobile und lokative Medien (locative media), soziale Netzwerke und virtuelle Welten. Eine maßgebliche Rolle in der digitalen Kunst spielen außerdem die Themenkomplexe Körper und Identität, die bekanntlich in der Kunst des gesamten 20. Jahrhunderts und auch schon vorher von großer Bedeutung waren. Dieses Buch unternimmt nicht den Versuch, einen Überblick über alle Themen der Digital Art zu geben. Vielmehr sollen mit den Bereichen, die in diesem Kapitel behandelt werden, die wichtigsten Felder dieses weiten Untersuchungsgegenstandes abgesteckt werden.

Künstliches Leben

> „Our machines are disturbingly lively,
> and we ourselves frighteningly inert."
> Donna Haraway, *Simians, Cyborgs, and Women*

Künstliches Leben und künstliche Intelligenz waren lange Zeit ein Bereich der Forschung und der Spekulation in Wissenschaft und Science-Fiction. Die Idee einer Kombination von Mensch und Maschine, von Automaten und von der autonomen Intelligenz unbelebter Materie ist Jahrhunderte alt. In den 1940er Jahren hob Norbert Wiener hervor, dass der digitale Computer es notwendig mache, die Frage der Beziehung zwischen Mensch und Maschine wissenschaftlich zu untersuchen. In *Cybernetics: or, Control and Communication in the Animal and the Machine* (1948; dt. *Kybernetik. Regelung und Nachrichtenübertragung im Lebewesen und in der Maschine*) definierte er drei grundlegende Konzepte, die er für wesentlich für jeden Organismus beziehungsweise für jedes System hielt: Kommunikation, Steuerung/Regelung und Rückkopplung. Er behauptete ferner, dass das führende Prinzip des Lebendigen und der Organisation die in Botschaften eingeschlossene Information sei. Die ersten Theorien über Informationsverarbeitung mit dezentralisierten Systemen und sogenannten zellularen

120. **Karl Sims**,
Galápagos, 1997.

Automaten stammen aus dieser Zeit. Wieners Ideen wurden von J. C. R. Licklider (1915–90) weiterentwickelt, der im Jahr 1960 seinen Artikel *Man-Computer-Symbiosis* veröffentlichte. Nach Licklider sind die Hauptziele der Symbiose von Mensch und Computer, den Computern das formalisierbare Denken beizubringen und dass Mensch und Computer bei der Entscheidungsfindung und der Bewältigung von komplexen Situationen zusammenarbeiten können. In engem Bezug zu Wieners Konzept von Information und Rückkopplung als Organisationsprinzipien des Lebens steht auch die Memetik des Britischen Evolutionsbiologen Richard Dawkins: Analog zu Genen konstituieren die Meme – ein Begriff, den Dawkins 1976 in seinem Buch *The Selfish Gene* prägte – Ideen und kulturelle Informationseinheiten, die sich durch Kommunikation fortpflanzen und so eine soziale und kulturelle Evolution bewirken. Sowohl Wieners als auch Dawkins Theorien sind für aktuelle Kunstwerke, die sich mit künstlichem Leben beschäftigen, besonders relevant, denn die sich entwickelnde ‚Lebensform‘, um die es in diesem Zusammenhang geht, ist im Wesentlichen digitale Information – sei es in Form eines Textes, eines Bildes oder eines Kommunikationsprozesses. Die Grundlage zahlreicher digitaler Kunstprojekte zum Thema Künstliches Leben sind die Schlüsseleigenschaften der digitalen Techniken selbst: die Möglichkeit der unendlichen, kombinatorischen ‚Reproduktion‘, abhängig von vordefinierten Variablen, und die Möglichkeit, bestimmte Verhaltensweisen (wie z. B. „Flucht“, „Suche“ oder „Angriff“) für sogenannte „autonome“ Informationseinheiten oder Charaktere zu programmieren.

Zu den Projekten zum Thema Künstliches Leben, die eine explizite Verbindung zwischen Ästhetik und Evolution herstellen, zählen Karl Sims' Installationen *Genetic Images* (1993) und *Galápagos* (1997). Sie sind nach Charles Darwins Forschungsreisen zu den Galapagosinseln im Jahr 1835 benannt, die einen prägenden Einfluss auf Darwins Theorien zur natürlichen Selektion hatten. In beiden Installationen können die Besucher eine simulierte Evolution von Bildern und Organismen über ästhetische Entscheidungen beeinflussen. In *Galápagos* werden auf zwölf Bildschirmen abstrakte, vom Computer erzeugte Organismen gezeigt. Die Besucher können die Lebensform wählen, die sie am Ansprechendsten finden, indem sie auf die vor jedem Monitor angebrachten Sensoren treten. Die ausgewählten Organismen ‚antworten‘, indem sie mutieren und sich vermehren, während die abgelehnten Organismen verschwinden und durch die Nachfahren der Überlebenden ersetzt werden, die die ‚Gene‘ ihrer Eltern kombinieren, aber zugleich zufallsartig vom Computer verändert werden. Die simulierte Evolution ist das Ergebnis einer Interaktion zwischen Mensch und Maschine, bei der die Besucher nach ästhetischen Kriterien auswählen, während der Computer die Änderungen nach dem Zufallsprinzip ausführt. *Galápagos* simuliert so das Potenzial der Evolution, eine Komplexität zu erschaffen, die den Einfluss von Mensch und Maschine transzendiert, und wird zur Studie über evolutionäre Prozesse.

Fragen zur Transformation von Information und zum Überleben des (ästhetisch) Bestangepassten bilden auch die Grundlage der Installation *A-Volve* der Österreicherin Christa Sommerer (geb. 1964) und des Franzosen Laurent Mignonneau (geb. 1967), die eine direkte Verbindung zwischen der physischen und der virtuellen Welt erzeugt. Das interaktive Environment erlaubt den Besuchern, virtuelle Lebensformen zu erschaffen und mit ihnen in einem wassergefüllten Glasbecken zu interagieren. Zunächst entwirft der Besucher, indem er mit seinen Fingern auf einem Touchscreen-Monitor Figuren zeichnet, virtuelle drei-dimensionale Kreaturen. Diese werden automatisch „lebendig" und beginnen in dem Wasserbecken als simulierte Projektion zu schwimmen. Die Bewegungen und das Verhalten der virtuellen Lebensformen sind von ihrer Form abhängig, die letztlich die Überlebenschancen und die Möglichkeit bestimmt, sich in dem Becken zu paaren und zu reproduzieren. Die Kreaturen reagieren zudem auf die Handbewegungen des Besuchers im Wasser: man kann sie vorwärts oder rückwärts „stoßen" und sie anhalten

121. Sommerer und Mignonneau, *A-Volve*, 1994.

Life Spacies

this is going to be a nice creature |

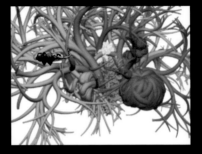

Please write any text in the above window. Your text is transformed into a 3D creature after you press the 'Esc' key. Your creature then appears on the right window and on the large screen in front of you. There it will interact with the other creatures, look for food and if it has eaten enough it also can mate and have kids.

Drag the cursor into the above window and press any key. This will release characters on the large screen; they are the creatures' food. Creatures eat the same characters as they are made of. As long as you feed them, the creatures stay alive. You can retreive the previous 6 creatures by pressing the 'F1' to 'F6' keys.

Life Spacies II
(c) 99, Christa Sommerer & Laurent Mignonneau
developed at ATR MIC Labs Japan

Interactive Plant Growing
© 9293, Christa Sommerer & Laurent Mignonneau
interactive computer installation
collection of the Mediamuseum at the ZKM Karlsruhe

122. (links)
Sommerer und Mignonneau, *Life Spaces*, 1997. Das Werk besteht aus einer Webseite und einer physischen Umgebung. Besucher der Webseite geben Wörter oder Botschaften ein, die zum genetischen Code für virtuelle Wesen werden. Die eingegebenen Buchstaben bestimmen die Koordinaten und die Form des Organismus – ein Prozess, der sowohl den flüchtigen Übergang zwischen verschiedenen Formen digitaler Information hervorhebt als auch die zugrundliegende textliche Komponente (Programmierung und Code), die die Grafik und das Verhalten des Organismus bestimmen. Die Wesen „leben" in der *Life Spaces*-Umgebung der Installation, die Benutzer können mit deren dreidimensionaler künstlicher Welt durch Bewegung und Gesten interagieren.

123. (links)
Sommerer und Mignonneau, *Interactive Plant Growing*, 1992. Besucher lösen das Wachstum einer virtuellen Pflanze (die auf einen Bildschirm vor ihnen projiziert wird) aus, indem sie sich realen Pflanzen (die mit Körperspannungs-Sensoren ausgestattet sind) nähern oder sie berühren.

124. (rechts)
Thomas Ray, *Tierra*, 1998. Das Bild des *Tierra*-Programms, das synthetisches Leben simuliert, zeigt 60 Segmente mit je 1000 Bytes. Jeder „Organismus" wird von einem farbigen Balken repräsentiert: Wirte sind rot, Parasiten gelb und immune Wirte blau.

(indem man die Hand über sie hält), um sie so eventuell vor ihren Feinden zu schützen. *A-Volve* übersetzt evolutionäre Regeln in einen virtuellen Raum und verwischt gleichzeitig die Grenzen zwischen der virtuellen und der reellen Welt. Menschliche Schöpfung und menschliche Entscheidung spielen eine bestimmende Rolle in einem virtuellen Ökosystem. *A-Volve* erinnert daran, wie komplex jede Lebensform (ob organisch oder anorganisch) ist, und an unsere Rolle bei der Gestaltung des künstlichen Lebens. Indem es den Besuchern ermöglicht, mit den Kreaturen im Becken zu interagieren, verweist *A-Volve* auf die Beeinflussung der Evolution durch den Menschen. Auch in ihren Arbeiten *Plant Growing* (1992) and *Life Spacies* (1997) beschäftigten sich Sommerer and Mignonneau, die lange am ATR Media Integration and Communications Research Lab in Kyoto (Japan) arbeiteten, mit der Beziehung zwischen realen und virtuellen Lebensformen. Ein Hauptaspekt all dieser Installationen ist die Möglichkeit der direkten körperlichen Intervention und die Kommunikation mit den virtuellen Umgebungen (und ihren „Bewohnern").

Ein eher konzeptionelles Projekt zum Thema Künstliches Leben, das weder eine direkte Interaktion mit den Betrachtern erlaubt noch besondere visuelle Komponenten einschließt, ist die Arbeit *Tierra* (1998) von Thomas Ray (geb. 1954). Sie überträgt das Konzept des Naturschutzgebiets in den digitalen Bereich. *Tierra* ist eine Art „Netzreservat" für digitale „Lebewesen" und basiert auf der Prämisse, dass das Prinzip der Evolution durch natürliche Selektion erfolgreich in genetische Sprachen übersetzt werden kann, die auf dem Maschinencode von Computern basieren. Das Projekt befasst sich also mit der Möglichkeit, evolutionäre Prinzipien zu

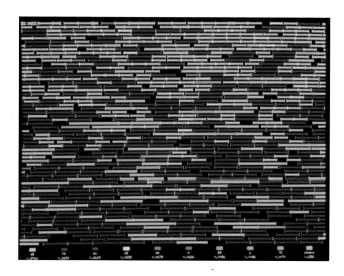

125. **Rebecca Allen**, *Emergence: The Bush Soul (#3)*, 1999. Die virtuellen Umgebungen werden von autonomen, animierten Charakteren bewohnt; Besucher, die die Welt betreten, erscheinen als Avatare. Das Projekt nutzt Artificial-Life-Algorithmen, um das Verhalten und die Beziehungen zwischen Charakteren und Objekten zu bestimmen. Animationen und Geräusche (Stimme, Musik oder Hintergrundklänge) können ergänzt werden. Im *Emergence*-System kann die Kombination von einfachen Verhaltensweisen komplexe Veränderungen auslösen, bis hin zu Performances und nicht-linearen Erzählungen.

126. **Kenneth Rinaldo**, *Autopoeisis*, 2000. Sensoren ermöglichen den Skulpturen, auf einen Besucher zu reagieren und ihm die Arme bis auf wenige Zentimeter entgegenzustrecken (was als eine Art von Anziehung und gleichzeitiger Ablehnung interpretiert werden kann). Kleine Kameras an den Armenden beobachten die Besucher; alles, was sie sehen, wird auf die Wände des Raums projiziert. Die „Kommunikation" der Skulpturen wird durch Telefonklingeltöne hörbar gemacht; es entsteht eine muskalische Sprache, die emotionale Befindlichkeiten zu spiegeln scheint. Manchmal wirkt es, als ob eine Skulptur sich etwas vorpfeift, manchmal suggerieren hohe und schnelle Töne Angst oder Aufregung, während leisere, langsamere Töne auf einen entspannteren Zustand hinweisen mögen.

nutzen, um komplexe Software zu erzeugen: Der *Tierra*-Quellcode generiert einen virtuellen Computer und ein darwinistisches Betriebssystem, die es den Maschinencodes ermöglichen sollen, zu mutieren, sich neu zu kombinieren und letztlich einen funktionsfähigen Code zu produzieren. Die selbstreproduzierenden Maschinenprogramme sind in der Lage, im Speicher eines Computers oder auch in einem Netzwerk zu „leben". Mit seinen Mitarbeitern entwickelte Ray verschiedene Möglichkeiten, den digitalen Evolutionsprozess zu visualisieren, sodass man verfolgen konnte, wie sich die Programme veränderten. Im Jahr 2000 implementierte Ray unter dem Namen „Virtual Life" ein neues System, das von Karl Sims' Arbeit abgeleitet ist.

Nicht alle Werke, in denen es um Künstliches Leben geht, beschäftigen sich mit der Entwicklung digitaler Organismen (in welcher Form auch immer). Wie bereits erwähnt, nutzen sie jedoch oft Algorithmen, um das Verhalten autonomer Objekte und Charaktere vorzuzeichnen. Das noch laufende Projekt *Emergence* – ein von Rebecca Allen und einem Team von Mitarbeitern entwickeltes Softwaresystem – erzeugt beispielsweise dreidimensionale Umgebungen im Computer, die auf die Analyse des Sozialverhaltens und der Kommunikation durch Gesten und Bewegungen ausgerichtet sind. *Emergence*, das mehrere Projekte – darunter *The Bush Soul* and *Coexistence* – umfasst, untersucht Kommunikationsprozesse in einer virtuellen Umgebung sowie die daraus entstehende Community. Ganz anders nähert sich Kenneth Rinaldos *Autopoieisis* (2000) der Evolution von Verhalten und gegenseitigem Austausch. Bei dieser Installation handelt es sich um eine robotische Klangskulptur, eine Auftragsarbeit für die *Alien Intelligence*-Ausstellung im Kiasma-Museum für zeitgenössische Kunst in Helsinki. Sie besteht aus fünfzehn Roboterskulpturen mit armartigen und mit Infrarotsensoren ausgestatteten Verlängerungen. Diese Sensoren können die Position und die Bewegungen der Besucher registrieren. Über einen Computer tauschen die Sensoren untereinander Daten aus, sodass sie mit den Besuchern und untereinander als Gruppe interagieren können. *Autopoiesis* wird so zu einer sich ständig verändernden Umgebung, die, wie ein lebendes System, sich selbst zu erschaffen scheint. Rinaldos Projekt ist kein virtuelles Environment und hat auch keine virtuellen Komponenten; es ist vielmehr eine reale, skulpturale Umgebung, die von Prinzipien intelligenten Verhaltens bestimmt ist.

Alle bisher erwähnten Arbeiten zum Thema Künstliches Leben deuten darauf hin, dass es nicht nur möglich sein könnte, dass Computer uns dabei helfen, die Bauprinzipien von Ideen und die Natur intellektueller Prozesse (wie Licklider hoffte) zu verstehen, sondern dass sie auch diese Prozesse selbst und unsere Art zu denken verändern könnten. Der Begriff Evolution selbst hat sich entwickelt: Evolution ist zu einem Prozess geworden, der durch Technologie beeinflusst werden kann. Vielleicht kann dieser Prozess als die Herausbildung einer Kooperation zwischen Mensch und Maschine oder als das Verschwinden der Grenzen zwischen beiden verstanden werden. Diese Art Evolution ist geplant und gleichzeitig auch ein eigendynamischer Prozess. Entscheidend dafür ist die Frage nach der „Intelligenz" der Maschinen.

Künstliche Intelligenz und Intelligente Agenten

> „Behind much art extending through the Western tradition exists a yearning to break down the psychic and physical barriers between art and living reality – not only to make an art form that is believably real, but to go beyond and furnish images capable of intelligent intercourse with their creators."
>
> Jack Burnham, *Beyond Modern Sculpture: The Effects of Science and Technology on the Sculpture of this Century*

Eine hochentwickelte Maschinen- oder künstliche Intelligenz (KI), eine Persönlichkeit wie der Computer HAL 9000 in Stanley Kubricks *2001: Odyssee im Weltraum*, die sich auf dem Niveau menschlicher Intelligenz (oder darüber) bewegt, ist noch immer eine Science-Fiction-Fantasie. Die Forschung auf diesem Gebiet, die mindestens bis in die 1930er Jahre zurückgeht, hat jedoch wesentliche Fortschritte gemacht. Einer der frühen einflussreichen Theoretiker der KI war Alan Turing (1912–54), ein Mathematiker, der den berühmten Turingtest entwickelte – ein Intelligenztest für eine Maschine, den sie dann bestanden hat, wenn ein menschlicher Fragesteller nicht entscheiden kann, welcher der beiden Testkandidaten, die ihm per Fernschreiber oder Bildschirmausgabe antworten, nun die Maschine ist. Im Jahr 1936 veröffentlichte Turing einen Aufsatz, in dem er die sogenannte Turingmaschine entwarf, ein theoretisches Modell einer Apparatur, die Denkprozesse und logische Anweisungen in einer Maschine zusammenführen sollte. Turings Schrift *Computing Machinery and Intelligence* (1950; dt. *Kann eine Maschine denken?*) war ein Hauptbeitrag zur Philosophie und Praxis künstlicher Intelligenz, ein Begriff, der offiziell in den 1960er Jahren von dem Informatiker John McCarthy geprägt wurde. Ein Durchbruch im Bereich der künstlichen Intelligenz war der Sieg des Supercomputers Deep Blue von IBM gegen den amtierenden Schachweltmeister Garry Kasparov im Mai 1997. Deep Blue besitzt eine strategische und analytische „Intelligenz" und ist ein Beispiel für ein sogenanntes „Expertensystem", das Wissen in einem speziellen Bereich besitzt und in der Lage ist, auf dieser Basis Schlüsse zu ziehen. Ein weiteres großes Gebiet der KI-Forschung ist die Kommunikation zwischen Mensch und Maschine auf der Basis von Spracherkennung. Die bekanntesten „Charaktere" der künstlichen Intelligenz sind Eliza und ALICE – Software-Programme, mit denen man reden kann. Eliza wurde von Joseph Weizenbaum entwickelt, der in den frühen 1960er Jahren an das Labor für künstliche Intelligenz am MIT kam. Zugegebenermaßen ist Eliza nicht besonders „intelligent", sondern arbeitet sozusagen mit Tricks, zum Beispiel mit Stringersetzungen und durch bestimmte Schlüsselbegriffe ausgelöste Standardantworten. Elizas viel gewitztere „Kollegin" ALICE (Artificial Linguistic Internet Computer Entity) wurde von Richard S. Wallace entwickelt und operiert auf der Basis von AIML (Artificial Intellicence Markup Language), einer Beschreibungssprache, die den Benutzern erlaubt, ALICE individuell anzupassen und selbst zu programmieren, wie sie auf verschiedene Eingabeanweisungen reagieren soll. Eliza und ALICE sind online zugänglich und man kann mit ihnen auf ihren Webseiten chatten.

127. Kenneth Feingold, *Self-Portrait as the Center of the Universe*, 1998–2001. Ein als Porträt des Künstlers modellierter Kopf, der von Bauchrednerpuppen umgeben ist, spricht mit einem virtuellen Gegenüber, das auf eine Wand projeziert ist. Der virtuelle Kopf ist in Szenen eingebettet, die sich, je nachdem wie die Unterhaltung verläuft, ändern. Er wird von weiteren autonomen animierten Charakteren umgeben, die sich manchmal in seinem Kopf einnisten und seine Wahrnehmung beeinflussen. Besucher der dazugehörigen Webseite können die Figuren beeinflussen und mitbestimmen, was in der Galerie zu sehen und zu hören ist. Die Betrachter vor Ort können mit dem Werk zwar nicht interagieren, aber die Gedankengänge und die Konversation der Köpfe verfolgen.

Obwohl Künstler KI und Sprachprogramme (zumeist basierend auf AIML) in ihre Werke einbezogen haben, können diese Arbeiten nicht einfach als KI-Projekte eingeordnet werden, weil sie in ihren Zielen und ihren metaphorischen Implikationen breiter gefasst sind. Der Künstler Ken Feingold (geb. 1952) hat zum Beispiel eine ganze Reihe von Werken mit (mechanisch) animierten Köpfen geschaffen – darunter *Séance Box No.1* (1998–99), *Head* (1999–2000), *If/Then* (2001), *Sinking Feeling* (2001) und *Self-Portrait as the Center of the Universe* (1998–2001) –, die Elemente wie Spracherkennung, Sprachverarbeitung, Konversation, individuelle Algorithmen oder Text-To-Speech-Software nutzen. In *If/Then* sitzen zwei geheimnisvolle humanoide Köpfe in einer Kiste, umgeben von Styroporchips, wie sie als Verpackungsmaterial verwendet werden. Feingold selbst erklärte, dass sie wie Ersatzteile aussehen sollten, die auf dem Weg aus der Fabrik plötzlich zum Leben erwachen und eine Art existenzielles Gespräch am Montageband beginnen. Die Köpfe führen einen sich ständig verändernden Dialog, der sich um philosophische Probleme ihres Daseins sowie ihr Getrenntsein und ihre Ähnlichkeit dreht. Ihre Unterhaltung, die auf einem komplexen Regelwerk beruht, zielt auf die menschliche Kommunikation im Allgemeinen: Indem die Köpfe Syntaxstruk-

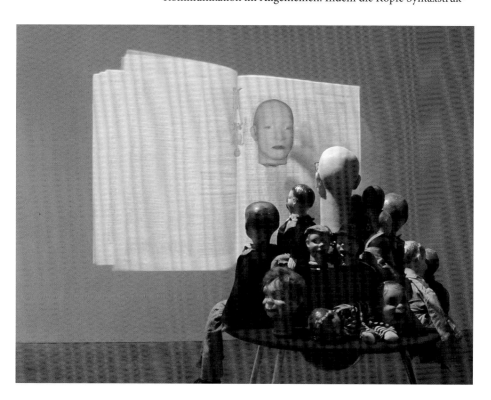

turen und Wortfolgen ihrer Aussagen gegenseitig aufgreifen, wirkt die Kommunikation (genau wie manches menschliche Gespräch) gelegentlich konditioniert, begrenzt und zufällig. Zugleich werden jedoch Metaebenen von Bedeutung beleuchtet, die durch gescheiterte Kommunikation, Missverständnisse und Schweigen entstehen können. Der Dialog der Köpfe offenbart grundlegende Elemente von Syntaxstrukturen und der Art und Weise, wie Bedeutung konstruiert wird – oft mit äußerst poetischen Ergebnissen.

Völlig anders als Feingolds Köpfe und doch ähnlich poetisch beschäftigt sich *Giver of Names* (seit 1991) des kanadischen Künstlers David Rokeby (geb. 1960) mit Themen der Künstlichen Intelligenz. Sein Werk geht dabei weit über die bloße technologische Faszination an der KI hinaus und wird zu einer Reflexion über Semantik und die Struktur von Sprache. *Giver of Names* ist ein Com-

128. (oben)
Kenneth Feingold, *Sinking Feeling*, 2001. Der Kopf (auch hier ein Porträt des Künstlers) steht in einem Blumentopf, eine Anspielung auf „organisches Wachstum". Er sinniert darüber, warum er keinen Körper hat und wie er an diesen Platz gekommen ist. Besucher können mit dem Kopf sprechen und ihr Gespräch wird auf die Wand dahinter projiziert. Das Werk erhält so eine textliche Ebene, die sowohl das, was der Kopf hört, als auch seinen Gedankenprozess veranschaulicht.

129. (rechts)
Kenneth Feingold, *If/Then*, 2001.

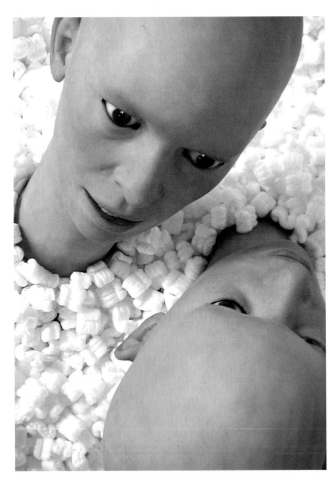

putersysten, das ganz wörtlich Gegenständen Namen gibt, indem es versucht, sie zu beschreiben. Die Installation besteht aus einem leeren Sockel, einer Videokamera, einem Computersystem und einer Videoprojektion. Besucher können einen Gegenstand oder eine Gruppe von Objekten aus dem Raum wählen oder das, was sie gerade dabei haben, nehmen und auf einem Sockel platzieren, der von einer Kamera beobachtet wird. Sobald ein Objekt auf dem Sockel steht, wird es digitalisiert und durchläuft dann zahllose Bildverarbeitungsprozeduren (Umrissanalyse, Unterteilung, Farbanalyse, Strukturanalyse etc.), die als Videoprojektion in Originalgröße über dem Sockel verfolgt werden können. Die Versuche des

Computers, Schlüsse über das von dem Besucher ausgewählte Objekt zu ziehen, führen auf immer höhere Abstraktionsebenen, die einen neuen Kontext und neue Bedeutungen eröffnen. *Giver of Names* ist eine Untersuchung der verschiedenen Wahrnehmungsebenen, durch die wir zu Interpretationen gelangen, und zeigt die Bedeutungsstrukturen, die durch assoziative Prozesse entstehen. Letztlich ist das Projekt eine Reflexion darüber, wie Maschinen denken (bzw. wie wir sie denken lassen). Der idiosynkratische ‚Dialekt' verdrehter Satzstrukturen und grammatischer Fehler, der in *Giver of Names* entsteht, veranlasste Rokeby dazu, *n-Cha(n)t* (2002), ein Computernetzwerk aus mehreren *Givers of Names,* zu entwickeln.

Die Arbeiten von Feingold, Rokeby und anderen Künstlern, die mit Maschinenintelligenz arbeiten, erweitern den Kontext der Diskussion über künstliche Intelligenz. Sie veranlassen uns dazu, über menschliche Kommunikation und die Funktionsweise des menschlichen Geistes ebenso wie über Definitionen von Subjektivität und Objektivität zu reflektieren. Mit Letzteren hat sich die Kunst offensichtlich schon immer beschäftigt, die Digital Art konzentriert sich allerdings viel stärker auf die Frage, wie die aktuellen technischen Entwicklungen unsere Vorstellungen von Subjekt, Objekt und Kommunikation beeinflussen.

In nur wenigen Projekten kommunizieren Mensch und Maschine auf dem Niveau wie es die oben erwähnten Werke erreichen, und nur wenige Menschen leben und arbeiten mit „intelligenten" Objekten und „Charakteren", die auf ihre Anweisungen reagieren und diese ausführen. Nichtsdestotrotz sind „intelligente" Maschinen inzwischen fester Bestandteil unseres Lebens geworden, wenn wir mit Computern interagieren und online kommunizieren: Vor allem für kommerzielle Zwecke werden zunehmend sogenannte „intelligente Agenten" entwickelt – Softwareprogramme, die automatisch Informationen für uns filtern und zugänglich machen. Eine rudimentäre Form dieser intelligenten Filter sind E-Commerce-Seiten und Online-Shops, die auf der Basis vorangehender Einkäufe Produkte empfehlen, die den Nutzer interessieren könnten; oder neue Seiten, die ihre Publikation für individuelle Nutzer filtern und, indem sie ihre Entscheidungen und Bewegungen nachverfolgen, nur bestimmte Wahlmöglichkeiten offerieren.

Je nachdem, welche Form sie annehmen, sind uns Intelligente Agenten entweder als persönliche Helfer willkommen, die uns klüger machen, oder als nervige Eindringlinge verhasst, die unsere Privatsphäre und unsere Imagination stören. Der persönliche Agent, der auf der Festplatte „lebt", Dateien ordnet oder uns daran erinnert, den Papierkorb zu leeren, ist nicht besonders bedrohlich. Agenten, die uns versprechen, Informationen zu filtern und zugänglich zu machen, und dabei gleichzeitig fähig sind, sich mit anderen Agenten abzusprechen und Informationen auszutauschen, können uns allerdings leicht zur Zielgruppe von Markting- und Werbekampagnen machen. Es sind diese Art von Agenten, die den Pionier der virtuellen Realität, Jaron Lanier, dazu veranlassten, in seinem 1995 erschienenen Essay *The Trouble with Agents* – später ausgebaut zu seinem Werk *Agents of Alienation* – das „Wirken" intelligenter Agenten zu kritisieren. Nach Lanier ist es höchst problematisch, dass Werbung sich in eine Kunst der Agentensteuerung verwandelt, und die Konsumenten dieser aufbereiteten Informationen nur noch eine comicartige Version der Welt zu sehen bekommen, die den kleinsten gemeinsamen Nenner darstellt, was Inhalte und Geschmack angeht. Dabei entstünden Gedankenreihen wie: Wenn dich balinesische Rituale interessieren, interessierst du dich für Reisen und deswegen interessierst du dich für die „Infobahn Travel Game Show". Wenn Laniers Prognosen stimmen, wird die Durchschaubarkeit von Agenten und deren Kontrolle durch die Menschen deren Einsatz letztlich begrenzen, aber sehr wahrscheinlich werden Agenten doch einen Einfluss auf unsere Kultur und Gesellschaft behalten.

Angesichts dieses Einflusses ist es nicht erstaunlich, dass Künstler „Agentenprojekte" – entweder als Agentensoftware oder als eher metaphorische Auseinandersetzung mit dem Thema – realisiert haben. Eine dieser Arbeiten ist das Webprojekt *Impermanence Agent* (1998–2003) von Noah Wardrip-Fruin, Adam Chapman, Brion Moss und Duane Whitehurst, das die Funktionalität eines Browsers erweitert und aus den Seiten, die der Nutzer aufruft, eine Erzählung konstruiert. Einmal heruntergeladen und auf dem Computer des Nutzers installiert, nimmt der Agent die Form eines zusätzlichen kleinen Browserfensters an, das im Hintergrund läuft. Es dauert ungefähr eine Woche, bis der Agent auf der Grundlage der Interessen und der Surfgewohnheiten des Nutzers beginnt, eine persönliche Geschichte zu erzählen. Wie sein Name suggeriert, ist der *Impermanence Agent* auf die ephemere Natur des Webs fokussiert, auf Klagen über die Kurzlebigkeit der Information und über Webseiten, die nicht mehr gefunden werden können. Im Gegensatz zu kommerzieller Software erzählt dieser Agent einerseits eine persönliche Geschichte und spricht andererseits Themen rund um die tatsächliche Natur der Hypermedien an – das Versprechen eines immer weiter verzweigten und scheinbar unendlichen Universums von Informationen, das doch tatsächlich immer im Wandel ist und dadurch auch ein Gefühl von Trennung und Verlust hervorrufen kann. Eine ganz andere Annäherung an das Thema findet sich in Robert Nideffers (geb. 1964) *PROXY* (2001), ein Computerspiel über Agenten und das Agenturgeschäft, das auf Online-Rollenspielen und Data sharing basiert. *PROXY* sieht aus wie eine Spielumgebung und nutzt Agentensoftware für

131. (rechts)
Noah Wardrip-Fruin, Adam Chapman, Brion Moss und Duane Whitehurst,
Impermanence Agent,
1998–2003

132. (unten)
Robert Nideffer, *PROXY,*
2001. Wie im „wirklichen Leben" ändern sich die Regeln ständig, und der Spieler muss sein seelisches Gleichgewicht bewahren, um erfolgreich zu sein und „gewinnen" zu können. Der Seelenzustand des Spielers, der von dem Verhalten und dem Erfolg seines Agenten in der Spielumgebung abhängig ist, wird bewertet und auf dem Bildschirm angezeigt – eine freundliche Erinnerung an die Unbeständigkeit unserer emotionalen Identität.

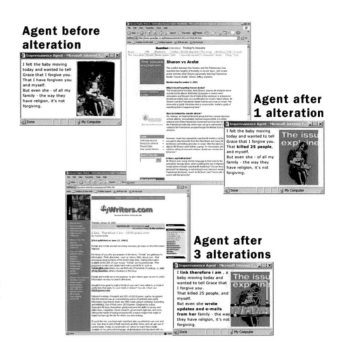

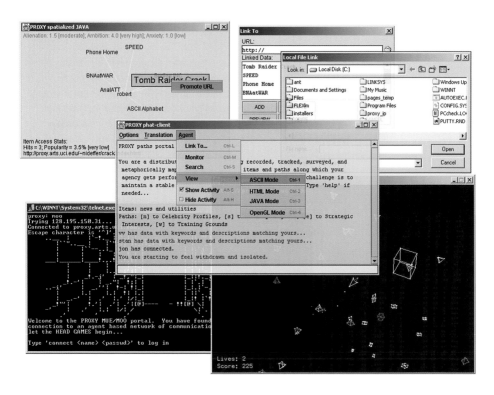

eine spielerische Erforschung von Online-Identitäten. Nachdem man die Anwendung heruntergeladen und sich eingeloggt hat, konfiguriert man seinen persönlichen Agenten, legt seine sozialen Fähigkeiten fest und kann dann anfangen, die Spielumgebung zu erkunden. *PROXY* benutzt unterschiedliche, an Spiele angelehnte Interfaces, die zum Beispiel an ein MOO oder ein Arcade-Spiel erinnern. Der Spieler bewegt sich durch die MOO-Umgebung, indem er Richtungen wie „Norden" oder „hinauf" etc. eingibt. In dieser Parodie auf die akademische Welt und die der Kunst begegnen dem Spieler Monster wie der Kurator, der Professor oder der Hacker, man kann Ziele wie „berühmt werden" anstreben oder „strategische Interessen" im Bereich der Gremienpolitik oder in persönlichen Begegnungen verfolgen.

Ein intelligenter Agentencharakter steht im Mittelpunkt von Lynn Hershmans (geb. 1941) Programm *Agent Ruby*, das Aspekte künstlicher Intelligenz nutzt (wenn etwa Rubys Verhalten von den Begegnungen und den Gesprächen mit den Nutzern geprägt wird). Man kann die Figur auf den eigenen Computer oder einen Palm Pilot herunterladen. Die zum Projekt gehörende Webseite dient als zentrale Anlaufstelle, die Informationen der Nutzer sammelt. Ruby unterstreicht, dass Agenten autonome Charaktere sein können, die ein Eigenleben entwickeln und im Grunde soziale Wesen sind. Der Einsatz „intelligenter" Technik im Rahmen eines Kunstwerks verweist auf eine Reihe von Themen, von der Überwachung des Datenverkehrs („data-surveillance"/„dataveillance") über die Verletzung der Privatsphäre und die Beziehung zwischen vorgegebenen Informationen und der Fantasie bis zum künstlerischen Schaffensprozess im Zeitalter der Informationstechnologien. Während diese Projekte auf der einen Seite ein künstlerisches Konzept und eine nicht ganz einfache Programmierung erfordern, verschwindet auf der anderen Seite der Künstler am Ende fast hinter und aus seinem eigenen Werk, während seine Schöpfung, ein intelligentes „Wesen", ein eigenes Leben beginnt. Letztendlich ist das Konzept von Informationen und Maschinen als intelligente, künstliche Lebensform nur eine von vielen, komplexen Fragestellungen, die die digitalen Technologien im Kontext der Mensch-Maschinen-Symbiose aufgeworfen haben. Die digitalen Netze etwa haben bereits neue Formen der Mensch-Maschinen-Interaktion hervorgebracht: indem sie die Möglichkeit eröffneten, in verschiedenen Kontexten gleichzeitig präsent zu sein, direkte Verbindungen zwischen weit entfernten Orten zu schaffen und mit entfernten Umgebungen zu interagieren – ein Prozess, der als Telepräsenz und Telematik bekannt ist.

Telepräsenz, Telematik, Telerobotik

Telepräsenz ist kein Effekt, der digitale Technik voraussetzt, vielmehr ist sie ganz offensichtlich jeder Form der Telekommunikation – Kommunikation über eine Distanz (nach dem griechischen *tele*, was „fern" bedeutet) – inhärent. Samuel Morse verschickte 1844 die erste Telegrafennachricht („What hath God wrought?"/ „Was hat Gott bewirkt?"); und das Telefon leitete eine ganz neue Ära der Telepräsenz ein. Die Telekommunikationskunst hat eine jahrzehntelange Tradition; schon lange haben Künstler Geräte, vom Fax über das Telefon bis zum Satellitenfernsehen genutzt, um entfernte Standorte in ihre Projekte einzubeziehen. Als erstes Beispiel der Telekommunikationskunst könnte man László Moholy-Nagy 1922 per Telefon bei einer Schilderfabrik aufgegebene Bestellung von fünf Gemälden in Email sehen. Die vor ihm liegende Farbtafel der Fabrik im Blick skizzierte er die Bilder auf Millimeterpapier, und der Fabrikaufseher am anderen Ende der Leitung nahm das „Diktat" auf, indem er Moholy-Nagys Skizze auf das gleiche Papier transkribierte. 1978 prägten Simon Nora und Alain Minc in einem Bericht für den französischen Präsidenten Giscard d'Estaing (auf Deutsch unter dem Titel *Die Informatisierung der Gesellschaft* veröffentlicht) für die Kombination von Computern und Telekommunikation den Begriff „Telematik". Einer der bedeutendsten Theoretiker der telematischen Kunst ist der britische Künstler Roy Ascott, der seit 1980 konsequent die Philosophie und die Auswirkungen dieser Kunstform (insbesondere im Hinblick auf die Idee eines „globalen Bewusstseins") untersucht. Ausschließlich dem „Genre" der Telematik widmete sich 2001 die Wanderausstellung „telematic connections: the virtual embrace", die damit einen historischen Rahmen für zeitgenössische Kunstwerke dieser Art setzte. Die Ausstellung, die Installationen, Filmausschnitte, Online-Projekte und eine telematische Zeitachse umfasste, hatte es sich zur Aufgabe gemacht, das utopische Verlangen nach einem erweiterten globalen Bewusstsein und die möglichen dystopischen Konsequenzen der computergestützten Kommunikation zu erforschen.

Wie man sieht, ist die Telepräsenz zwar ein altes Konzept, aber erst die Digitaltechnik hat noch nie dagewesene Möglichkeiten eröffnet, an unterschiedlichen Orten zur gleichen Zeit „präsent zu sein". Auf einer ganz allgemeinen Ebene kann man das Internet als eine riesige Telepräsenz-Umgebung ansehen, die es uns ermöglicht, überall in der Welt in verschiedenen Kontexten „präsent" zu sein, zu kommunizieren und an Ereignissen teilzunehmen, oder sogar von zu Hause aus auf entfernte Orte einzuwirken. Letzteres ermöglicht die Telerobotik, die Manipulation eines Roboters oder einer Roboterinstallation über das Internet. Zwar haben Projekte mit Robotern eine lange Tradition in der Kunst – etliche wurden bereits in den 1960er Jahren realisiert – die Digitaltechnik hat aber neue Möglichkeiten für robotergesteuerte Eingriffe geschaffen. Telematik- und Telerobotikprojekte beschäftigen sich mit einer breiten Palette von Fragen, von der technikinduzierten „Verteilung" unserer physischen Körper und der Internetgemeinschaft bis zu dem Spannungsfeld zwischen Privatsphäre, Voyeurismus und der von Webcams ermöglichten Überwachung. Mithilfe solcher Kameras kann man einen lokalen Ausblick live ins Internet senden, und damit ein Fenster zu jedem beliebigen Ort in der Welt aufstoßen – aber oft auch in das Privatleben von Menschen.

Zu den ersten Telerobotik-Projekten im Internet gehörte der *Telegarden* (1995–2004), eine Arbeit, die von dem aus Nigeria stammenden Ken Goldberg (geb. 1961) sowie Joseph Santarromana (zusammen mit einem Projektteam) realisiert wurde. Goldberg, der sowohl Künstler als auch ausgebildeter Ingenieur ist, hat zahlreiche Telerobotik-Projekte durchgeführt, die kollektive Fernerfahrungen untersuchen. Die *Telegarden*-Installation wurde im Ars Electronica Center in Linz ausgestellt und war über das Internet zugänglich. Sie bestand aus einem kleinen Garten mit echten Pflanzen und einem über die Webseite des Projekts steuerbaren Industrieroboterarm. Indem sie den Arm bewegten, konnten Webbesucher den Garten betrachten und inspizieren, ihn wässern und bepflanzen. Von besondere Bedeutung war der Gemeinschaftsaspekt: *Telegarden* lud Leute aus der ganzen Welt ein, zusammen dieses kleine Ökosystem zu kultivieren, dessen Überleben von einer Online-Netzgemeinschaft abhing. Bei seinem Projekt *Mori* (seit 1999; mit Randall Packer, Wojciech Matusik und Gregory Kuhn) wählte Goldberg einen anderen Ansatz für das tele-

133. **Ken Goldberg und Joseph Santarromana**, *Telegarden*, 1995–2004. *Telegarden* ermöglichte es Nutzern überall in der Welt, aus der Ferne die Pflanzen aufzuziehen, und transzendierte damit die zeitliche und räumliche Kontinuität, die charakteristisch für das nomadische Leben (aber auch für den Ackerbau im Allgemeinen) ist. In diesem Fall war die Gemeinschaft eine „post-nomadische", die sich ohne ein festes Muster bewegte, zwar wie Nomaden kollektiv einen Ort bewohnte, dort aber nicht gleichzeitig anwesend war.

134. **Ken Goldberg**, *Mori*, seit 1999. *Mori* wandelt die Bewegungen der von einem Seismografen aufgezeichneten Hayward-Falte in Kalifornien in digitale Signale um. Die Installation besteht aus einem Raum, in dessen Mitte sich ein Bildschirm auf dem Fußboden befindet, der eine grafische Darstellung der live per Internet übertragenen seismischen Daten zeigt. Gleichzeitig wird die seismische Aktivität in niederfrequente Töne übersetzt, die durch den Raum hallen. *Mori* macht die Erde so zu einem lebendigen Medium und verwandelt ihre normalerweise für den Menschen nicht wahrnehmbaren Bewegungen in eine spürbare Erfahrung.

135. (unten)
Eduardo Kac, *Teleporting an Unknown State*, 1994–6.

matische Erleben einer natürlichen Umgebung. Hier wurden die
Bewegungen der Erde intuitiv erfahrbar gemacht.

Ähnliche wie die von *Telegarden* aufgeworfenen Fragen behandelt *Teleporting an Unknown State* (1994–6) des brasilianischen
Künstlers Eduardo Kac (geb. 1962). Kac, dessen Arbeiten häufig telematische Komponenten beinhalten, hat bereits vor der Ankunft
des Web zahlreiche Telekommunikationskunstwerke geschaffen
(er verwendete Fax, Schmalbandfernsehen und Videotext). Der in
der Galerie aufgebaute Teil von *Teleporting an Unknown State* besteht aus einem Podest mit Erde und einem einzelnen Samenkorn
nebst einem darüberhängenden Projektor. Über die Webseite des
Projekts können Online-Besucher die Pflanze, die sonst in völliger
Dunkelheit stehen würde, mit Bildern „beleuchten", damit sie die
lebensnotwendige Fotosynthese betreiben kann. Statt „Objekten"
werden bei dieser Art der „Teleportation" Lichtpartikel transpor-
tiert. Die Bildübertragung wird von ihrer Abbildungsfunktion ent-
koppelt und auf ein optisches Phänomen reduziert, das Leben ermöglicht und aufrechterhält. Die Galeristen hatten anfänglich ihre
Zweifel, ob diese von den Online-Besuchern gemeinsam getragene
Verantwortung das Überleben des Keimlings sicherstellen könnte,

136. **Masaki Fujihata**,
Light on the Net, 1996.

aber es zeigte sich, dass das Internet bzw. die Internetgemeinschaft als Lebenserhaltungssystem funktionierte. Auch Masaki Fujihatas *Light on the Net* (1996) verwendet ein Lichtmotiv. Hier können Nutzer via Internet einzelne Lampen einer im Gifu Softopia Center in Japan installierten Beleuchtungsmatrix einschalten. Ein realer öffentlicher Raum wird durch einen anderen, die Projektwebseite im öffentlichen Raum des Internet, verändert. Mit seiner Installation *Uirapuru* (1996–99) setzte Kac die Untersuchung der Verbindungen zwischen natürlichen und virtuellen Umgebungen in einem ganz anderen Zusammenhang fort. Oftmals stellen seine Arbeiten organische und künstliche „Lebensformen" in einer telepräsentischen Situation einander gegenüber. Seine Arbeit *Rara Avis* (1996) nutzte diese Kombination, um sich den Problemen der Identität und des Standpunkts zu widmen. *Rara Avis* ist ein Beispiel für ein besonders hybrides Werk, das eine standortspezifische Installation mit einer Netzwerkanbindung kombiniert und eine Reihe von Medien, darunter Video, VR-Bestandteile und CUsee-Me (eine Videotelefonie-Software) nutzt. Die Installation besteht

aus einer Voliere mit (lebenden) Zebrafinken und einem telerobotischen Ara mit einem Paar Farbvideokameras als Augen. Beim Betreten der Galerie konnten sich Besucher ein VR-Headset überstülpen, das sie in die Voliere „versetzt" und sie die Szenerie mit den Augen des Ara erleben ließ. Der Kopf dieses künstlichen Ara konnte per Servomotor über einen PC gesteuert werden, der seine Richtungsanweisungen von dem Headset erhielt. Der Videofeed aus den Augen bzw. dem Blickwinkel des Robovogels wurde live im Internet gesendet, sodass Online-Teilnehmer ebenfalls den Galerieraum beobachten und den Körper des Ara mit den Besuchern vor Ort „teilen" konnten. Über das Internet und ihre Mikrofone konnten Teilnehmer außerdem den Vogel sprechen lassen. *Rara*

Avis stellt lokale Ökologie und Cyberspace einander gegenüber
und verbindet sie, löst die Grenzen zwischen Standpunkten, Körpern und Orten auf und bestätigt sie zugleich, und wirft zudem die
Frage auf, was Identität ausmacht. Das Projekt reflektiert außerdem über verschiedene Aspekte der Immersion, den die diversen
Technologien ermöglichen.

Eine Reihe von Telepräsenz- und Telerobotikprojekten nutzen
ihre Technik hauptsächlich, um die Kommunikation und den
Austausch über Entfernungen (manchmal auch im Rahmen einer
Performance) zu untersuchen. Eric Paulos (geb. 1969) und John
Canny (geb. 1959) haben sich in ihrem noch laufenden Projekt
PRoP – Personal Roving Presence (seit 1997) ausführlich mit diesen
Aspekten beschäftigt. Ihre *PRoPs* sind via Internet gesteuerte Te-
leroboter, die Video- und Audio-Verbindungen zu ihrem momen-
tanen Standort bieten. Ihre Benutzer können herumwandern, mit

Leuten reden, Gegenstände untersuchen und lesen, d.h. einfachen, alltäglichen Tätigkeiten nachzugehen. Über die Roboter lässt sich so ein Raum erfahren, ohne dass dafür ein detailliertes Szenario vorgegeben ist. Die *PRoPs* erweitern ihre Benutzer, sie werden zu ihren Armen und Augen, die bis an einen entfernten Ort reichen. Eher performanceorientiert ist der Ansatz von Nina Sobell und Emily Hartzell, zwei Pionierinnen der Web-Performance, die unter der Bezeichnung ParkBench arbeiten. 1994, während eines Stipendiumsaufenthalts am Center for Advanced Technology der Universität New York, verwendeten sie die ferngesteuerte Webcam des Centers, um wöchentlich stattfindende Performances live ins Netz zu streamen. 1995 bauten sie *VirtuAlice*, eine Art datensammelnden Elektrorollstuhl mit einem thronartigen Sitz und

140. **ParkBench**, *VirtuAlice*, 1995. Galeriebesucher konnten in den Ausstellungsräumen umherfahren; die Ausrichtung der Kamera wurde allerdings von den Besuchern der Webseite gesteuert. Ein auf dem Lenker montierter Monitor zeigte dem Fahrer, der auf diese Weise zu ihrem Chauffeur wurde, die Sicht der Webbesucher.

141. **Adrianne Wortzel**, *Camouflage Town*, 2001. Besucher konnten den Roboter umherbewegen, vordefinierte Samples abspielen (in denen der Roboter die Rolle eines „Kulturpessimisten" spielte), Text eingeben, den er sprechen sollte, und sich die von seinem Kopf oder von anderen im Museum aufgestellten Kameras aufgenommenen Videobilder ansehen.

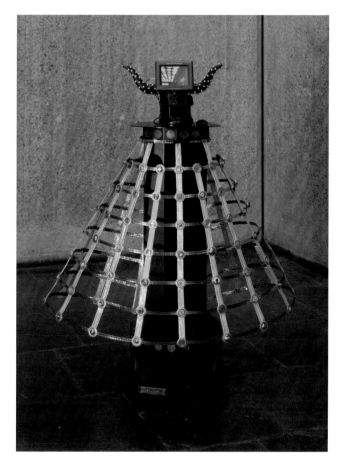

einer drahtlosen Netzwerkanbindung. Das Fahrzeug verfügt über eine Kamera, die sich über das Internet fernsteuern lässt und Videostandbilder auf die Projektwebseite hochladen kann.

Ebenfalls als Performance angelegt war *Camouflage Town* (2001) von Adrianne Wortzel (geb. 1941), ein Projekt, das im Rahmen der „Data Dynamics"-Ausstellung am Whitney Museum of American Art gezeigt wurde. Dabei ging es um ein komödiantisches Szenario, einen in den Museumsräumen lebenden Roboter, der mit den Besuchern interagierte. Der Kiru genannte Roboter übertrug über seinen „Kopf", der aus einem Bildschirm und einer Kamera bestand, Videobilder ins Netz. Besucher der *Camouflage Town*-Website, aber auch des Museums, konnten Kiru fernsteuern. Daraus ergab sich, dass Kirus „Persönlichkeit" nicht festgelegt war: In jedem beliebigen Augenblick konnte er von einem Ausstellungsbesucher oder von jemandem, der irgendwo in der Welt am Rechner saß, gesteuert werden. Die Leute, die sich direkt vor Ort

mit ihm unterhielten oder mit ihm interagierten, wussten also nie, mit wem sie es gerade zu tun hatten, denn jede seiner Bewegungen und jede seiner Aussagen hing von seinem momentanen „Steuermann" ab. Der Roboter fungierte für jeden Besucher als Avatar/Alter ego, und sein Auftritt spielte mit der Bereitschaft und Fähigkeit der Leute, sich mit einer digitalen Maschine/Person zu befassen.

Ganz anders geht Lynn Hershmans *Tillie, the Telerobotic Doll* (1995–98) mit dem Thema der robotischen Erweiterung um. Tillie ist eine richtige Puppe, deren Kameraaugen über eine Website kontrolliert werden können. Für die Online-Nutzer ist *Tillie* eine Verlängerung ihres Blicks. In den Räumen der Galerie aber verwies das Gefühl, von einem an sich unbelebten Gegenstand, der aber zeitweilig von den Augen eines anderen „bewohnt" wird, beobachtet zu werden, auf die dunkleren Seiten der Verobjektivierung durch den Blick. Im Gegensatz zu Kiru, der sich unterhalten konnte und damit zur Projektionsfläche für die Besucher wurde, die ihm eine (menschliche) Persönlichkeit unterstellten, machte Tillie eher den Eindruck einer lebendigen Puppe, die reserviert blieb, und deren prüfendem Blick die Leute ausgesetzt waren.

Eine vernetzte Performance ist nicht unbedingt auf robotische Bestandteile angewiesen, sondern kann auch als partizipatorisches Projekt gestaltet sein – mit Installationsobjekten in einem realen Raum, wo Besucher und Performer, die online oder *in situ* zugegen sind, über Techniken wie CUseeMe kommunizieren können. Der von Jeff Gompertz und Prema Murthy 1996 gegründete artists' collective Fakeshop (früher FPU – Floating Point Unit) hat seit Mitte der 1990er mehrere derartige Performances aufgeführt. Ihr Projekt *Capsule Hotel* (2001) wurde von den sogenannten „Kapselhotels" im Tokioer Bezirk Shinjuku inspiriert, die statt Räumen niedrige Kammern vermieten, in die ihre Gäste für die Nacht hineinkriechen können. Das Projekt will eine Verbindung zwischen einem echten Kapselhotel in Tokio und einer Installation mit ähnlichen Abteilen in einer Galerie schaffen. Die Arbeit bildet über Internet- und Videokonferenzverbindung ein Netzwerk zwischen den Boxen, das es ausgewählten „Bewohnern" erlaubt, an einer laufenden Erzählung und Performance teilzunehmen. Ganz entscheidend ist dabei die Verdopplung der Umgebungen in völlig unterschiedlichen Kontexten, die eine davon „inszeniert", die andere eine kommerzielle Unterkunft (und eine utilitaristische Absurdität).

Einerseits ermöglichen es Telepräsenz-Projekte ihren Nutzern, einen entfernt liegenden Ort zu beobachten, dort einzugreifen und mit diesem zu kommunizieren, und sich selbst in eine entfernte Umgebung „hineinzuversetzen". Andererseits kann man so auch eine ganz spezifische Sicht im Internet verbreiten. Die Projekte des

142. **Lynn Hershman**, *Tillie, the Telerobotic Doll*, 1995–98.

143. **Steve Mann,**
Wearable Wireless Webcam,
seit 1980.

in Toronto ansässigen Steve Mann, eines Pioniers im Bereich des „wearable computing", sind ein Beispiel für die Verwendung von drahtlosen und mobilen Geräten, um persönliche Erlebnisse mit anderen zu teilen. Im Laufe der Jahre hat Mann zahlreiche drahtlose Geräte konstruiert – Variationen der *Wearable Wireless Webcam* (seit 1980) – die ihn in ein mobiles Sendestudio verwandeln. Mit Hilfe dieser Geräte, die an Kopfbedeckungen oder Brillen befestigt oder direkt integriert sind, hat Mann Live-Video- und -Audioaufnahmen ins Internet gesendet, gelegentlich auch im Rahmen von Projekten mit Performancecharakter. Ein Beispiel dafür war eine Sendung, in der er Leute in Umgebungen interviewte, die permanent von Kameras überwacht wurden, deren Blick er so verdoppelte und erwiderte. Die Telepräsenz verbindet sich von Natur aus mit den Problemkreisen Voyeurismus und Überwachung, mit denen sich die Videokunst sehr ausführlich beschäftigt hat. Die Techniken und die Kultur der permanenten Überwachung, von den Videokameras bis zum Reality-TV, sind schon seit Langem ein Thema für Künstler. Die Möglichkeiten zur sozialen Kontrolle und zur Beobachtung der Menschen in allen Lebenslagen haben allerdings aufgrund der ausgeklügelten Tracking- und Datenüberwachungsverfahren, die die Digitaltechnik bietet, ungemein zugenommen. Auch wenn Telepräsenz und Telematik eine globale Vernetzung und ein Phänomen wie „Translokalität" ermöglichen, so werfen sie auch ernste Fragen nach der Verschmelzung von privaten und öffentlichen Sphären auf und danach, wie wir unsere Identitäten konstruieren.

Körper und Identitäten

Körper und Identitäten sind vieldiskutierte Themen im Reich des Digitalen; es geht hierbei vor allem um die Frage, wie wir uns selbst im virtuellen und im vernetzten realen Raum definieren. Zwar sind unserer physischen Körper immer noch individuelle "Objekte", aber sie sind auch in zunehmendem Maße transparent geworden: Die zielgenaue Überwachung und Identifizierung scheinen die Idee der individuellen Autonomie zu bedrohen. Allgegenwärtige Überwachungskameras verfolgen unsere Bewegungen; mehr und mehr biometrische Techniken wie elektronische Fingerabdrücke, Gesichtserkennungssoftware und Netzhautscanner sind am Markt verfügbar. Unsere virtuelle Existenz allerdings legt das Gegenteil eines geschlossenen, individuellen Körpers nahe – multiple Identitäten, die medial vermittelte Realitäten bewohnen. Sherry Turkle, Direktorin der *MIT Initiative on Technology and Self* und Autorin von *Life on the Screen: Identity in the Age of the Internet* hat die Online-Präsenz als ein multiples, verteiltes „Mehrbenutzersystem" beschrieben. Ihr Buch und das von der Kulturtheoretikerin Allucquère Rosanne Stone verfasste *The War of Desire and Technology* untersuchen die von den Digitaltechniken hervorgerufene Dezentrierung des Subjekts.

Die Online-Identität ermöglicht es, gleichzeitig in mehreren Räumen und Kontexten präsent zu sein, eine beständige „Reproduktion" eines körperlosen Selbst. In MUDs, MOOs und Online-Chaträumen suchen sich die Leute einen Avatar aus, der sie repräsentiert, und schlüpfen in eine Rolle – und wieder hinaus. Das

144. **Tina LaPorta**, *Re:mote_corp@REALities*, 2001. Dieses Projekt remixt Webcam-Bilder (von Leuten, die sich auf CUseeMe-Seiten einloggen), Auszüge aus Online-Unterhaltungen in Chat-Räumen und Voice-Overs von Interviews mit New Yorker Künstlern und Theoretikern. Während die Chat-Texte über den Bildschirm scrollen, zeigen zwei Frames die CUseeMe-Nutzer; daneben sind Live-Webcambilder von unterschiedlichen Standorten zu sehen. Die Interviews behandeln Fragen wie „Ist der Cyberspace unser Fenster oder ein Spiegel?", „Ist die Maschine ein Teilaspekt unserer Verkörperung?" oder „Wie (oder in welcher Situation) bricht Kommunikation ab?" Indem sie diese unterschiedlichen Kommunikationsarten nebeneinanderstellt, untersucht LaPortas Arbeit die Auswirkungen der Technik auf die sozialen Beziehungen.

virtuelle Leben erlaubt es, in mehreren (Programm-)Fenstern und Kontexten gleichzeitig präsent zu sein, ein zentrales Thema für viele Netzkunstprojekte. Beispielsweise haben sich die Arbeiten der Künstlerin Tina LaPorta konsequent mit Online-Identität, der Kommunikation in Chat-Räumen und über Videotelefonie sowie dem Einfluss von Webcams auf das Verhältnis von privaten und öffentlichen Bereichen beschäftigt. Die Relation zwischen der virtuellen und der physischen Existenz lässt sich schwerlich als eine simple Dichotomie fassen. Es handelt sich vielmehr um ein komplexes Wechselspiel, das unser Verständnis sowohl des Körpers als auch der (virtuellen) Identität berührt. Die grundsätzliche Frage lautet, in welchem Maße wir bereits eine Mensch-Maschine-Symbiose erleben, die uns in Cyborgs – technisch erweiterte und verbesserte Körper – verwandelt hat. In ihrem Buch *How We Became Posthuman* schreibt Katherine Hayles, eine der führenden Theore-

145. **Stelarc**, *Exoskeleton*, 1999. *Exoskeleton* kombiniert mechanische, elektronische und Softwarekomponenten. Der Künstler befindet sich in der Mitte einer druckluftgetriebenen, sechsbeinigen Struktur auf einem Drehteller, und steuert die Maschine über Gesten mit seinem „erweiterten", mit Manipulatoren versehenen Arm, um einen maschinellen „Tanz" aufzuführen.

146. **Stelarc**, *Ping Body*, 1996.

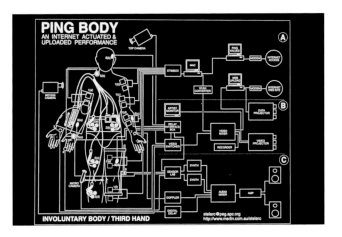

tikerinnen des „technifizierten Körpers", dass es in zunehmendem Maße nicht darum gehe, ob wir posthumane Wesen werden, denn das Posthumane sei bereits da. Die Frage sei vielmehr, welche Art von posthumaner Existenz wir führen werden.

Das Konzept des Cyborg, der erweiterte Körper und das Posthumane tauchen häufig in digitalen Kunstprojekten auf. Der in Australien lebende Performancekünstler Stelarc hat beispielsweise zahlreiche Arbeiten geschaffen, die Robotik, Prothetik und das Internet nutzen, um Mensch-Maschine-Schnittstellen zu implementieren. Stelarc zufolge hatten die Menschen zu allen Zeiten zumindest ansatzweise prothetische Körper bzw. waren Cyborgs, weil sie „Maschinen" konstruierten, die sie dann als Verlängerung ihrer Gliedmaßen handhabten. Mit den digitalen Technologien werden nicht nur die Prothesen raffinierter, wir erleben auch eine zunehmende Verschmelzung von Körper und Maschine.

Stelarcs Arbeit *Exoskeleton*, die das erste Mal 1998 in Hamburg vorgeführt wurde, erweiterte den Körper des Künstlers mittels einer sechsbeinigen, druckluftbetriebenen Laufmaschine, die sich vorwärts, rückwärts und seitwärts bewegen und auf der Stelle drehen konnte. In früheren Performances hatte Stelarc ein System eingerichtet, das es dem Online-Publikum ermöglichte, den Körper des Künstlers per Muskelstimulation zu bewegen. In *Ping Body* (1996) sorgte der Datenfluss im Internet selbst für die Stimulation. Dazu wurden „Ping"-Kommandos an zufällig ausgewählte Internet-Domains geschickt. Die in einem Bereich zwischen 0 und 2000 Millisekunden liegenden Ausgabewerte wurden in Spannungen zwischen 0–60 Volt „transformiert", und über ein Interface, das auch die Körperbewegungen abbildete, an die Muskeln in Stelarcs Körper angelegt. Auf diese Weise stellte *Ping Body* eine direkte Verbindung zwischen Internetaktivität und Körperbewegungen her (bzw. kehrte das Verhältnis um), und vereinigte so bis zu

147. **Victoria Vesna,**
Bodies, Inc., 1995.

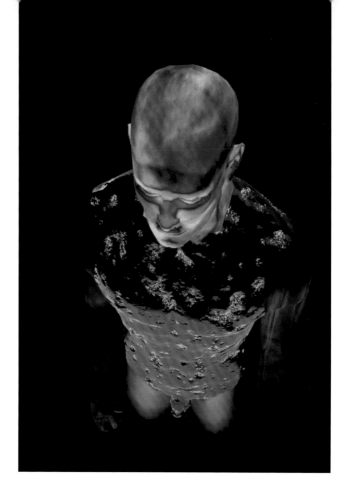

einem gewissen Grade den physischen Körper und das Netzwerk. Indem Stelarcs Werk den Körper durch die Maschine kontrollieren ließ, operiert es im Grenzbereich von Verkörperung und Entkörperung, zentrale Begriffe in den Diskussionen darüber, welche Veränderungen die digitale Technik in den Vorstellungen von unserem Selbst bewirkt hat.

Als Galileos teleskopbewehrtes Auge 1609 den Mond anblickte, war das nicht nur eine Erweiterung des menschlichen Sehvermögens; in einem gewissen Maße löste dieser Blick das Auge aus dem physischen Zusammenhang des wahrnehmenden Körpers. In der virtuellen Realität oder in Online-Umgebungen hat diese Loslösung vom Körper beziehungsweise die Flucht daraus völlig neue Dimensionen erreicht. Einer der Gründe für die Attraktivität von Online-Präsenzen ist die Möglichkeit, den Körper neu zu erschaffen, digitale Gegenüber zu kreieren, die frei sind von den Unzulänglichkeiten und der Sterblichkeit unserer physischen „Hüllen".

Online-Welten erlauben es ihren Besuchern, ihr eigenes (Cyber-) Selbst zu erschaffen, und all das zu sein, was sie sein wollen.

Victoria Vesnas (geb. 1959) Projekt *Bodies, Inc.* (1995) ist eine Webseite, deren Besucher einen Cyberkörper und Online-Abbild aus unterschiedlichen Bestandteilen zusammenstellen können. *Bodies, Inc.* entstand zu einer Zeit, als die Möglichkeiten des Web eingeschränkter waren als heute, war aber visionär in Bezug auf das Konzept des „eingetragenen" („incorporated") Körpers, der den juristischen Spielregeln des kommerziellen Umfelds, aus denen er hervorgeht, unterworfen bleibt – was heute, angesichts der Zunahme des E-Commerce und der Erfassung unserer Datenkörper und unseres Online-Verhaltens umso bedeutsamer erscheint.

Dieses grundlegende Konzept entwickelte die Künstlerin weiter und kreierte Daten-Körper, die im Netz als „Gefäß" für Informationen dienten und es Nutzern erlaubten, sich selbst als Träger unterschiedlicher Informationen darzustellen, und nach Informationen, die in anderen Körpern enthalten sind, zu suchen. Vesnas Projekt *Notime* (2001) lädt die Teilnehmer ein, sich als „Meme-Gebilde" zu repräsentieren – Datenkörper, die Informationen über ihre Schöpfer enthalten. In Projekten wie *Bodies, Inc.* und *Notime* – ebenso wie in jeder Unterhaltung in Chaträumen oder Multi-User-Umgebungen – wird der Austausch stets durch den Blick des Rechners vermittelt. In diesem Raum begegnet man nicht nur der Reflexion eines „Anderen", sondern wird auch mit einer Reflexion seiner selbst, seinem Online-Abbild konfrontiert. Diese „Selbst-Reflexion" durch die Avatare verweist auf die Umkehrung der Realität und die Dichotomie von Identität und Differenz, Präsenz und Abwesenheit, die der klassische Mythos vom Narziss, der sich in sein eigenes Spiegelbild verliebt, versinnbildlicht, und der Künstler seit Jahrhunderten in ihrem Schaffen inspiriert hat. Genau mit diesem Spiegelmotiv befasst sich die Installation *Liquid*

148. **Monika Fleischmann, Wolfgang Strauss und Christian-A. Bohn**, *Liquid Views*, 1993.

Views (1993) der deutschen Künstler Monika Fleischmann (geb. 1950), Wolfgang Strauss (geb. 1951) und Christian-A. Bohn. Die (virtuelle) Wasserfläche besteht hier aus einem Bildschirm, der in einen Sockel eingebettet ist. Wenn man sich über den Sockel beugt, kann man sein Spiegelbild im Monitor sehen. Berührt man den Bildschirm, berechnet ein Algorithmus „Wasserwellen", die das Bild verzerren. *Liquid Views* überträgt die reale Erfahrung der Spiegelung in den virtuellen Raum und legt gleichzeitig offen, wie das Interface als eine technische Vorrichtung das Bild des Betrachters in den virtuellen Spiegelraum versetzt. Das Eingreifen zieht eine Verzerrung des Bildes nach sich, die den Gesetzen der Maschine unterworfen ist.

Neben der Erzeugung von virtuellen Gegenübern wurde das Reich des Virtuellen auch schon für die Erschaffung fiktiver Persönlichkeiten genutzt, die durchaus ein Eigenleben führen. Ein Beispiel ist die Webseite von Mouchette, die wie die Homepage eines durchschnittlichen jungen Mädchens aussieht, aber komplett fiktional ist. Shu Lea Cheangs *BRANDON* war ein 1998 am Guggenheim Museum in New York gestartetes Projekt, da sich speziell mit der Genderproblematik beschäftigte. *BRANDON* lief über ein Jahr und war als kollaboratives Projekt für unterschiedliche Künstler, Autoren und Institutionen angelegt. Der Name des Projekts leitet sich von dem Fall um Teena Brandon aus Falls City, Nebraska, ab. Sie war eine Transgender-Frau, die im Alter von einundzwanzig von zwei Einheimischen, die herausgefunden hatten, dass Brandon eine Frau war, die als Mann lebte, vergewaltigt und sieben Tage später ermordet wurde. Ihre Lebensgeschichte wurde auch in einer Dokumentation sowie in dem Spielfilm *Boys Don't Cry* behandelt. Cheangs Projekt verlegte die Geschichte von Brandon in den Cyberspace und verwendete unterschiedliche Interfaces, um die vielschichtigen Erzählungen von Gender und Identität und die Problematik von Verbrechen und Strafe zu beleuchten. Das Internet erwies sich dabei als ideales Medium für die Behandlung der Identitätsproblematik.

Den physischen Körper zurückzulassen mag ein wesentlicher Aspekt der virtuellen Identität sein, aber die Entkörperung, auf die die oben dargestellten Projekte hindeuten, vernachlässigt wichtige Aspekte der Mensch-Maschine-Interaktion. Man kann die Materialität der verwendeten Schnittstellen oder ihre Auswirkung auf unsere Körper nicht ignorieren. Diese Materialität wirft die Frage auf, inwieweit der menschliche Körper bereits zu einem Anhängsel der Maschine geworden ist. Eduardo Kac meint, dass der Übergang in die digitale Kultur – mit ihren Standardinterfaces, die uns an Schreibtische zwingen, wo wir auf Tastaturen einhämmern und währenddessen auf Bildschirme starren – ein physisches Trauma erzeugt, das den psychologischen Schock noch verstärkt, den die

immer kürzeren Zyklen von technischer Innovation, Weiterentwicklung und Vergessen hervorrufen. Die gegenwärtigen Standardschnittstellen schränken den menschlichen Körper ein, der sich
dem Computer und dem Monitor anpassen muss – obwohl sich diese Interfaces in Zukunft vermutlich radikal ändern werden. Das Spannungsverhältnis zwischen Verkörperung und Entkörperung ist keine „entweder/oder"-Wahl, sondern muss als ein wirkliches „und" begriffen werden.

Kacs Projekt *Time Capsule* ging diese Frage auf radikale Weise an, mit einer buchstäblichen In-
vasion des Körpers durch die Technik, die den Körper mit einem künstlichen Gedächtnis ausstat-
tete. Das *Time Capsule*-Event fand am 11. November 1997 im Kulturzentrum Casa das Rosas in
São Paulo, Brasilien statt. Mit einer Spezialnadel führte Kac einen Mikrochip mit einer einpro-
grammierten Identifikationsnummer in sein linkes Bein ein. Nach einer solchen Implantation bildet sich eine dünne Schicht Bindegewebe um den Mikrochip, die ein Verrutschen verhindert.
Dann platzierte Kac sein Bein in einen Scanner, der seinen Unterschenkel von Chicago aus scannte (den Scannerknopf drückte ein telerobotischer Finger). Der Scanvorgang erzeugte niederener-
getische Radiowellen, die den Chip mit Energie versorgten und aktivierten, worauf er seinen ein-

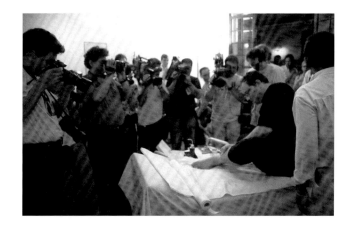

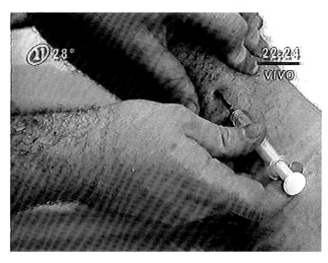

149. **Eduardo Kac**,
Time Capsule, 1997.

150. (rechts)
Stahl Stenslie, *The First Generation Inter_Skin Suit*, 1994.

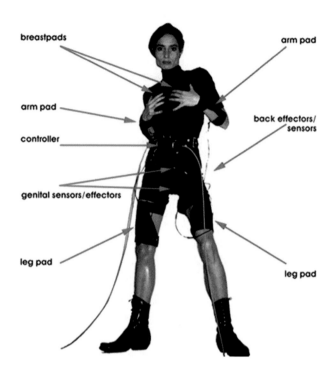

breastpads

arm pad

arm pad

controller

back effectors/sensors

genital sensors/effectors

leg pad

leg pad

151. (unten)
Kazuhiko Hachiya, *Inter Discommunication Machine*, 1993.

deutigen und unveränderbaren numerischen Code aussendete, der auf dem LCD-Display des Scanners angezeigt wurde. Anschließend trug sich Kac selbst in eine Webdatenbank ein, die eigentlich für das Wiederauffinden entlaufener Tiere gedacht war. Kac trug sich selbst als Tier und Halter ein – es war das erste Mal, dass ein Mensch in diese Datenbank aufgenommen wurde. Das Ereignis wurde live im brasilianischen Fernsehen und im Internet gesendet.

Time Capsule, das sich im Grenzbereich zwischen Überwachung und Befreiung von der Maschine bewegt, könnte man einerseits als wahrgewordene orwellsche Dystopie ansehen. Implantierte Mikrochips – die in der Medizin inzwischen vollkommen akzeptiert sind – könnten in Zukunft Personalausweise und Pässe ersetzen, die es erlauben, den Einzelnen zu identifizieren und seine Bewegungen nachzuverfolgen, wodurch sie den ultimativen Schutz vor Verbrechen wie etwa Entführungen böten. Auf der anderen Seite kann man *Time Capsule* als eine radikale Befreiung des Körpers von der Maschine betrachten – die Versöhnung von Aspekten, die gemeinhin noch als Gegensätze angesehen werden, wie etwa Freizügigkeit, mobile Datenspeicherung und Verarbeitung. *Time Capsule* kombiniert das Flüchtige (Identifikation über das Scannen per Internet) mit dem Dauerhaften (das Implantat selbst). In der Konfrontation des Materiellen und des Virtuellen befreit das Projekt den Körper von der Maschine, verleiht ihm Dauer und macht ihn lesbar durch das Internet.

Die vernetzte Kommunikation erzeugt eine instantane Verbundenheit und eine Art von entkörperlichter Vertrautheit, aber die Nahsinne wie der Tast- und der Geruchsinn bleiben außen vor. Mehrere Kunstprojekte haben sich darum bemüht, diese technologisch bedingte Beschränkung der Sinneswahrnehmung zu überwinden, indem sie Körperempfindungen und Stimuli über ein Netzwerk übertragen und so versuchen, dem Körper eine „digitale Wahrnehmung" beizubringen – darunter auch der norwegische Künstler Stahl Stenslie (geb. 1965) mit seinen *Tactile Technologies*. In Stenslies *Inter_Skin*-Projekt tragen Teilnehmer einen mit Sensoren ausgestatteten Anzug, der Reize, etwa taktile, übertragen und empfangen kann. Das Kommunikationssystem will Sinnesempfindungen übertragen und empfangen. Den nächsten Schritt bei der „Vernetzung" von Körpern geht Kazuhiko Hachiyas *Inter Discommunication Machine* (1993), die von zwei Personen mit headmounted Displays benutzt wird. Die „Maschine" projiziert das, was der eine Teilnehmer sieht und hört, in das Display des anderen, und verwirrt so die Grenzen zwischen dem „Ich" und „Du". Die *Inter Discommunication Machine* erinnert an das „Sim-Stim"-Gerät, das William Gibson in seinem Roman *Neuromancer* beschreibt, und mit dessen Hilfe der Anwender den Körper und die

152. **Scott Snibbe**, *Boundary Functions*, 1998. Diese Form der Flächenaufteilung ist als Voronoi-Diagramm bekannt. Solche Diagramme werden in unterschiedlichen Disziplinen, darunter Anthropologie und Geographie (zur Beschreibung von Besiedlungsmustern), Biologie (um Muster im Revierverhalten von Tieren darzustellen), Marketing (zur strategischen Platzierung von Filialen) und Informatik (zur Lösung von Triangulationsproblemen) verwendet. Der Projekttitel bezieht sich auf die Doktorarbeit von Theodore Kaczynski, des berüchtigten Unabombers, dessen antisoziales, kriminelles Verhalten ein Beispiel für den Konflikt zwischen Individuum und Gesellschaft ist.

Wahrnehmung einer anderen Person „betreten" kann, allerdings ohne diese zu beeinflussen.

Die Grenzen zwischen dem Selbst und dem Anderen stehen auch bei Scott Snibbes *Boundary Functions* (1998) im Zentrum, einem interaktiven Projekt, das die normalerweise unsichtbaren Beziehungen zwischen Menschen in realen Räumen sichtbar macht. Die *Boundary Functions* sind Linien, die von oben auf den Boden projiziert werden und den Raum abgrenzen, den einzelne Leute in der Galerie einnehmen. Während die Besucher weitergehen, folgen die Linien ihren Bewegungen und teilen den Boden in einzelne Zellen auf. Jede Region hat die mathematische Eigenschaft, dass der Abstand jedes Punktes innerhalb der Fläche zu ihrem Zentrum (der Person in der Mitte) kleiner ist als zu allen anderen Personen. Mit Hilfe eines analytischen Verfahrens, das in den Naturwissenschaften und der Mathematik angewandt wird, konkretisiert *Boundary Functions* die normalerweise unsichtbaren Grenzen, die den persönlichen Raum umgeben und das Selbst vom Anderen trennen. Mit diesen Diagrammen unterstreicht Snibbes Arbeit die Fähigkeit des digitalen Mediums, abstrakte Vorgänge in einer dynamischen Weise zu visualisieren.

Datenbanken, Datenvisualisierung und Mapping

Im digitalen Zeitalter beschreibt der Begriff der „Entkörperung"
nicht nur unsere Auffassung vom Körper, sondern auch von Objekten und der Materialität im Allgemeinen. Auch die Information
selbst scheint weitgehend „körperlos", zu einer abstrakten „Qualität" geworden zu sein, die leicht zwischen unterschiedlichen Ma-
terialitäts- oder Aggregatzuständen wechseln kann. Während die
wirkliche „Substanz" der Information fraglich bleibt, kann man
jedenfalls sagen, dass Daten nicht notwendigerweise an eine bestimmte Form gebunden sind. Informationen und Daten sind von
Natur aus virtuell, d.h. sie existieren als Prozesse, die nicht unbedingt sichtbar oder greifbar sind, wie etwa die Übertragung von
Daten in einem Netzwerk. Die Bedeutung der Daten hängt von
den Möglichkeiten ab, die Informationen zu filtern und eine
(mentale oder grafische) Struktur oder Karte (engl. „map") zu entwerfen, die eine Orientierung ermöglicht. Statische Methoden um
Daten zu repräsentieren – Diagramme, Grafiken, Listen – gibt es
seit Jahrhunderten. Seit den Anfängen der Digitaltechnik erforscht
man in vielen Bereichen (Wissenschaft, Statistik, Architektur, Design, Digital Art oder beliebige Kombinationen hiervon) Informationsräume und experimentiert mit grafischen Modellen, die es
ermöglichen, Datenströme dynamisch zu visualisieren.

Der Begriff des „Informationsraums" ist nun überwiegend mit
dem Digitalen und dem Internet verknüpft. Allerdings bildet heute im Grunde jeder „Informationscontainer" – etwa eine Bibliothek, ein Gebäude oder eine Stadt – seinen eigenen Datenraum
und seine eigene Informationsarchitektur, auch wenn sich diese
von dem virtuellen, dynamischen Datenraum doch deutlich unterscheiden. Die Vorstellung der „Informationsarchitektur" verweist
unmittelbar auf die Prinzipien der oben erwähnten Gedächtnistheater und -paläste, die im Kontext der digitalen Kunst ein Revival erfahren haben. Ein Projekt, das von der Idee des Gedächtnispalastes direkt inspiriert wurde ist die Webseite *Apartment* (2001)
von Martin Wattenberg (geb. 1970) und Marek Walczak (geb.
1957). Hier tippen die Nutzer auf einem leeren Bildschirm Worte
und Sätze ihrer Wahl ein, wodurch zweidimensionale Raumpläne
auf dem Bildschirm erscheinen, die wie Blaupausen aussehen. Der
Aufbau jedes Apartments basiert auf einer semantischen Analyse
der eingegebenen Wörter, die entsprechend den zugrunde liegenden Themenfeldern angeordnet werden: das Wort „Arbeit" erzeugt ein Büro, „Medien" eine Bücherei, „Schau" ein Fenster.
Diese Struktur wird dann in navigierbare, dreidimensionale Be-
hausungen übersetzt, die aus Bildern bestehen, die eine Internet-
suche nach den eingegebenen Begriffen zurückgeliefert hat. Man
kann sich in diesen 3D-Umgebungen umherbewegen; währenddessen werden die zuvor gemachten Eingaben von einer Text-To-

ass

closet

morning thighs   find never   find never
bedroom   free
ass   eating

wanting myself   enough   dining   enough   window

thighs   fast   fast

i   eating   enough   office

                                         step
                              foyer

                                         bathroom

kitchen
fat food   lunch   fat dinner   fat   good calories   food

t cheese   fat   fat beef

                                                   weigh scale ght
                                                        diet
                                         m   freaky

fat food   fat cheese   fat sugar   fat sugar

fat calorie   fat coke   apple   fat apple

fat   calories

Title:
i fast food

Launch 3D

New apartment
See all apartments

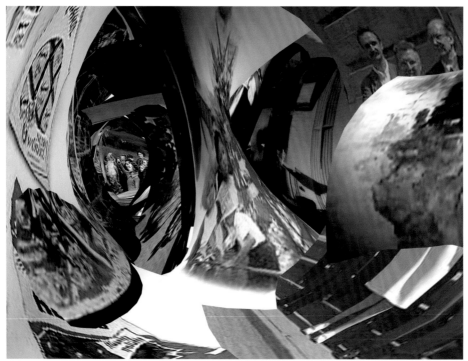

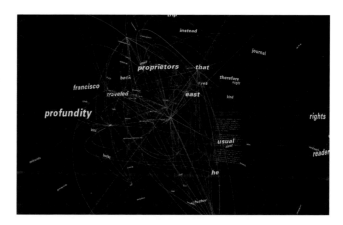

154. (rechts)
Benjamin Fry, *Valence*, 1999.
Valence wurde bereits eingesetzt, um Webseiten-Traffic zu
veranschaulichen, Mark Twains
The Innocents Abroad zu lesen,
Goethes *Faust* mit Wittgen-
steins *Tractatus logico-philoso-
phicus* zu vergleichen und das
Genom von Mensch, Frucht-
fliege und Maus zu vergleichen.
Wenn *Valence* einen Text
„liest", fügt es jedes Wort in einen dreidimensionalen Datenraum ein und verbindet diese
durch Linien; häufig verwendete Wörter erscheinen im äußeren Rand, weniger häufige in
der Mitte dieses Raums.

155. (rechts)
W. Bradford Paley, *TextArc*,
2002. Das geteilte Bild zeigt,
wie TextArcs interaktive Darstellung (oben) und die Druckfassung (unten) von Alice's
Adventures in Wonderland aussieht. *TextArc* stellt den kompletten Text des Romans auf
einer einzigen Seite als zwei
Ellipsen (jeweils Zeile für Zeile
und Wort für Wort) dar. Die An-
sammlung von Wörtern in der
Mitte der Ellipsen bildet die pri-
märe Struktur. Ein Wort, das
mehr als einmal vorkommt, befindet sich in einer Position, die
sich gewissermaßen aus der
kombinierten „Anziehungskraft"
der unterschiedlichen Ab-
schnitte ergibt, in denen es in
dem äußeren Ring auftaucht.
Häufig verwendete Wörter werden größer und heller dargestellt. In der interaktiven Version verbindet bzw. „liest" eine
farbige, geschwungene Linie
die Wörter in der Reihenfolge,
in der sie im Text stehen. In der
Druckfassung verweisen ange-
deutete, farbige Verbindungslinien auf alle Stellen, an denen
ein Wort im Text vorkommt.

153. (gegenüberliegende Seite)
**Martin Wattenberg und Ma-
rek Walczak**, *Apartment*, 2001.

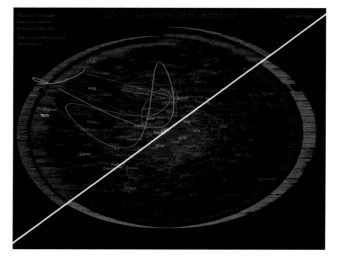

Speech-Software vorgelesen. Die auf der Webseite kreierten Wohnungen werden ihren semantischen Verbindungen entsprechend
zu Städten gruppiert. Die Städte können nach semantischen Fel-
dern wie „Kunst", „Körper", „Arbeit", „Wahrheit" organisiert werden – die Wohnungen, in denen das jeweilige Thema am häufigsten vorkommt, liegen dann im Zentrum. *Apartment* setzt Sprache
und Raum in ein Verhältnis; das geschriebene Wort wird mit
unterschiedlichen räumlichen Konfigurationen verknüpft.

Dynamische Datenvisualisierungen ermöglichen es Anwendern,
sich durch grafische und textliche Informationen zu bewegen und
zu verfolgen, wie sich diese im Laufe der Zeit verändern. Für jeden
beliebigen Datensatz gibt es auch stets mehrere Arten, ihn grafisch
darzustellen. Ein Beispiel für ein Projekt, das aus umfangreichen
Datenbeständen dynamische grafische Darstellungen erzeugt, ist
Benjamin Frys (geb. 1975) Datenvisualisierungssoftware *Valence*

(1999). Das Programm stellt einzelne Informationsbestandteile entsprechend ihren Wechselwirkungen mit anderen dar. Mit *Valence* kann man fast alles visualisieren, vom Inhalt eines Buches bis zum Traffic einer Webseite, oder auch unterschiedliche Datenquellen vergleichen. Die Visualisierung ist dynamisch und passt sich neuen Daten an. Statt statistischen Informationen (z. B. wie oft ein bestimmtes Wort in einem Text auftaucht) verschafft *Valence* dem Nutzer ein Gefühl für generelle Tendenzen und Abweichungen (Datenausreißer), indem es einen qualitativen Querschnitt durch die Informationsstruktur erzeugt. *Valence* zeigt auf ästhetische Weise die Zusammenhänge zwischen Datenelementen, die nicht so schnell ersichtlich sein mögen, und die sich unterhalb der Schwelle unserer normalen Wahrnehmung befinden. Ein interessantes Gegenstück zu Frys Projekt ist W. Bradford Paleys Online-Projekt *TextArc* (2002), ein grafisches Tool, das einen kompletten Text, etwa einen Roman, auf einer einzigen Seite darstellt. *TextArc* ermöglicht es Anwendern, einen Text auf diverse Arten zu filtern und, ähnlich wie *Valence*, inhaltliche Muster herauszuarbeiten, und kann seine Ergebnisse auch in Form eines Offsetdrucks ausgeben. Die zweidimensionale Struktur von *TextArc* unterscheidet sich vollkommen von der in Frys Projekt; wenn man beide mit demselben zu analysierenden Text „füttern" würde, ergäben sich ganz unterschiedliche Muster und Verbindungen.

Der Grundgedanke und die Grundstruktur dieser Visualisierungsprojekte sind das Archiv und die Datenbank, die Schlüsselelemente beim Mapping und von unserem Verständnis von digitaler Kultur bilden. In den 1990ern haben sich digitale Archive und Datenbanken zu so etwas wie einer kulturellen Ausdrucksform entwickelt. Die Digitalisierung von Bibliotheksbeständen, historischen Aufzeichnungen und Museumssammlungen, die für kommerzielle Zwecke angelegten Datenbestände und nicht zuletzt das Internet als gigantisches Datenspeicher- und Abfragesystem sind nur einige Belege dafür, dass Archive und Datenbanken zu einem unverzichtbaren Teil unserer Kultur und unseres kulturellen Gedächtnisses geworden sind. Allerdings sind Datenbanken für sich genommen im Grunde eine recht eintönige Angelegenheit; ihre Bestandteile – einzeln betrachtet – sind nicht unbedingt bedeutsam. Die Stärke der Datenbanken liegt in ihrem Potenzial, Dinge in Beziehung zu setzen, in der Möglichkeit, vielfältige Relationen zwischen unterschiedlichen Datensätzen herzustellen, und auf diesen Bezügen kulturelle Erzählungen aufzubauen. Zwar ist eine Datenbank die Grundlage für jede Art von digitaler Kunst, aber viele Projekte konzentrieren sich explizit auf bestimmte Aspekte der Archiv- oder Datenbankkultur – ein Beispiel sind Jennifer und Kevin McCoys datenbankorientierte Videoinstallationen. Der Ungar George Legrady (geb. 1950) ist noch ein Künstler, dessen Arbeiten sich mit den Auswirkungen von Datenbanken im Kontext kultureller Erzählungen beschäftigen. Seine Installation und CD-ROM *An Annotated Archive of the Cold War* (1994) untersucht, auf welche Weise Archive aufgebaut werden, indem er persönliche und offizielle Dokumente aus dem stalinistischen Ungarn über ein Interface zugänglich macht, das dem Grundriss des ehemaligen Propagandamuseums der kommunistischen Partei Ungarns in Budapest nachempfunden ist. Seine interaktive Installation *Slippery Traces* (1997) lud die Besucher ein, durch mehr als 240 miteinander verbundene Postkarten-Projektionen zu navigieren, die Themenbereichen wie Natur, Kultur, Technik, Sittlichkeit, Industrie, städtische Umgebungen usw. zugeordnet waren. Unter Verwendung von Postkarten als „Readymades" und Spur des kulturellen Gedächtnisses entwirft Legrady eine narrative Umgebung, die mehr ist als die Summe ihrer Teile, und die über die Genese einer Erzählung und des medial vermittelten Gedächtnisses reflektiert. Bei Legradys *Pockets Full of Memories* handelt es sich um eine Installation mit zugehöriger Webseite, die 2001 am Centre Pompidou gezeigt wurde. Hier sind die Besucher eingeladen, einen persönlichen Gegenstand einzuscannen und eine Reihe von Fragen darüber zu beantworten. Ein Algorithmus ordnete die eingescannten Gegenstände aufgrund von Ähnlichkei-

ten in den Beschreibungen in eine zweidimensionale Matrix ein. Die Nutzer konnten die zu jedem Gegenstand abgelegten Daten überprüfen und eigene Anmerkungen und persönliche Geschichten hinzufügen. Im Verlauf der Installation entsteht so eine Karte von potenziellen Beziehungen zwischen Gegenständen, deren Bedeutung vom bloß Nützlichen bis zu wertvollen, persönlichen Erinnerungsstücken reicht. Das Projekt führte vor, dass man auch Gegenstände, die mit persönlicher Bedeutung aufgeladen sind, klassifizieren kann, und zeigte gleichzeitig die Absurdität dieser Prozedur: Es arbeitete damit im Grenzbereich zwischen logischen Klassifizierungen und Bedeutungen, die nicht quantifizierbar sind.

Eine der typischen Eigenschaften digitaler Kunst ist die Spannung zwischen der streng linearen und hierarchischen Struktur von (Programm-)Instruktionen, Datensätzen, Datenbanken, dem Internet mit seinen wohlgeordneten Namensräumen und Servern mit hierarchischen Verzeichnissen – und den scheinbar grenzenlosen Möglichkeiten, die in diesen Strukturen enthaltenen Informationen zu reproduzieren und zu rekonfigurieren. *Carnivore* (seit 2001), ein Projekt von Alex Galloway und der Künstlergruppe RSG (Radical Software Group), veranschaulicht genau diese Spannung zwischen dem Datenfluss und der sichtbaren Form, die Daten annehmen. Das Projekt ist inspiriert durch das Programm DCS1000 (Spitzname „Carnivore"), das das FBI zum elektronischen Abhören und zur Suche nach „verdächtigen" Schlüsselworten nutzt.

Dieses elektronische Abhören erfolgt mit Hilfe von sogenannten Sniffern, Programmen, die den Netzwerkverkehr überwachen und die ausgetauschten Informationen „belauschen". Ein Bestandteil des *Carnivore*-Projekts ist der Carnivore-Server, eine Anwendung, die in einem lokalen Netzwerk „schnüffelt" und den resultieren-

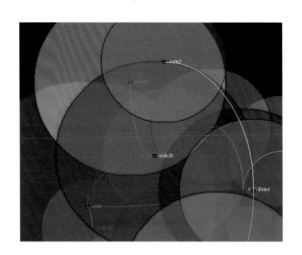

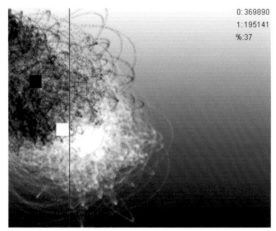

den Datenstrom im Netzwerk anbietet. Der andere Teil besteht aus Clients, Applikationen, die von zahlreichen anderen Künstlern geschrieben wurden und die die Daten grafisch aufbereiten und interpretieren. Zentral für dieses Projekt ist der „Open-Source"-Gedanke, d. h. der Quellcode des Programms steht jedem Interessierten für beliebige Zwecke (und nicht nur zur Überwachung) zur Verfügung, woraus sich unendliche Möglichkeiten zur künstlerischen Zusammenarbeit ergeben. Insbesondere widersetzt sich das Projekt einer einfachen Bewertung der Überwachung als entweder positiv oder negativ, indem es seinen Nutzern ermöglicht, den Datenstrom auf eine Weise umzusetzen, die sich von der Quelle der ursprünglichen Daten loslöst oder sie verschleiert.

Im Kontext der Datenvisualisierung wirft die Verwendung des Begriffs „Mapping" (Kartografieren) Fragen nach dem Territorium auf, das hier kartografiert wird. Im Gegensatz zu einer traditionellen Karte, die auf einem relativ statischen Terrain beruht und den Zweck hat, ihre Benutzer dabei zu unterstützen, sich selbst zu bewegen, ist eine Karte über digitale Informationen von Natur aus und stetig in Fluss; sie muss die Änderungen der Daten, die sie repräsentiert, immer wieder neu abbilden. Möglicherweise können die Benutzer sie auch an ihre jeweiligen Bedürfnisse anpassen oder sogar ihre eigenen Reisen darauf verzeichnen. In der digitalen Welt reicht das Spektrum der zu kartografierenden Territorien von Computernetzwerken und dem unermesslichen Kommunikationsraum Internet selbst über bestimmte Datenbanken und Datensysteme bis zu vernetzten Kommunikationsprozessen. Die konventionelle Methode, das Internet zu „mappen" – abgesehen von der Möglichkeit, eine Karte der physischen Standorte von Internetservern und Backbones anzulegen – sind Suchmaschinen und Browser. Sie ermöglichen es, Informationen zu filtern und darauf zuzugreifen. I/O/Ds *WebStalker*, Maciej Winsiewskis *netomat™*, Andruid Kernes *Collage Machine* und Mark Napiers *Riot* sind Beispiele für alternative Browser, die die Art und Weise, wie Portale und kommerzielle Seiten Informationen vorstrukturieren, in Frage stellen.

Einen anderen Weg bei der „Kartografierung" des Internets geht die Webseite *1:1* (1999/2001) der schwedischen Künstlerin Lisa Jevbratt (geb. 1967), ein Porträt des World Wide Web, das sich auf Datenbankästhetik und die formalen Eigenschaften des Netzwerks konzentriert. Das Projekt besteht aus fünf unterschiedlichen grafischen Darstellungen, die das Web als einen „numerischen" Raum abbilden. Jede Webseite hat eine numerische IP-Adresse (IP steht für Internetprotokoll) – eine Folge von Ziffern und Punkten (bzw. Doppelpunkten) wie 192.0.43.10 (oder 2001:500:88:200::10) – die normalerweise hinter den „.com"-, „.org"-, „.net"-Adressen verborgen bleibt. *1:1* ist eine Visualisierung einer Datenbank mit sol-

158. Lisa Jevbratt/C5, *1:1*, 1999/2001. Jevbratt hatte *1:1* ursprünglich im Jahr 1999 programmiert; 2001 erzeugte sie eine zweite Adressdatenbank. Die unterschiedlichen *1:1*-Interfaces zeigen beide Datensätze jeweils auf einem geteilten Bildschirm, so dass man das Web von 1999 mit dem von 2001 vergleichen kann. Beim „Every: IP"-Interface wird die Farbe eines Pixels aus der IP-Adresse generiert, wobei der zweite Teil der Adresse als Rot-, der dritte als Grün- und der vierte als Blauwert verwendet wird. Beim „Every: Access"-Interface werden IP-Adressen, an denen man Zugriff hat, als grüne Pixel dargestellt, solche, die den Zugang verweigern rot; Serverfehler erscheinen weiß. Das „Every: Top"-Interface (unten) kennzeichnet die Toplevel-Domainnamen (.com, .org, .edu etc.) farbig, so dass man ihre Verteilung im Netz sehen kann.

chen IP-Adressen, die von C5, einer Forschungsgruppe, in der Jevbratt Mitglied ist, zusammengestellt wurde. Dazu schickte C5 sogenannte „Crawler" los – Software, die einen Teilbereich des Adressraums als Stichprobe auswählt, dort alle möglichen Adressen iterativ erzeugt und ausprobiert, ob sie im Netz erreichbar sind, und dann einen neuen Suchlauf mit anderen Daten startet. Wenn eine Seite existierte, wurde ihre Adresse in der Datenbank eingefügt, egal ob sie für die Öffentlichkeit zugänglich war oder nicht. *1:1* bildete die IP-Adressen als farbkodierte Pixel ab, wobei jedes Pixel eine anklickbare IP-Adresse darstellte. Dieser Zugang zum Netz unterscheidet sich sehr stark von dem üblichen über Suchmaschinen oder Portale: viele der Hosts haben Zugangsbeschränkungen oder verfügen nicht einmal über eine im Netz sichtbare Eingangsseite. Hier wird das gesamte Territorium des Webs dargestellt, nicht bloß ein Verzeichnis von bestimmten Seiten, auf die man über Suchmaschinen zugreifen kann. Einer der interessanten Aspekte von *1:1* ist die Art und Weise, wie hier die Differenz zwischen Karte und Interface aufgehoben wird: Das Interface ist hier eine 1:1-Abbildung der Umgebung, die es darstellt.

Neben den Bestrebungen, Netzwerke in ihrer Gesamtheit abzubilden, gibt es eine Fülle von Kunstprojekten, die eine spezifische Datenbasis oder einen bestimmten Typ von Daten visualisieren.

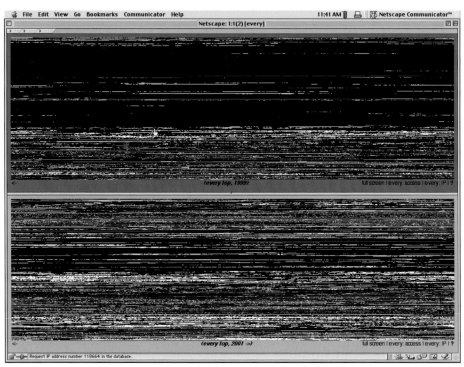

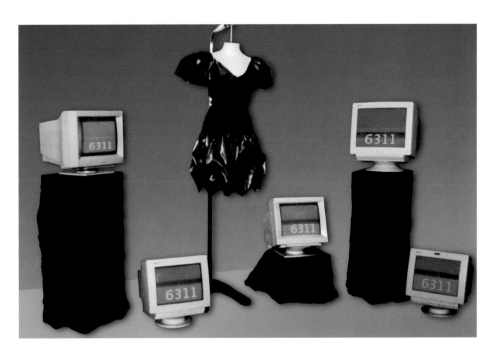

Interessant ist es, Projekte, die „Live"-Daten aus Börse oder
Finanzwirtschaft verwenden, zu vergleichen. Zu diesen Arbeiten
zählen Nancy Patersons *Stock Market Skirt* (1998), John Klimas
ecosystm (2000) und Lynn Hershmans *Synthia* (2001), die alle
ganz unterschiedliche Kontexte für die Interpretation und die
Darstellung der sich stetig ändernden Finanzmarktdaten bilden.
Patersons *Stock Market Skirt* besteht aus einem realen Objekt,
einer Schneiderpuppe, die ein blaues Taftkleid mit eingearbeite-
tem Schrittmotor, Gewichten und Umlenkrollen trägt. Ein Computer analysiert Online-Seiten mit Börsenkursen und reicht die
Ergebnisse an ein Programm weiter, das den Saum des Kleides an-
hebt oder absenkt, je nachdem ob die Kurse steigen oder fallen.
Klimas *ecosystm* (eine Auftragsarbeit für die Zurich Capital Mar-
kets) zeigt globale Währungsschwankungen als 3D-Simulation
einer Umwelt, in der der Bestand und das Verhalten von Schwärmen insektenähnlicher Vögel (die die Währungen einzelner Länder versinnbildlichen) vom Wert der jeweiligen Währung im
Vergleich zum Dollar und seinen täglichen bzw. jährlichen
Schwankungen abhängen. *Ecosystm* ist eine Simulation im ursprünglichen Sinne, weil die Arbeitsweise des Finanzmarkts durch
ein anderes System, das Verhalten von Vogelschwärmen (die eher
abstrakt dargestellt werden) abgebildet wird. Sich verzweigende
baumartige Strukturen beschreiben den führenden Marktindex
der jeweiligen Länder.

160. **John Klima,**
ecosystm, 2000.

Wenn die Volatilität einer Währung an einem Tag doppelt so hoch wie die jährliche ist, beginnt der Schwarm an dem Marktindex des betreffenden Währung zu picken. Abhängig vom „Verhalten" der Weltwährungen kann *ecosystm* entweder als eine ruhige und schöne Welt (aus der Sicht eines majestätisch dahingleitenden Vogels) erscheinen, oder als eine aggressive und schaurig-bedrohliche Umgebung. Lynn Hershmans *Synthia* setzt ebenfalls Marktschwankungen in Verhaltensweisen um, in diesem Falle in menschliche. Synthia ist eine virtuelle Figur, deren Handlungen Veränderungen im Markt widerspiegeln: Sie geht zu Bett, wenn der Markt stabil ist, tanzt, wenn er steigt, und raucht Kette wenn er fällt, um nur einige Beispiele zu nennen. Das Projekt war in einem Bürogebäude der Investmentgesellschaft Charles Schwab in San Francisco ausgestellt.

161. **Lynn Hershman,**
Synthia, 2001.

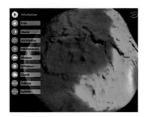

Bilder von Besuchern des Gebäudes werden in Echtzeit in Synthias Welt eingearbeitet. Obwohl alle hier vorgestellten Arbeiten ähnliche Daten als Grundlage verwenden, wird die Information auf jeweils ganz eigene Weise in eine grafische Darstellung (oder, in Patersons Fall, in ein Objekt) umgesetzt; diese Transformation definiert den Kontext für die Wahrnehmung und das Verstehen der Daten.

Der immer einfachere Zugang zu Datenquellen aller Art führt im besten Falle dazu, dass man auf Grund einer tieferen Einsicht und Erkenntnis sachkundigere Entscheidungen treffen kann, schlimmstenfalls resultiert daraus eine Informationsüberflutung mit paralysierender Wirkung. (Die schiere Menge der Informationen, denen wir täglich ausgesetzt sind, lässt uns vergessen, dass der Zugang dazu kein universeller ist, und dass Informationen immer noch gefiltert werden und einseitig sein können.) Die zunehmende Transparenz der Welt war Thema mehrerer Kunstprojekte, die digitale Globen für das Informationszeitalter entworfen haben, und die unterschiedliche Informationsquellen über den Planeten abbilden. Dazu zählt *TerraVision* (seit 1994), ein Projekt der Berliner ART+COM, das sich eine virtuelle Darstellung der Erde im Maßstab 1:1 zum Ziel gesetzt hat. Mittels eines Earthtracker genannten Interfaces, das wie ein Globus gestaltet ist, können Anwender sich auf der virtuellen Erde bewegen, auf eine Vielzahl von Daten zugreifen und bei Bedarf ins Detail gehen. Je nach Datenquelle werden die Informationen statisch oder dynamisch präsentiert; beliebige Daten können in das System integriert werden. Ein ähnliches Projekt, das sich allerdings mehr auf öffentlich zugängliche Echtzeitdaten und eine ästhetisch ansprechende Darstellung konzentriert, ist John Klimas *EARTH* (2001). *EARTH* ist ein Visualisierungssystem für Geodaten, das diese in Echtzeit im Internet abruft und auf ein dreidimensionales Modell der Erde abbildet. Anwender können die verschiedenen Datenebenen heranzoomen und zum Beispiel aktuelle Bilder des GOES-10-Wettersatelliten, Satellitenbilder von Landsat 7 und topografische Karten betrachten. Auf der untersten Ebene wechselt die Perspektive auf eine lokale Sicht; der Besucher kann nun über einen je fünf Längen- und Breitengrade (ca. 550 x 550 km) großen Ausschnitt fliegen, der dynamisch generiert wird. Dazu gehören auch die von den lokalen Wetterstationen in dem jeweiligen Bereich gemeldeten aktuellen Wetterverhältnisse. *EARTH* ist eine ästhetische Erkundung der Welt, wie sie zu einem gegebenen Zeitpunkt „in Form von Daten" existiert. Das Projekt nutzt das Bildmaterial, das angeblich die Realität abbildet, und enthüllt zugleich ihre Wirklichkeit als eine medial vermittelte, ver- und bearbeitete Repräsentation.

Es gibt auch eine Version von *EARTH* als Installation, bei der die Übersicht über den Planeten – die äußere Datenschicht gewis-

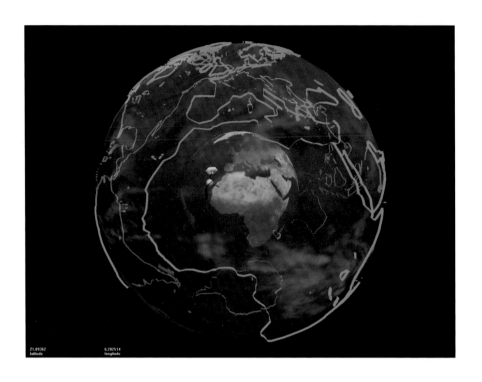

21.89362
latitude

6.282514
longitude

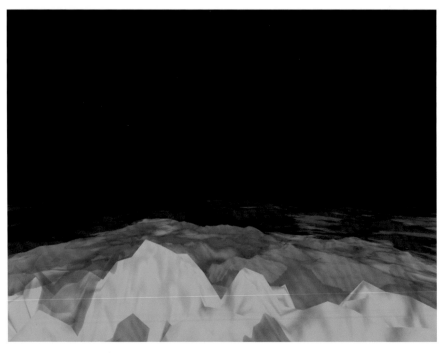

163. (gegenüberliegende Seite)
John Klima, *EARTH*, 2001.

164. (unten)
ART+COM, *Ride the Byte*, 1998. Das Nachverfolgen der Datenübertragung zwischen Servern, das sogenannte Tracerouting, wurde als Linie dargestellt, die quer über den Globus verlief (ähnlich wie die Routen von Flugzeugen). Der Weg eines Datenpakets von A nach B änderte sich je nach der momentanen Auslastung des Internets. Die Standorte und IP-Adressen der von den Datenpaketen besuchten Server wurden ebenfalls angezeigt; sobald das Ziel erreicht war, erschien die angefragte Webseite auf dem Schirm.

sermaßen – auf einen Wetterballon projiziert wird. Dort wird auch angezeigt, was die Besucher an den Benutzerstationen der Installation sich gerade ansehen. Das jeweils aktuelle Satellitenbild, auf das sie gerade zugreifen, ist in der Übersicht als kleines Rechteck enthalten – was sie beobachten, wird beobachtet. Durch den Blick auf das Gesamtsystem inklusive der Standorte der Benutzer wird ein „großer Bruder" in das an sich harmlose Informationsuniversum eingeführt, eine Erinnerung an die dunkleren Gefilde der Technik- und Informationslandschaften in der wirklichen Welt. Das Nachvollziehen von Informationsströmen – aber weniger mit Schwerpunkt auf der Überwachung – war auch Thema von ART+COMs Installation *Ride the Byte* (1998), das die Informationspfade im globalen Kommunikationsnetzwerk grafisch umsetzte. Als Benutzer konnte man am Bildschirm aus einer Liste von Webseiten eine auswählen und dann auf einem großen Schirm den Weg der Datenpakete zu der gewünschten Seite verfolgen. Datenverkehr ist ein Prozess, der normalerweise nicht sichtbar ist, der sich verflüchtigt in einem globalen Netzwerk, das Zeit und Raum transzendiert. *Ride the Byte* aber orientierte sich wieder an der Karte im herkömmlichen Sinn mit ihrer Betonung des geografischen Orts, um den Fluss der Daten sichtbar zu machen.

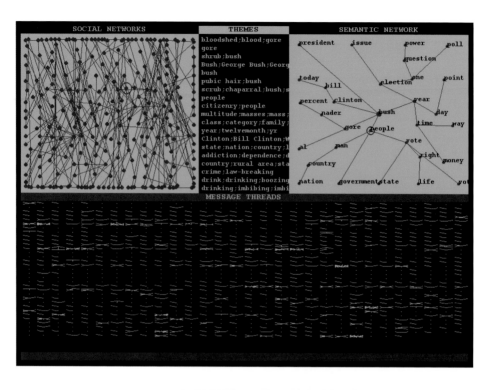

165. **Warren Sack**, *Conversation Map*, seit 2001. Gesprächsteilnehmer sind als kleine Knoten dargestellt, der Austausch wird durch Verbindungslinien angezeigt (die Nähe der Knoten ist ein Maß für die Zahl der Mitteilungen, die zwischen ihnen ausgetauscht wurden). Ein Menü listet die nach Häufigkeit geordneten Diskussionsthemen auf, und eine Übersicht zeigt eine Chronik aller über einen bestimmten Zeitraum gesendeten Nachrichten. Ein semantisches Netzwerk verzeichnet in den Gesprächen auftauchende Begriffe und Synonyme.

Dynamische Visualisierungen von Prozessen werden nicht nur für unterschiedliche Arten von Daten erzeugt; sie können auch unsere eigenen Kommunikationsprozesse, Interaktionen und Interventionen innerhalb einer Gemeinschaft kartografieren. E-Mail und Online-Chat haben neue Kommunikationsräume entstehen lassen, aber meist fehlt es an wesentlichen Informationen über die sozialen Interaktionen während der Unterhaltung. Dank der Entwicklung aufwendigerer Filter und Schnittstellen haben sich die Möglichkeiten zur Visualisierung von Kommunikationsprozessen erheblich verbessert; auch Künstler haben sich damit auseinandergesetzt. *Conversation Map* (seit 2001) des amerikanischen Künstlers Warren Sacks ist ein Beispiel für eine solche Kartografierung von Kommunikationsprozessen. *Conversation Map* ist ein Browser, der Online-Gemeinschaften analysiert, in denen im großen Stil E-Mails ausgetauscht werden (wie zum Beispiel Newsgroups) und die Ergebnisse zu einem grafischen Interface verarbeitet, das es den Nutzer ermöglicht, soziale und semantische Beziehungen zu sehen. Eine frühere, recht bekannte grafische Darstellung umfangreicher Kommunikationsprozesse ist *Chat Circles* von Judith Donath und Fernanda B. Viégas. Jede in der Chatumgebung eingeloggte Person wird als farbiger, mit dem Namen der Person gekennzeichneter Kreis dargestellt. Wenn jemand eine Nachricht sendet, erscheint diese in dem jeweiligen Kreis, der dadurch wächst; nach einiger Zeit verblasst und schrumpft er wieder. Im Zeitalter der sozialen Netzwerke ist es durchaus denkbar, dass solche dynamischen Kommunikationsdarstellungen in immer mehr Webseiten und Umgebungen integriert werden.

Jenseits des Buches: Text und narrative Umgebungen

Die elektronisch vernetzten Umgebungen, denen man heute in der digitalen Kunst und im Internet begegnet, sind meist Mischformen aus Texten, Grafiken und Klängen, die der Nutzer auf verschiedene Arten manipulieren kann. Bei der Verwirklichung von Ted Nelsons Hypermedia-Traum mag das WWW zwar am weitesten fortgeschritten sein, mit seinen Ideen zum Hypertext wurde in der schreibenden Zunft aber schon vor der Existenz des WWW experimentiert. Eine der bekanntesten Hypertext-Umgebungen ist das von Eastgate Systems vertriebene Storyspace. Das Unternehmen hat seit den frühen 1990ern zahlreiche mit diesem Programm erzeugte belletristische und Sachtexte veröffentlicht. Indem sie die Einbettung der Worte in unterschiedliche Kontexte und Bezugsrahmen herausstellen, haben elektronisch vernetzte Umgebungen bereits tiefgreifende Auswirkungen auf unsere Vorstellungen vom Lektüre- und Schreibprozess gehabt. Als elektronisch vernetzter, nichtlinearer Text verkörpert und erprobt Hypertext Standpunkte der postmodernen Theorie, insbesondere solche, die die Textua-

166. **Judith Donath und Fernanda B. Viégas**, *Chat Circles*, 1999. Aktivitäten innerhalb der Umgebung werden durch Veränderungen der Größe, Farbe und Position der Grafiken angezeigt. Ein Nutzer kann zwar alle anderen Teilnehmer (d.h. ihre Kreise) sehen; diese müssen ihm allerdings nahe genug sein, um ihre Unterhaltung „hören" (bzw. lesen) zu können. Leute, die sich außerhalb der „Hörweite" eines Nutzers befinden, werden als Kreislinien dargestellt.

167. **Masaki Fujihata,** *Beyond Pages*, 1995. Der Apfel und der Stein können über die Seite gerollt beziehungsweise gezogen werden; dazu ist das Geräusch zu hören, das die Gegenstände auf dem Papier machen. Die Bezeichnung für jeden der beiden Gegenstände steht in japanischer Schrift auf dem Buch; wenn man eine Silbe anwählt, wird sie von einer Stimme vorgelesen.

lität, die Erzählung oder die Rollen beziehungsweise Funktionen von Leser und Autor betreffen. Mit seinen verlinkten Textteilen und alternativen Pfaden begünstigt Hypertext eine Vielzahl von Diskursen und verwischt die Grenze zwischen Leser und Autor. Der Verfasser eines Hypertexts entwirft einen Plan des Textes mit alternativen Pfaden und diversen Möglichkeiten; der Leser baut sich eine Geschichte zusammen, indem er seinen Weg durch den Hypertext wählt (oder ihn neu schreibt), und so eine individuelle Fassung erzeugt. Da der Leseprozess nichtlinear ist, kann der Autor nur bis zu einem gewissen Grad vorhersagen, welchem Pfad die Leser folgen werden (oder ob sie überhaupt folgen können). Autor und Leser von Hypertext und Hypermedia arbeiten beim Mapping und Remapping von textuellen, grafischen und akustischen Bestandteilen zusammen.

Die postmoderne und poststrukturalistische Theorie würde argumentieren, dass der Text von Natur aus nicht abgeschlossen und der Leseakt niemals linear sei. Leser bewegen sich nicht Wort für Wort, Zeile für Zeile, Seite für Seite vorwärts, bis sie mit dem Text fertig sind. Vielmehr „vollziehen" sie den Text innerhalb unterschiedlicher Bezugsrahmen, assoziierend und vielfältige Verbindungen knüpfend. Seit den 1960ern hat die Rezeptionsästhetik die Rolle des Lesers bei der Produktion des Textes betont (kann es überhaupt einen Text ohne Leser geben?). Allerdings ist die Stabilität traditioneller Texte sowohl eine physische als auch eine psychologische Angelegenheit. Die physische Präsenz eines gedruckten Buchs oder Artikels neigt dazu, die Realität des nicht fassbaren Textes, den der Leser in seinem Geist aufzubauen versucht, zu verneinen. Hypertext und Hypermedia geben die materielle Stabilität des gedruckten Textes zugunsten neuer technischer Konventionen auf: Dank der Links ist es nicht in erster Linie die Auslegung des Textes durch den Leser, die sich ändert, sondern der Text selbst. Hypermediale Anwendungen sind bestrebt, die Fähigkeit des Gehirns zur Bildung von assoziativen Verknüpfungen nachzuahmen und diese Verbindungen für den Zugriff auf Informationen nutzbar zu machen. Hypertext vereint Autor und Leser auf eine auch an der Oberfläche des Textes sichtbare Weise und betont genau die Eigenschaften – das Spiel der Zeichen, Intertextualität, Unabgeschlossenheit – die der Dekonstruktivismus als die endgültigen Grenzen der Literatur und der Sprache bestimmt hat.

Digitale Technologien haben zu einer zunehmenden Flexibilität und Unbeständigkeit des gedruckten Textes geführt – von der Typografie über das Buch selbst bis zum Erzählen –, und dieser Bereich hat sich zu einem ausgedehnten Experimentierfeld für Künstler entwickelt. Die Werke, die sich mit diesen Fragen beschäftigen, reichen von Hypertextromanen, die oft Text mit Grafiken und Klängen verbinden über typografischen Experimente bis hin zu Arbeiten, die unsere Vorstellungen von Büchern hinterfragen. Masaki Fujihatas *Beyond Pages* (1995) ist ein Klassiker des Genres, ein Projekt, das traditionelle Lesekonventionen mit den Möglichkeiten des digitalen Mediums kontrastiert. In der Installation werden Bilder eines in Leder gebundenen Buchs auf einen Tisch projiziert. Die Leser können das Buch durch einen Lichtgriffel aktivieren und die darin benannten Gegenstände, unter ihnen Stein, Apfel, Tür, Licht, zum Leben erwecken. *Beyond Pages* lässt die Metapher von den Worten, die lebendig werden, auf dem Papier Wirklichkeit werden; und ein Teil der magischen Schönheit liegt darin, dass es sichtbar die Grenzen des Buches überschreitet. Eine ähnlich magische Wirkung entfaltet *Text Rain* (1999), eine Installation der amerikanischen Künstlerin Camille Utterback und Romy Achituv, in der Benutzer körperlich mit dahinfließendem Text interagieren können. Die Besucher stehen bzw. bewegen sich vor einer großen Projektionsleinwand, die ihre Schatten und eine farbige Animation mit Buchstaben, die wie Regentropfen fallen, zeigt. Da die Buchstaben durch alles, was dunkler als ein bestimmter Farbwert ist, aufgehalten werden, „landen" sie auf den Schatten der Menschen, und können durch Bewegungen der Hände, Arme und des Körpers aufgefangen, hochgehoben und wieder fallenge-

168. Camille Utterback und Romy Achituv, *Text Rain,* 1999.

lassen werden. Die Besucher bauen den Text durch ihre Bewegungen zusammen, sie werden zu Körpern, die gemeinsam den Raum der Leinwand bewohnen und miteinander interagieren. John Maeda (geb. 1966) hat konsequent an Konzepten für interaktive Grafik, Text und Typografie gearbeitet. Maeda hat die Grenzen zwischen Kunst und Design verwischt und ein Werk geschaffen, das die Konzepte von Schreibtischmetaphern und der Informationsvermittlung in digitalen und papiernen Medien erweitert. Sein Projekt *Tap, Type, Write* (1998) erzeugt eine Art typografischen Tanz, in dem sich Buchstaben bewegen und in immer neuen Formen neu anordnen, und zeigt so mögliche Beziehungen zwischen Form und Bedeutung. Maedas digitale Arbeiten stehen in der Tradition zahlreicher berühmter Typografen, die das Potenzial der Schriftgestaltung, Bedeutungen zu vermitteln, untersucht haben. Seine intellektuelle und ästhetische Strenge gibt seinen Arbeiten eher einen spirituellen Charakter als einen des Designs.

Aus der Sicht der digitalen Kultur sind Bücher Informationsräume mit einer eigenen, charakteristischen Architektur. Ebenso ist jede Form des Schreibens eine räumliche Praxis, die ihren Platz auf dem Papier oder auf dem Bildschirm einnimmt und umreißt und strukturale Elemente wie Sätze, Abschnitte und Absätze verwendet. In seiner Arbeit *Talmud Project* (1998–99) hat David Small (zusammen mit Tom White) einen virtuellen Leseraum geschaffen, der sowohl Verbindungen zu der Informationsarchitektur des Buches herstellt als auch darüber hinausgeht. Small verwendete einen Auszug aus dem Talmud – dem alten jüdischen Religionsgesetz – sowie Kommentare des französischen Philosophen Emmanuel Levinas dazu. Er schuf einen Erzähl- und Leseraum, der den Text in seiner Gesamtheit verfügbar macht, und es

170. David Small, *Talmud Project*, 1999. Der Text ist in transparenten Schichten „übereinandergelegt", und die Leser können Größe und Fokus ändern, um Textabschnitte lesbar zu machen, während andere in den Hintergrund treten, die dann zwar nicht mehr lesbar sind, aber trotzdem ihre Verbindung zur Textgesamtheit nicht verlieren. Die Struktur des Raums ist eine Metapher des Lesens – Schichtungen und Kontexte – und für das Studium des Talmud.

171. David Small and Tom White, *Stream of Consciousness/Interactive Poetic Garden*, 1998. Die Installation besteht aus einem kleinen, zwei Quadratmeter großen Garten in dem Wasser über eine Reihe von Kaskaden in ein Becken strömt. Auf die Wasseroberfläche werden Wortketten projiziert, die sich bewegen und durcheinanderwirbeln, als würden sie von der Strömung mitgerissen. Man kann mit den Worten „interagieren", indem man in die Strömung fasst, die Wörter blockiert und zu neuen Verbindungen arrangiert. Das Wasser und die Wörter laufen in den Abfluss und werden wieder zur Quelle gepumpt, von wo aus sie wieder nach unten fließen.

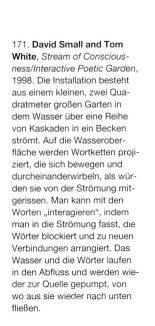

den Lesern trotzdem erlaubt, sich auf spezifische Abschnitte zu konzentrieren, ohne den kontextuellen Rahmen zu verlieren. Mit ihrem Projekt *Stream of Conciousness/Interactive Poetic Garden* (1998), das eine Brücke zu den Stream-of-Consciousness-Techniken der literarischen Moderne schlug, näherten sich Small und White dem Konzept der Vielheit auf anderem Wege.

Autoren wie James Joyce und Virginia Woolf entwickelten und perfektionierten diese Technik, um ihre Erzählungen ganz und gar in den Gedanken und Wahrnehmungen ihrer Protagonisten zu verankern. *Interactive Poetic Garden* verwandelt den „Stream of Conciousness" in ein greifbares, natürliches Phänomen. Der Text wird in ein Umfeld übertragen, wo er – wie im Bewusstsein einer Figur – ein Eigenleben zu entwickeln scheint.

Den Projekten, die sich mit der „Körperlichkeit" der Typografie und des Schreibens befassen, steht eine große Zahl von Hypertexten gegenüber, vor allem in Form von textbasierten, nichtlinearen Erzählungen. Obwohl die Community der Hypertext-Autoren recht groß ist, haben nur verhältnismäßig wenige dieser Texte Anerkennung in einem Kunstkontext erfahren. Einer von ihnen ist Mark Amerikas *Grammatron* (1997), einer der ersten Online-Hypertext-Romane. Er erzählt die Geschichte von Grammatron, einem digitalen Wesen, das in der magischen Programmiersprache Nanoscript codiert ist. *Grammatron* will eine elektronische Schöpfungsgeschichte sein, eine Art digitale Bibel; es besteht aus über tausend Textseiten, einem Soundtrack sowie animierten und statischen Bildern. Einen Hypertext zu lesen oder zu verfassen unterscheidet sich in vielerlei Hinsicht vom Schöpfungsprozess und der Rezeption von gedruckten Texten. Ein Leser, dessen Erwartungen und Interessen von der Frage „Was passiert wem, wann und wieso?" geleitet ist, mag enttäuscht und frustriert sein. Da es keine feste Erzählreihenfolge gibt, kann man sich nicht sicher sein, warum der Hauptfigur bzw. dem Erzähler etwas widerfährt, oder was überhaupt passiert, und wann; der Leser mag sogar im Unklaren darüber sein, wer der Erzähler ist – in dem Sinne, dass die Erzählung Wissen und Information vorauszusetzen scheint, die dem Leser erst zu einem späteren Zeitpunkt bekannt wird. Hyperfiction tendiert dazu, die Ursache-Wirkungsketten zu verschleiern und erfordert Strukturen, die dem Leser bei der Orientierung helfen (wie etwa grundlegende Metaphern). Das Fehlen eines Schlusses, einer letzten Seite ist eine weitere Herausforderung, die dem Hyptertextmedium eigen ist. Leser können den Text beenden, ohne einen Schluss erlebt zu haben – es sei denn, sie schaffen sich ihren eigenen. Alle Hypertexte sind unabgeschlossen, weil ihre Geschichten unendlich variiert werden können – abhängig von den Entscheidungen, die der Leser auf seinem Weg durch den Text trifft. Dennoch sind Projekte wie das oben beschriebene immer noch vergleichsweise geschlossene Systeme, denn das Material wird vom Autor bereitgestellt. Viele Hyptertextprojekte haben daher auch mit Erzählungen experimentiert, die offen für Publikumsbeiträge sind.

Bei den meisten Erzählprojekten in der digitalen Kunst liegt der Schwerpunkt nicht auf dem Text; sie erzählen ihre Geschichten vielmehr in einer Hypermedia-Umgebung, die Grafiken und Klänge mit Text verbindet. „Erzählung" ist offensichtlich ein recht weiter Begriff; in diesem Zusammenhang sind damit Werke gemeint, die ausdrücklich eine Geschichte entfalten (im Gegensatz etwa zu der „Geschichte", die ein Bild erzählt, oder den kulturellen Erzählungen, die sich auf einer Meta-Ebene entwickeln). Viele der Projekte, die in dem Teil des Buches über interaktive Filme und Videos angesprochen wurden – beispielsweise Toni Doves interaktive Filme oder Grahame Weinbrens und David Blairs *WAXWEB* – sind Paradebeispiele für Hypermedia-Erzählungen.

Eine Anzahl von Hypermedia-Erzählungen wurde auf CD-ROM veröffentlicht, viele davon zu einer Zeit, als die Infrastruktur des WWW noch keine aufwendigen grafischen Experimente erlaubte und die Computer und Internetverbindungen sehr viel langsamer waren als heute. Ein Beispiel ist die CD-ROM *Rehearsal of Memory* (1996) des britischen Künstlers Graham Harwood,

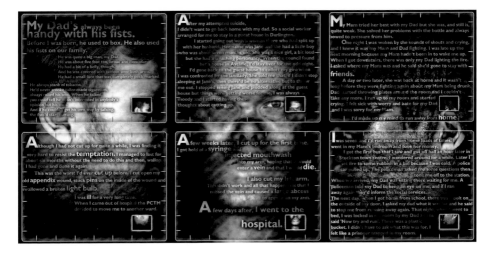

172. **Graham Harwood**,
Rehearsal of Memory, 1996.
Die Bewegung über die oftmals
von Tattoos bedeckten Körperteile enthüllt Textfragmente, die
die Geschichte der Insassen
erzählen – Geschichten von
Rache, Gewalt und Selbstver-
stümmelung. Die Multimedia-
Collage verbindet Außen und
Innen, indem sie die persönlichen Geschichten in die Haut
der Insassen einschreibt.

einem Mitglied des Künstlerkollektivs Mongrel. Ihr Interface besteht aus einer Collage von eingescannten Hautpartien von Insassen und Mitarbeitern des Ashworth Hospitals, einer Anstalt für
kriminelle Geisteskranke in Liverpool, an der Harwood einige
Monate arbeitete. Harwood zwingt uns, einem Teil der Gesellschaft ins Gesicht zu blicken, den wir lieber vergessen möchten,
indem er eine Probe im Gedächtnistheater der „noch nicht ganz
vergessenen Erinnerungen" aufführt. Ein ganz anderes Modell
eines Collage-Interfaces wurde von Jim Gasperini und Tennessee
Rice Dixon realisiert: *ScruTiny in the Great Round* (1996) ist die
CD-ROM-Veröffentlichung eines Buches mit Collagen von Dixon,
das sie gemeinsam in das neue Medium übertrugen. Dessen
Grundstruktur besteht aus einer Vielzahl von Szenen, jede davon
eine Collage aus morphenden Bildern, animierten Sequenzen und
3D-Elementen. Die CD-ROM ist, so Dixon, ein Blick auf den
großen Kreis des Lebens: Die ineinander übergehenden Bilder erinnern an den Ablauf der Jahreszeiten und die Zyklen von Geburt
und Tod; sie verschmelzen Symbole aus der griechischen und
ägyptischen Mythologie und dem Buddhismus, Fruchtbarkeits-
symbole und Mandalas. Die Struktur von verlinkten grafischen
und textuellen Umgebungen – in denen die Leser nach „Hinweisen" für die Fortentwicklung der Geschichte Ausschau halten – ist
eine der offensichtlichen Verbindungen zwischen Hypermedia
und Spielen: narrativen Umgebungen, die seit dem Siegeszug der
digitalen Technik förmlich explodiert sind.

Spiele

173. **Jim Gasperini und Tennessee Rice Dixon,** *ScruTiny in the Great Round,* 1996. In jeder Szene kann der Cursor die Form einer Sonne oder eines Mondes annehmen, und die Benutzer können allegorische Bereiche wie „Romantik", „Schwangerschaft", „Nisten", „Rückbesinnung", „Auseinandersetzung" usw. bereisen, die alle ihre Verkörperung auf der Ebene der Sonne und des Mondes haben. *ScruTiny* entwickelt eine mythische, archetypische Interpretation der Zyklen des Lebens, die unmittelbar dem Unbewussten entsprungen zu sein scheint.

Eine der treibenden Kräfte der „Digitalen Revolution" war die Computerspielindustrie, die sich zu einem milliardenschweren, sogar die Filmindustrie überflügelnden Wirtschaftszweig entwickelt hat. Künstler haben Spiele und spielähnliche Strukturen auf vielerlei Arten genutzt oder sich auf diese bezogen. Die Bezugnahme der Digital Art auf Computerspiele wurde gelegentlich als „Trend" oder „neuer Stil" bezeichnet – Begriffe, die die vielen inhärenten Beziehungen zwischen den beiden Bereichen vernachlässigen. Spiele sind ein wichtiger Teil der Geschichte der digitalen Kunst, insofern sie schon früh viele Paradigmen erprobten, die nun in der interaktiven Kunst allgemein gebräuchlich sind. Diese Paradigmen reichen von Navigation und Simulation über verlinkte Erzählungen (linked narratives) bis zur Erschaffung dreidimensionaler Welten und Multiuser-Umgebungen. Es gibt sehr viele verschiedene Arten von Spielen, etwa strategische Spiele, Ego-Shooter, Göttersimulationen und Action/Adventure. Das Spiel *Myst* und sein Nachfolger *Riven* sind Beispiele für ausgefeilte Umgebungen, die Basisstrukturen von Hypertext mit einem Detektivspiel kombinieren: Spieler müssen Hinweise suchen (die manchmal aus Notizen oder Inschriften bestehen), die Welt erforschen und ein logisches Puzzle lösen. Frühe textbasierte Dungeons & Dragons-Computerspiele wurden zu MUDs und MOOs erweitert und später zu ausgefeilteren Onlinespielen wie Ultima Online und Everquest ausgebaut.

Viele, wenn nicht die meisten der erfolgreichen Videospiele sind extrem gewaltsame „Ego-Shooter", die das Gegenteil von Kunst zu sein scheinen. Gleichzeitig werden für diese Spiele jedoch oft sehr anspruchsvolle visuelle Welten kreiert. Es verwundert daher nicht, dass digitale Kunstwerke sich kritisch mit ihren interaktiven Vorläufern und Gegenstücken und mit deren Paradigmen auseinandersetzen. Zu den Klassikern im Pantheon der Videospiele, auf die sich oft bezogen wird, zählt das in Deutschland indizierte Videospiel *Castle Wolfenstein*. Die Handlung spielt im Zweiten Weltkrieg in einer Hochburg der Nationalsozialisten, Wolfenstein, die dem Spiel auch den Namen gab. Der Spieler muss einem Verließ entkommen und gegen das „Dritte Reich" kämpfen. Weitere Spiele, auf die sich häufig bezogen wird, sind *Quake* und *Doom*, in denen die Spieler in höllenartigen Landschaften oder auf den Jupitermonden gegen Dämonen kämpfen. Ein wesentliches Charakteristikum, das viele dieser Spiele mit der interaktiven, digitalen Kunst teilen, ist, dass sie gemeinsam und partizipativ gespielt werden: Die Spieler bzw. Nutzer müssen oft mit anderen zusammenarbeiten, Clans und Gemeinschaften oder kooperierende Verbindungen bilden, um das Spiel gewinnen zu können. Eine andere Art der Partizipation, die Spiele und digitale Kunst gemein haben, ist die der Zuschauerbeteiligung: So wie sich viele Kunstwerke auf den Input des Zuschauers stützen, sei es in Form von Grafiken oder Text, sind manche Spiele offen für Erweiterungen und Beiträge der Spieler in Form von sogenannten „Skins" oder „Patches". Metaphorisch gesprochen, sind Skins die „Kleider", die die Spieler/Nutzer einer Figur oder einer Szene überziehen können, während Patches selbstgeschriebene Erweiterungen sind, die das „Verhalten" der Spielwelt oder der Figuren ändern. Auch das Rollenspiel, in dem Communities gebildet werden und die Spieler/ Nutzer virtuelle Darstellungen selbst erschaffen können, ist ein verbindendes Element von Computerspielen und digitalen Kunstprojekten.

Videospiele beschäftigten sich schon früh mit dem Paradigma des „Blickwinkels", der sich in den klassischen Kategorien des First-Person- und des Third-Person-Shooters manifestiert. Bei der ersten Perspektive erlebt der Spieler die Welt des Spiels durch die Augen der Spielfigur, bei der Third-Person-Ansicht erschafft oder wählt der Spieler eine Figur, die ihn im Spiel vertritt und die er von außen betrachtet. Spiele und digitale Kunst teilen ferner die Verbindung zum militärisch-industriellen Bereich, in dem das

Internet ursprünglich entwickelt wurde und in dem die Grundlagen für viele andere digitale Technologien gelegt wurden. Die ersten, von Militär und Industrie konstruierten Simulatoren bilden die Basis vieler Videospiele, in denen der Spieler ein Flugzeug, Auto oder Motorrad lenken kann. Mit den Entwicklungen der digitalen Technologien wurden die Computerspiele immer aufwendiger, zeigten komplexes Verhalten und boten diverse Einstellungs- und Konfigurationsmöglichkeiten für den Nutzer. Eines der einflussreichsten Spiele dieser Kategorie, das weithin als ein Kunstwerk eingeschätzt wird (gelegentlich aber auch für den Gebrauch „kapitalistischer Algorithmen" kritisiert wurde), ist *Will Wrights The Sims*, ein Beispiel für ein gewaltfreies Gemeinschaftsspiel. Die Spieler können sich hier nicht nur ihre eigenen virtuellen Personen, die Sims, erschaffen sowie deren Fähigkeiten und Aussehen festlegen, sondern auch deren Beziehungen und Karrieren lenken und die Welt der Sims nach ihren Vorstellungen erweitern.

Spiele nehmen zwar eine wichtige Rolle in der digitalen Kunst ein, es gibt jedoch keine Einheitlichkeit in der Beschäftigung der Künstler mit diesem Thema; vielmehr haben Künstler existierende Spiele und spielähnliche Strukturen in vielfältiger Weise genutzt und sich auf sie bezogen. Natalie Bookchins Webseite *The Intruder* (1999), die sich auf Jorge Luis Borges gleichnamige Kurzgeschichte bezieht, benutzt Spiele als eine Reflexion über und als Metapher für Erzählungen. Wieder anders nähert sich die Künstlerin dem Thema in ihrem Online-Projekt *Metapet* (2002), einem Spiel über Ressourcenmanagement, das ein Szenario für virtuelle Angestellte in einem fiktionalen Unternehmen mit Verbindungen zur Bio-

174. **Natalie Bookchin**, *The Intruder*, 1999. Hier müssen sich die Spieler durch zehn verschiedene Arcade-Spiele (darunter Pong und einige Ballerspiele) vorarbeiten, um mit einem Stück der Erzählung belohnt zu werden. Borges' Erzählung kreist um eine tragische Dreiecksbeziehung. Der Spieler findet sich während des Spiels auf verschiedenen Seiten der Geschichte; ihre wechselnden Positionen spiegeln die Komplexität des Textes wider. Die Geschichte endet passenderweise mit einem Kriegsspiel-Interface. Bookchins Werk erzählt in gewisser Weise auch die Geschichte des Computerspiels, mit zehn Spielszenarien, die verschiedene Stufen der Spieleentwicklung spiegeln.

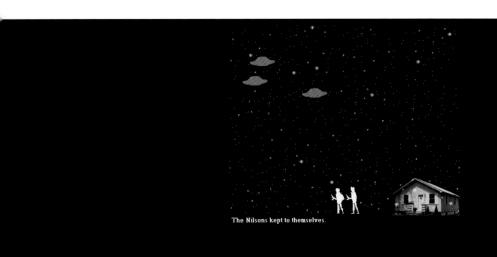

The Nilsons kept to themselves.

175. **Natalie Bookchin,**
Metapet, 2002.

tech-Branche entwirft. Das Spiel basiert auf der Idee, dass Biotech-Innovationen und Unternehmenskreativität einen gentechnisch veränderten Arbeiter hervorgebracht haben, eine neue Klasse von virtuellen Pets, die die allzu menschlichen Arbeiter ersetzen. Der Spieler kann zwischen drei Biotech-Firmen wählen: einer Firma, die Gentherapien entwickelt, einer Fabrik, die Geräte für genetische Diagnosen herstellt, und einer biopharmazeutischen Firma. Er ist als Manager tätig; seine erste Amtshandlung ist es, einen Metapet einzustellen. Ziel des Spieles ist die Steigerung der Produktivität: Der Spieler muss die Disziplin seiner Pets überwachen, ihre Gesundheit, Energie und Moral, um ihre Produktivität und ihre Position im Unternehmen zu verbessern. Jeder Spielzug kostet Geld, das man durch die Produktion der Metapets verdient. Nicht ohne Humor lenkt Bookchin die Aufmerksamkeit darauf, welche Folgen Produktivität im Biotechnologiesektor haben kann und verweist auf die Ersetzung des menschlichen Arbeiters durch den Roboter der Zukunft, eine Art künstliche Lebensform.

Aspekte des Verhaltens auf dem Markt stehen auch im Zentrum von John Klimas Software *ecosystm2* (2001), eine Erweiterung seines oben erwähnten Ökosystem-Projekts, in dem Nutzer mit Aktienportfolios spielen können. *Ecosystm2* ist ein Multiuser-Spiel zum Thema Wertpapierhandel, in dem Spieler Aktienportfolios zusammenstellen, die als Vogelschwärme dargestellt werden. Ihr Aussehen, Verhalten und Überleben ist vom Markt und der Auswahl der Aktien abhängig. Die von den Spielern produzierten Vogelschwärme bewohnen Ökosysteme, in denen sie brüten und mit anderen Schwärmen neue Arten hervorbringen können. *Ecosystm2* repräsentiert den Aktienmarkt als eine natürliche Welt, die komplexen Regeln und evolutionären Prinzipien gehorcht. Die

Spieler haben eine gewisse Kontrolle über ihren Schwarm, das System folgt jedoch auch seinen eigenen Verhaltensregeln und genetischen Algorithmen.

Während Werke wie *Metapet* und *ecosystm2* ihre eigenen, einzigartigen Welten konstruieren, basieren viele Computerspiele von Künstlern auf der Ästhetik von vorhandenen Spielen oder „hacken" diese, in dem sie ihren Maschinencode entschlüsseln und ändern. *Landscape Study #4* (2002) des Amerikaners Cory Arcangel nutzt Techniken des Reverse-Engineering, um Kassetten des Nintendo-Spiels Super Mario Bros zu modifizieren. Arcangel erstellte 360 Grad Aufnahmen der Landschaft in der Umgebung seiner Heimatstadt Buffalo, New York, und scannte diese ein, und passte sie an das Format der Nintendo-Spielkonsole an. Er schrieb ein Programm, das die Grafiken scrollt, und lötete die Originalchips einer Mario-Cartridge aus und ersetzte sie durch selbstgefertigte Chips. *Landscape Study #4* verbindet traditionelle Landschaftsfotografie mit der Ästhetik von Computerspielen und schafft so eine Szenerie, die wirkungsvoll jene Medien, aus denen Elemente übernommen werden, transzendiert und sich zu einer neuen Form der Pop-Art zu entwickeln scheint.

Im Gegensatz zu Arcangels Werk, das in einer losen Verbindung zu dem Originalsystem steht, haben viele Spiel-Kunstwerke eine eher symbiotische Beziehung zu ihren kommerziellen Gegenstücken. In ihrem Remix von Olia Lialinas *My Boyfriend Came Back From The War* für Lialinas *The Last Net Art Museum* nutzte das Künstlerduo Jodi ästhetische und architektonische Elemente

176. Cory Arcangel,
Landscape Study #4, Nes
Home Movies: 8-bit landscape
studies, 2002.

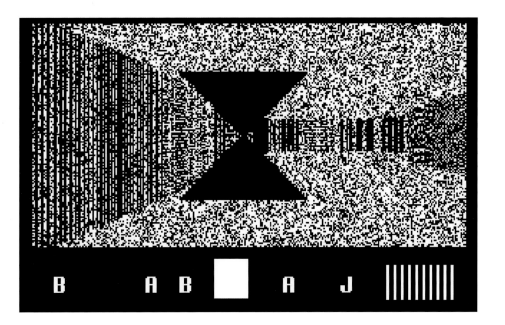

177. Jodi, *SOD*, 1999.

aus dem Spiel *Castle Wolfenstein*, um Lialinas poetische Reflexion über persönliche „Kriege" und Kommunikation den Strukturelementen des kommerziellen Kriegsspiels gegenüberzustellen. Jodi „dekonstruierte" auch das originale *Castle Wolfenstein* in ihrem Online-Spiel *SOD* (1999), das die Darstellungselemente des Spiels mit schwarzen, weißen und grauen geometrischen Formen ersetzte und eine neue Architektur schuf, die sowohl die Orientierung als auch die Navigation zur Herausforderung macht. Die dysfunktionalen Elemente von Jodis Spiel stellen die Paradigmen der Navigation und die Konstruktion des Raums in Wolfenstein wirksam bloß und untergraben sie. *SOD* zerstört auch die Balance zwischen der Kontrolle des Nutzers und der des Systems, die ein wesentliches Element für jedes Actionspiel ist. Jodi führte diese Arbeiten mit der CD (und Webseite) *Untitled Game* fort, die aus einem Dutzend Modifikationen des Egoshooters *Quake I* besteht. Durch die Tilgung der originalen Architektur des Spiels, der Reduzierung auf Interface und Sound-Elemente und die Nachkonstruktion der Struktur und der Interaktivität, nutzte Jodi das Originalspiel als Werkzeug für die Kreation abstrakter Kunst. Glitches und Bugs im Originalcode werden zu ästhetischen Effekten verarbeitet.

Eine andere Weise der Aneignung ist die Quake-Modifikation des chinesischen Künstlers Feng Mengbo (geb. 1966), dessen Werke sich oft mit Genres der Popkultur wie Videospielen oder Hongkong-Actionfilmen beschäftigen. Feng benutzte das Programm *Quake III Arena* (bekannt als Q3A), um *Q4U* (Quake For You;

2002) zu realisieren. Dazu fügte er einen „Skin", eine Darstellung von sich selbst, ausgerüstet mit Waffe und Camcorder, in die Welt des Spiels ein und machte sich so zu dessen Hauptprotagonisten. Die Übernahme der Spielumgebung komplettierte er durch die Einfügung einer Armee von Klonen seiner selbst, die vom Publikum (oder vom Künstler selbst) gespielt werden können. *Q4U,* das 2002 auf der Documenta XI gezeigt wurde, stellt Online-Identitäten im Kontext von Rollenspielen in Frage, indem es den Künstler in die Gewalttätigkeit einer kommerziellen Spielwelt einfügt. Ein kritischerer Umgang mit einem existierenden Spiel ist das Projekt *Velvet-Strike* von Anne-Marie Schleiner, Joan Leandre und Brody Condon, das als eine direkte Antwort auf den von Georg W. Bush proklamierten sogenannten „War on Terrorism" konzipiert wurde. *Velvet-Strike* besteht aus einer Sammlung von Graffitis, die man auf die Wände und Räume des Online-Taktik-Shooters Counter-Strike sprühen kann, ein Multiuser-Spiel, in dem die Teilnehmer als Mitglieder entweder einer terroristischen Gruppe oder einer Antiterroreinheit agieren. Indem *Velvet-Strike* den Nutzern ermöglicht, ihr Antikriegs-Graffiti (wie z. B. „Geiseln militärischer Fantasie") auf die Wände der Spielumgebung zu sprühen, gibt es dem Spieler eine neue „Waffe" in die Hand: die öffentliche Meinung. *Velvet-Strike* greift direkt in ein kommerzielles Produkt ein und „schreibt" es um, eine Strategie, die im Aktivismus und bei der Produktion von taktischen Medien (tactical media) häufig verwendet wird.

Tactical media, Aktivismus und Hacktivismus

Künstlerischer Aktivismus ist kein neues Phänomen der Digital Art, sondern hat eine lange Tradition. Als in den späten 1960er Jahren die Portapak von Sony, die erste tragbare Videokamera, auf den Markt kam, nutzten Künstler und Aktivisten schon bald die neue Macht, alles aufnehmen zu können. Sie gründeten alternative Mediennetzwerke, die sich mit Themen wie Dokumentation und Repräsentation im Zusammenhang mit der Kontrolle über die Mediendistribution beschäftigten. Kooperativen und Kollektive wie Paper Tiger Television, Downtown Community Access Center, Video In (Vancouver), Amelia Productions, Electronic Café International und die Western Front gründeten öffentliche Videoproduktionsstätten und Initiativen für Medientraining und nutzten Telefonnetzwerke und Offene Kanäle, um alternative Mediennetzwerke einzurichten, die Künstler und Communities miteinander verbanden. Die Machtstruktur der Medien, Antirassismus, Gender-Aktivismus und die Unterstützung von unterrepräsentierten Gruppen sind nur einige der Bereiche, in denen sich die Kooperativen der Künstler und Aktivisten engagierten. Das Critical Art Ensemble und die Surveillance Camera Players – eine in New York beheimatete Gruppe, die Performances vor Überwachungskameras aufführt und bis dato zahllose Gleichgesinnte in Städten wie Stockholm, Bologna und San Francisco gefunden hat – zählen zu jenen Künstlergruppierungen, die sich kritisch mit der autoritären Kultur befasst haben, die sich in den Medien manifestiert. Organisationen wie das Old Boys Network (initiiert von Cornelia Sollfrank) und die Mailingliste „Faces" sind virtuelle Foren für Cyberfeminismus, die zu der Diskussion über die gender-spezifischen Aspekte der Neuen Medien beitragen.

Erschwingliche Soft- und Hardware, das Internet und mobile Geräte wie PDAs haben eine neue Ära in der Erstellung und Verbreitung von Medienbotschaften eingeläutet. Sie ist verbunden mit dem utopischen Versprechen einer „Technologie für das Volk" und eines Many-to-many-Verbreitungssystems (im Gegensatz zu One-to-many-Systemen), in dem die Macht über die Informationsverbreitung dem Einzelnen zurückgegeben wird und das so einen demokratisierenden Effekt hat. Das Internet versprach sofortigen Zugang zu Daten und Datentransparenz. In seinen Anfängen wurde es von Forschungs- und Erziehungsinstitutionen dominiert, und war eine Spielwiese für künstlerische Experimente. Der Traum von einem „Netzwerk für das Volk" dauerte jedoch nicht lange, und er verschleierte von Anfang an die komplexeren Probleme der Macht und der Kontrolle über die Medien. Das Internet wird als „globales" Netzwerk gepriesen, aber nur ein Teil der Welt ist angeschlossen. Und während der Verkehr auf dem Datenautobahnen in den USA ständig zunahm, waren viele andere

Länder noch gar nicht mit von der Partie, größtenteils wegen des Mangels an lokalen Zugängen und den Gebühren, die von den Telekommunikations-Unternehmen verlangt wurden. Große Gebiete der Welt haben noch immer keinen Zugang zum Internet; in manchen Ländern beschränken die Regierungen den Zugang. Das Internet selbst wurde so schnell zu einem Spiegel der „wirklichen" Welt, von Unternehmen und dem E-Commerce kolonisiert. Während das Platzen der „dot com"-Blase den Hype um die Internetökonomie zwar größtenteils beendet hat, geht es den großen Technologieunternehmen prächtig.

Aktivistische Projekte der Digital Art nutzen digitale Technologien oft als „taktische Medien" für Interventionen, die den erheblichen Einfluss der neuen Technologien auf unsere Kultur zeigen. Beliebt ist die Strategie, Technologien gegen sich selbst zu wenden, wie beispielsweise im *iSee*-Projekt des Institute for Applied Autonomy. *iSee* ist eine webbasierte Anwendung, die die Positionen von Überwachungskameras in Städten kartiert. Auf Grundlage dieser Karten kann man sich Wege durch die Städte suchen, auf denen man Kameras vermeidet und so den „Weg der geringsten Überwachung" gehen. In seinem nicht explizit aktivistischen Projekt *They Rule* (2001) setzt der Neuseeländer Josh On (geb. 1972) Technologie auf eine ganz ähnliche Art ein. Auch diese Webseite erlaubt den Nutzern, Karten zu erstellen, in diesem Fall von Handelsverbindungen in den USA. Basierend auf öffentlich zugänglichen Informationen bildet *They Rule* die Beziehungen zwischen Unternehmen wie Pepsi, Coca-Cola, Microsoft und Hewlett Packard in Form von Diagrammen ihrer Aufsichtsräte ab, wobei die CEOs als männliche oder weibliche Icons mit Aktenkoffer dargestellt werden. *They Rule* erinnert daran, dass das Internet keine Einbahnstraße ist: Das Projekt untergräbt die Nutzung des Webs als reines Marketinginstrument, das uns in transparente Käufer verwandelt, indem es das komplizierte Netz von Beziehungen zwischen Unternehmen und der regierenden Elite offenlegt. Das Konzept eines gemeinsamen, öffentlichen Archivs bildet auch die Grundlage von *The File Room* des spanischen Künstlers Antonio Muntada (geb. 1942), einer Installation und einer Webseite, die ursprünglich von der Randolph Street Gallery (einem gemeinnützigen, von Künstlern betriebenen Zentrum in Chicago) produziert wurden. *The File Room* besteht aus einem offenen Archiv und einer Datenbank, in der Fälle von Zensur gesammelt werden, die von jedermann gemeldet werden können. Dabei geht es weniger darum, eine Enzyklopädie oder Forschungsgrundlage zum Thema Zensur zu schaffen, als vielmehr darum, mit alternativen Methoden des Sammelns und Weitergebens von Information zu experimentieren. Projekte wie *They Rule* und *The File Room* bemühen sich, die ansonsten geschlossenen Zirkel der Macht im Netz offenzulegen.

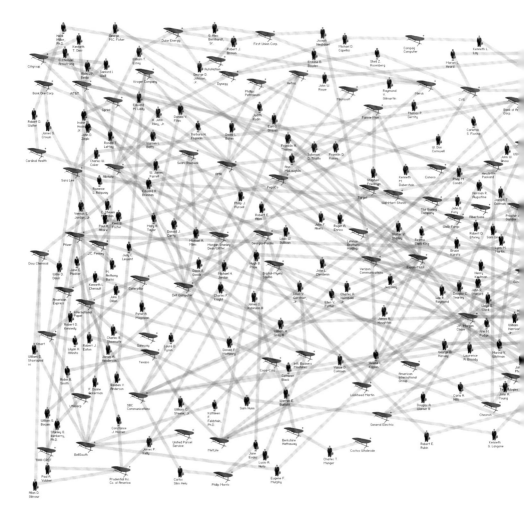

180. **Josh On**, *They Rule*, 2001. Der
Nutzer kann das Web nach CEOs (Chief
Executive Officers) durchsuchen, indem
er auf ihre Aktentaschen klickt, um Information über die Person, die gespende-
ten Gelder oder ihre jeweiligen Unternehmen zu erhalten. Außerdem kann man
eine Liste von Webadressen zu dem
Unternehmen oder der Person ergänzen
und ein eigenes Diagramm von Beziehungen (mit Anmerkungen) erstellen, das
dann auch für andere sichtbar ist.

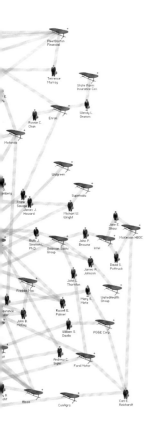

181. (rechts)
Antonio Muntadas,
The File Room, 1994.

Die Modifikation von Technologien für künstlerische Strategien findet sich auch regelmäßig in den gemeinsamen Projekten von Natalie Jeremijenko und dem Bureau of Inverse Technology. Für das Projekt *Sniffer* (2002) wurden Roboter-Spielzeughunde (von der Art des Aibo von Sony) neu verdrahtet, sodass sie als Messgeräte für radioaktive Strahlenquellen funktionieren. Die Hunde können lokal eingesetzt werden; sie werden dabei zu Umweltdetektoren, da sie die Informationen speichern und zu den Basisstationen des Bureaus senden können.

Als riesiges Netzwerk ist das Internet offensichtlich eine ideale Plattform zur Verbreitung von Informationen, um Interventionen und Proteste zu inszenieren oder um isolierte bzw. unterrepräsentierte Gruppen zu unterstützen. Britische Vereinigungen wie Mongrel (mit den Hauptmitgliedern Matsuko Yokoji, Mervin Jarman, Richard Pierre-Davis und Graham Harwood) und irational.org (Heath Bunting u. a.) nutzen digitale Technologien für soziales Engagement, die Verbreitung von selbstprogrammierter und -konstruierter Technik, Serviceleistungen und Produkten genauso wie für die Bildung strategischer Allianzen. Die Webseite irational.org umfasst alles mögliche, von Links zu Datenbaken öffentlicher Netzwerkdienste und Medienlabors bis hin zu Anleitungen der Art „Wie betreibe ich einen Piratensender?" oder eine Publikation über Biotechnologieexperimente für zu Hause.

Eine andere Form des Aktivismus ist der sogenannte „Hacktivismus". Hacken meint das Einbrechen, Neuformatieren und Umkonstruieren von Daten und Systemen – was allerdings nicht so sehr als destruktive, sondern vielmehr als eine kreative Strategie verstanden wird. Das Spektrum des Hacktivismus reicht von harmlosen Streichen bis zu Aktionen, die sich am Rande der Legalität bewegen. Das Electronic Disturbance Theater, das seine Aktionen als „elektronischen zivilen Ungehorsam" beschreibt, hat eine Reihe von virtuellen „Sit-ins" zur Unterstützung der Zapatisten in Chiapas, Mexiko, organisiert, indem es eine selbstgeschriebene, webbasierte Software namens FloodNet nutzte. Die Sit-ins zielten darauf ab, den Betrieb von bestimmten Webseiten zu stören – in einem Fall die Seiten des Präsidenten von Mexiko und des amerikanischen Verteidigungsministeriums (letztere mit der Begründung, dass das amerikanische Militär angeblich die Soldaten ausgebildet habe, die Menschenrechtsverletzungen begehen). Teilnehmer eines FloodNet-Protests werden aufgefordert, die FloodNet-Hompage aufzurufen. Diese initialisiert ein Java-Applet, das die Webseiten, auf die die Aktion abzielt, im Rhythmus von wenigen Sekunden aufruft und so versucht, die Seite durch Überlastung des Servers stillzulegen. (Das Pentagon reagierte Berichten zufolge mit einem eigenen Java-Applet, das die Attacke bemerkte und ein leeres Browserfenster auf dem Bildschirm der Angreifer öffnete. Beide Seiten erklärten ihre Strategien für erfolgreich.) Dieses Lahmlegen von Internetseiten durch Sit-ins ist eine Art virtuelles Gegenstück zur physischen Blockade von Gebäudeeingängen.

Ähnliche Aktionen standen im Mittelpunkt der als „Toywar" bezeichneten Auseinandersetzung, die entbrannte, nachdem das in

182. **etoy**, *Toywar*, 1999.

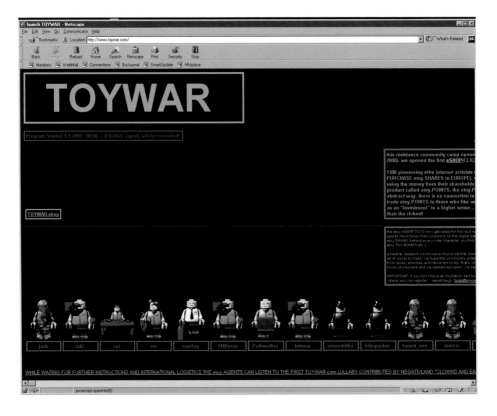

der Schweiz beheimatete Künstlerkollektiv etoy 1999 von dem milliardenschweren amerikanischen Unternehmen eToys in Kalifornien verklagt wurde. EToys behauptete, dass die Künstlergruppe etoy ihren Markennamen missbraucht und absichtlich potenzielle eToys-Kunden zur Webseite der Künstler gelenkt hätte. Anwälte aus aller Welt meldeten sich zu Wort mit der Ansicht, dass es keine legale Basis für die Klage gäbe, da das Künstlerkollektiv mehr als drei Jahre vor dem Online-Spielzeugunternehmen entstanden sei und sich auf einem ganz anderen Marktsektor betätige. Als das kalifornische Gericht dennoch etoy anwies, ihre Seite abzuschalten, warben die Künstler die Hilfe von fast einem Dutzend Anwälte ein und lancierten einen virtuellen Krieg – unterstützt von anderen Künstlergruppen und über zweitausend individuellen „Spielzeugsoldaten" –, der diverse Formen von virtuellem Aktivismus und Kampagnen nach sich zog, die beträchtliche Aufmerksamkeit in den Medien erregten. Der kombinierte juristische, soziale und mediale Druck führte letztlich dazu, dass eToys seine Klage zurückzog, die eigentlich überhaupt keine solide juristische Grundlage gehabt hatte. Etoy, genauso wie das Künstlerkollektiv ®Tmark – aktive Unterstützer sowohl des „Toywars" als auch der Interventionen des Electronic Disturbance Theater – sind Beispiele für Künstlergruppen, die unternehmerische Strategien und ein Unternehmensimage nutzen, um ihre „Geistesprodukte" zu realisieren. ®Tmark nutzt das Modell eines Investmentfonds, um Mittel für die Unterstützung von Projekten aufzubringen, die von Internetnutzern vorgeschlagen werden. Die Projekte zielen meist auf die Unterminierung oder die Schaffung eines Gegengewichts zu Unternehmensinteressen.

Unternehmensmodelle in der aktivistischen Kunst verdeutlichen, dass das Internet die Zusammenhänge und die Grenzen der physischen Welt radikal rekonfiguriert: Jedes künstlerische Projekt im Web ist immerzu eingebettet in den Kontext (d. h. nur einen Klick entfernt) von Firmenseiten und E-Commerce. Der alternative Raum des Internets widersetzt sich zugleich unserem traditionellen, physischen Modell von Eigentum, Copyright und Markenpolitik. Als ein offenes System und Archiv reproduzierbarer Daten, lädt das Web geradezu dazu ein – und ermöglicht es – jede Information zu rekontextualisieren. Der virtuelle Grundbesitz eines Unternehmens oder einer Institution kann leicht kopiert („geklont") und in einen neuen Kontext eingefügt werden, eine Taktik, die viele Künstler, Netzaktivisten und Hacktivisten verfolgt haben. Als die Dokumenta X sich entschloss, ihre Webseite nach dem Ende der physischen Ausstellung „herunterzufahren", klonte der Künstler Vuk Cosic die Seite, mit dem Erfolg, dass sie bis heute online abrufbar ist. Das Projekt *Uncomfortable Proximity* (2001) von Graham Harwood, Mitglied der Netzkunstgruppe Mongrel, ist das erste Netzkunstwerk, das die Tate Gallery in London für ihre Webseite bestellte, und stellt ein perfektes Beispiel für eine Kontextverschiebung dar. Harwood reproduzierte das Layout, die Logos und das Design der Tate-Webseite, um eine Geschichte des britischen Kunstbetriebs zu erzählen, die für eine Kunstinstitution kaum erfreulich sein dürfte.

Die Aneignung, Neuzusammenstellung und das Klonen von Webseiten sind häufig genutzte Strategien, wenn Künstler Konzepte wie geistiges Eigentum oder die Kontrolle über Informationen anzweifeln, um „politisch" Stellung zu beziehen.

Beispielhaft für diese Strategien sind die Projekte eines italienischen Künstlerduos, das sich hinter der Seite 0100101110101101.org verbirgt und sich mit Datenzugang, Dokumentation und Archivierungsmodellen ebenso wie mit politischen, kulturellen und kommerziellen Aspekten des Netzes beschäftigt. Zu ihren Projekten gehörte das Klonen und Neuzusammenstellen von Webseiten anderer Künstler und Organisationen genauso wie die Programmierung von Viren. Mit dem Projekt *life_sharing* (2001) verwandelten 0100101110101101.org ihre Seite in öffentliches Eigentum: Die Seite besteht aus der Festplatte der Organisation, die vollständig im Web (in HTML-Format)

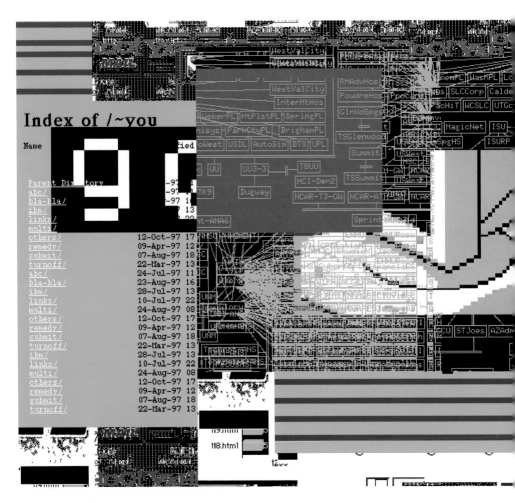

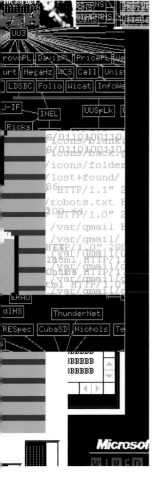

183. **010010111010101.org**, *life_sharing*, 2001.

publiziert und dadurch für jedermann reproduzierbar ist. *Life_ sharing* verweist auf Themen wie geistiges Eigentum und Copyright, die im digitalen Zeitalter zu brennenden Fragen geworden sind. Traditionelle Copyright-Gesetze sind zum großen Teil nicht für den digitalen Bereich anwendbar und müssen auf globaler Ebene geprüft werden. Das frühe Internet war ein Raum des „freien" Informationsaustausches, und Informationen könnten sehr wohl die „heißeste Ware" des 21. Jahrhunderts sein. Die Philosophie des freien Daten- und Informationsaustausches ist die treibende Kraft hinter der open source- (und „Copyleft"-) Bewegung, die einen uneingeschränkten Zugang und die Erlaubnis zu jedweder Modifikation des Quelltextes befürwortet (vorausgesetzt, dass alle Kopien und Ableitungen ebenfalls uneingeschränkt zugänglich und modifizierbar sind). Das Flaggschiff der Open-Source-Bewegung ist das Linux-Betriebssystem – dessen Entwicklung 1991 der damals einundzwanzigjährige Linus Torvalds einleitete –, das immer populärer wird, die Welt der kommerziellen Software erschüttert hat und Torvalds auf die Titelseite des Forbes Magazine brachte. Viele Künstler und Aktivisten machen den Quelltext ihrer Projekte für die Öffentlichkeit zugänglich in dem Bemühen, die einseitigen Machtverhältnisse im Medienbereich zu ändern und auszugleichen.

Die meisten der hier erwähnten Projekte und Künstlergruppen leben in der Schnittmenge von Aktivismus und Kunst, sind ein Teil der „street culture" und der Kunstwelt. ®Tmark, etoy, das Bureau of Inverse Technology, Heath Bunting und Harwood wurden in renommierten Museen gezeigt und gewannen bedeutende Kunstpreise. Die wachsende Bedeutung von Privatsphäre und Datenschutz und die öffentliche Debatte um diese Themen haben aktivistische Kunst zu einer neuen Bewegung gemacht, die die Kunstwelt nicht ignorieren kann. Verschiedene Ausstellungen wurden dem Aktivismus, dem Hacken und der Open Source-Bewegung im Informationszeitalter gewidmet, darunter *Open_Source_Art_Hack* im New Museum of Contemporary Art in New York; *Kingdom of Piracy* im Rahmen der Ars Electronica und *I Love You – Computer_Viren_Hacker_Kultur*, eine Ausstellung im Museum für Angewandte Kunst in Frankfurt am Main. Die Präsentation dieser Art von Werken in einem institutionellen Kontext entbehrt natürlich nicht einer gewissen Problematik, richten sich doch die Werke selbst zuweilen gegen das, was Institutionen repräsentieren, oder schaffen juristische Konflikte, auf die die Museen nicht vorbereitet sind. Aufgrund der Fortschritte in der Digitaltechnik und der Datenverarbeitung sind Privatsphäre, Sicherheit und die „Kontrolle" über Informationen zu brennenden Themen geworden, die auch in der Kunstproduktion eine immer bedeutendere Rolle spielen.

Zukunftstechnologien

Aus einer sehr allgemeinen Perspektive kann man sagen, dass es einige Kernthemen gibt, mit denen sich Kunst, sei es digitale oder analoge, immer beschäftigt hat: die Ästhetik von Darstellung und Wahrnehmung; das menschliche Dasein im Wandel der kulturellen und politischen Entwicklungen; der emotionale und der seelische Bereich; und die Beziehung des Einzelnen zur Gesellschaft und zur Allgemeinheit – um nur einige zu nennen. Kunst wird vermutlich immer über die Mechanismen des kulturellen Wandels reflektieren, und „Technologien" im weitesten Sinn werden immer ein wichtiger Bestandteil dieser Prozesse sein. Wenn man bedenkt, welche massiven Veränderungen die digitalen Technologien in der kurzen Zeit seit Beginn der 1990er Jahre bewirkt haben, ist es schwer vorherzusagen, wie genau die Zukunft der Digital Art aussehen wird. Es gibt jedoch einige Hinweise auf mögliche Entwicklungen der „technologischen Zukunft", darunter die zunehmende Verknüpfung von Digital-, Bio- und Nanotechnik und neue Formen intelligenter Schnittstellen und Maschinen. Aller Wahrscheinlichkeit nach werden digitale Technologien sich weiter verbreiten und weniger eine eigene Kategorie als vielmehr integraler Bestandteil des Lebens und der Kunst allgemein werden.

Wir leben in einer Welt, in der Biotechnik und das Klonen von Lebensformen Realität geworden sind, und Genetik und Biotechnik Themen der Kunst sind. Die Beschäftigung mit gentechnisch veränderten Lebensformen im Kontext der Kunst ist allerdings nicht so neu, wie man denken mag, sondern hat ältere Vorläufer: Schon 1936 präsentierte der Fotograf Edward Steichen gentechnisch veränderte Blumen im Museum of Modern Art in New York. Steichen nutzte traditionelle Zuchtmethoden (und ein Mittel, das das Erbgut veränderte), dennoch nahmen seine *Delphiniums* (Rittersporne) die kommenden künstlerischen Auseinandersetzungen mit der Gentechnik vorweg. In seinem Projekt *Genesis* (1999) schuf Eduardo Kac ein synthetisches „Künstlergen", indem er einen Abschnitt der Genesis in Morsecode übersetzte und diesen Code dann in DNS-Basenpaare konvertierte. Das synthetische Gen wurde in Plasmide geklont, die in Bakterien transformiert wurden. Kac verursachte außerdem 1999 ein Medienspektakel, als er – mit Unterstützung von Wissenschaftlern – ein genetisch verändertes grün fluoreszierendes Kaninchen züchtete, das im Dunkeln unter bestimmten Lichtbedingungen leuchtete, und es zu einem Kunstwerk erklärte. Das „Leuchtkaninchen" war das Resultat einer Manipulation des grün fluoreszierenden Proteins (GFP), mit dem sich Forscher seit mehr als einem Jahrzehnt beschäftigt hatten (hierfür werden üblicherweise Seidenraupen und Kaninchen verwendet). Kacs Projekt bestand weniger in der „Kreation" des Kaninchens als vielmehr in der Übertragung des

184. **Eduardo Kac**, *Genesis*, 1999. Besucher der *Genesis*-Installation treffen auf einen Sockel mit einer Petrischale mit Bakterien, die von UV-Licht bestrahlt wird, das die DNS-Sequenz in Plasmide zerlegt und die Mutationsrate beschleunigt. Auf der *Genesis*-Webseite kann man das UV-Licht in der Galerie anschalten und so den Prozess beeinflussen. *Genesis* untersucht die Beziehung zwischen Bio- und Informationstechnologie, Glaubenssätzen, Ethik und dem Internet, das buchstäblich zu einer lebensformenden Macht wird.

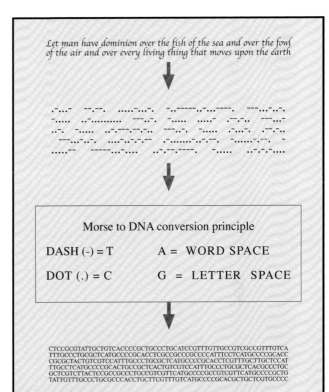

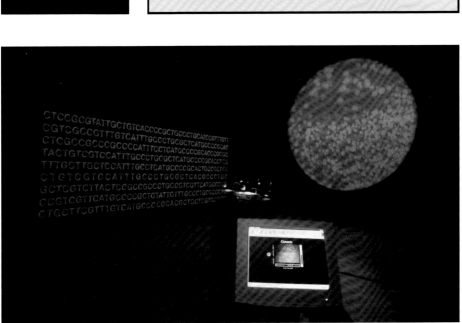

wissenschaftlichen Experiments in einen größeren kulturellen Rahmen, in dem es öffentliche Debatten über die ethischen Implikationen der genetischen Manipulation von Lebewesen anstieß.

Ein kritischer Umgang mit gentechnischen Veränderungen – der Isolation von Genen aus Organismen mit der Absicht, neue Organismen zu kreieren – stand auch im Mittelpunkt der *GenTerra-Performance* des Critical Art Ensembles, bei der die Idee der Erschaffung und Vermarktung von ökologisch oder sozial nützlichen Organismen in Frage gestellt wurde. Die Beziehung zwischen genetischem Determinismus und Umwelteinfluss untersucht Natalie Jeremijenko in ihrem Projekt *OneTrees*, das aus über Hundert identischen Klonen eines Baumes besteht, die in Zusammenarbeit mit Wissenschaftlern erzeugt wurden. Die Konvergenz von Kunst und Wissenschaft in diesen Projekten mag eher noch eine Ausnahme als die Regel sein. Die wachsende Anzahl solcher Werke zeigt jedoch deutlich, dass es notwendig ist, eine öffentliche Plattform für die Diskussion der Auswirkungen von Wissenschaft und Technik auf unsere Kultur zu schaffen.

Ein anderes Gebiet, das sich vermutlich noch tiefgreifend wandeln wird, ist das der Mensch-Maschine-Schnittstelle. Die im Augenblick noch vorherrschende Arbeitsweise an Computer, Bildschirm und Tastatur wird womöglich bald von Schnittstellen abgelöst, die es erlauben, per Sprachsteuerung, Berührung, Augenbewegung oder ähnlichen Mechanismen mit Maschinen zu kommunizieren. „Physical computing" ist bereits ein weites Forschungsfeld; und die Nutzung von mobilen Geräten, die den Nutzern erlauben, unabhängig von ihrem Standort mit Netzwerken zu kommunizieren, bis hin zu in die Kleidung integrierten Computersystemen (wearable computing) wird vermutlich weiter zunehmen. Die letzte Grenze zwischen Mensch und Maschine ist die Schnittstelle zwischen Gehirn und Maschine bzw. zwischen Gehirn und Gehirn, ein Feld, in dem die Fortschritte von den zukünftigen Entwicklungen in den Neurowissenschaften abhängig sind. Forscher der Brown University in Rhode Island haben bereits gezeigt, dass Signale aus dem Gehirn, die Handbewegungen kontrollieren, decodiert und zur Steuerung eines Cursors eingesetzt werden können.

Kunst hat stets die Techniken ihrer Zeit genutzt und sich kritisch damit auseinandergesetzt, und wird auch in Zukunft die kulturellen Veränderungen reflektieren, die die Entwicklungen in der Informationstechnik – in ihren Überschneidungen mit Biotechnik, Neurowissenschaften, Nanotechnik und anderen Disziplinen – mit sich bringen. Zwar ist die Kunst ein kultureller Wert an sich, und sie muss keinem Zweck dienen, aber sie hat sicherlich eine Funktion darin, ein offenes Experimentierfeld für ästhetische, emotionale oder politische Fragen zu sein. Vielleicht wird diese

185. **Natalie Jeremijenko**, *OneTrees*, 2000. Die Klone wurden als Pflänzchen im Yerba Buena Center for the Arts in San Francisco ausgestellt, und dann an verschiedenen öffentlichen Orten ausgepflanzt. Die Entwicklung dieser biologisch identischen Lebensformen wird die Wechselbeziehung zwischen Genetik und verschiedenen Umwelteinflüssen erweisen.

Rolle in einer Zukunft noch wichtiger werden, wenn wir mit neuen Aufgaben konfrontiert werden und sich insbesondere die Frage stellen wird, wie wir uns selbst und die Welt um uns herum definieren.

Mobile und lokative Medien

Im Laufe der letzten Jahre haben drahtlose Netzwerke und mobile Geräte wie Handys und PDAs die Grenze zwischen dem Nicht-lokalen (ohne Standortbezug) und dem Lokativen (oder Standort-bezogenen) verwischt. Lokative Medien nutzen einen Ort im öffentlichen Raum als „Leinwand" für die Umsetzung eines Kunst-projekts, sie sind eines der regsten und am schnellsten wachsen-den Gebiete der neuen Medienkunst geworden. Handys mit Ka-meras und Video, PDAs und der iPod sind zu neuen Plattformen der kulturellen Produktion geworden. Sie stellen ein Interface zur Verfügung, durch das sich die Nutzer an vernetzten öffentlichen Projekten beteiligen und Ad-hoc-Gemeinschaften bilden können. Ein Beispiel dafür ist der Smart Mob. Howard Rheingold prägte diese Bezeichnung in seinem 2002 erschienenen Buch *Smart Mobs: The Next Social Revolution*, um sich selbst strukturierende gesellschaftliche Organisationen zu beschreiben, die sich auf drahtlose digitale Technologien stützen. Eine besondere, weitge-hend apolitische Form des Smart Mob ist der Flashmob, ein große Gruppe von Menschen, die sich über Mobile Messaging organi-siert, um sich dann plötzlich an einem öffentlichen Ort zu versam-meln und eine kurze, mehr oder weniger banale Aktion durchzu-führen und sich dann anschließend wieder schnell aufzulösen.

Mobile lokative Medien werden von Künstlern nicht nur als technische Mittel genutzt, sondern zunehmend auch als Konzept und Thema erkundet. Elektronische Netzwerke im Allgemeinen und mobile Geräte im Besonderen bewirken neue Bestimmungen dessen, was wir als öffentlichen Raum verstehen, sie haben insbe-sondere neue Stätten der künstlerischen Intervention eröffnet und unseren Begriff der sogenannten Kunst im öffentlichen Raum (Pu-blic Art) erweitert. Der Begriff wurde bisher für Kunst verwendet, die im öffentlichen Raum, außerhalb eines klar bezeichneten Kunstkontexts gezeigt wurde, oder auch für öffentliche künstle-rische Aktionen wie etwa Graffiti oder die ortsbezogenen Inter-ventionen von Kunstrichtungen wie Fluxus und der Situationis-tischen Internationale. Die neue Medienkunst im öffentlichen Raum der Netzwerke kann als neue Form der Public Art verstan-den werden, ganz gleich ob es sich dabei nun um Netzkunst oder Kunst mit mobilen Medien wie Handys handelt. Anders als die traditionelleren Formen der Public Art können diese Kunstwerke sowohl translokal (indem sie Menschen über geografische Orte hinweg verbinden) als auch ortsgebunden sein, indem sie den phy-sischen Raum durch Informationen, die hinterlegt und/oder abge-fragt werden können, erweitern oder aufwerten. Mobile lokative Medien haben ein breites Spektrum an Nutzungen in der künstle-rischen Arbeit erfahren, das von der Aufwertung urbaner Räume oder Landschaften mit Informationen über die Schaffung partizipatorischer Plattformen für die Produktion bis zur kritischen Auseinandersetzung mit dem kulturellen Einfluss der Mobiltechnologien und der Unterstützung von Bürgerbewegungen reicht.

Einige lokative Medienprojekte haben sich mit dem Kartieren tatsächlich existierender physischer Räume und Architekturen befasst. *PDPal* (2003) von Marina Zurkow, Scott Paterson und Julian Bleecker ist zum Beispiel ein Mapping Tool (eine Internetseite und eine downloadbare Anwendung für PDA) mit dem man persönliche Erfahrungen des öffentlichen Raumes festhalten kann, wobei sich das Projekt auf die Gegend um den Times Square in New York und die Metropolregion Minneapolis-Saint Paul in Minnesota beschränkte. Nutzer erzeugen Karten, indem sie Orte mit grafischen Symbolen markieren und ihnen dann Eigenschaften und Bewertungen hinzufügen. Die Kategorien für das Mapping sind zwar etwas unflexibel, doch erleichtert die Vorgabe gewisser Kategorien oder Meta-Tags die effiziente Kartierung der Beiträge. *PDPal* wurde von der Idee der emotionalen Geografien und dem Konzept der Psychogeografie, der Untersuchung der Auswirkung des

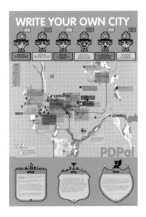

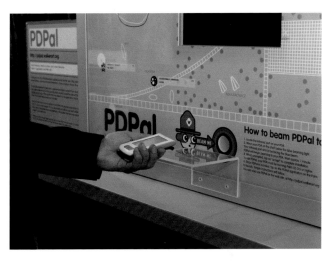

186. **Marina Zurkow, Scott Paterson und Julian Bleecker**, *PDPal*, 2003.

wifi.ArtCache

188. (oben)
Julian Bleecker,
WiFi.ArtCache, 2003. Die über
den Cache abrufbaren Kunstwerke (Flashanimationen) wurden so programmiert, dass sie
ihr Aussehen und ihr Verhalten
in Abhängigkeit von bestimmten Kriterien verändern, etwa
der Entfernung zum Cache (ob
sie innerhalb oder außerhalb
seiner Reichweite liegen), der
Zahl der Downloads für ein
bestimmtes Kunstobjekt, der
Anzahl der aktiven Kunstwerke
im Bereich des Netzwerk-
knotens und wie lange ein
Objekt heruntergeladen und
außerhalb des Knotens war.

187. (gegenüberliegende Seite)
**Q.S. Serafijn in Zusammen-
arbeit mit Lars Spuybroek,**
D-tower, 1998–2004. Der
physische Teil des Projekts, ein
12 m hoher, von NOX entwor-
fener Turm, ist eine am Computer berechnete und mittels
CNC-Fräsen hergestellte
geometrische Struktur aus
Epoxidharz. Der Turm kann in
vier Farben beleuchtet werden.
Diese beziehen sich auf die vier
im Projekt aufgezeichneten
Emotionen: Grün für Hass, Rot
für Liebe, Blau für Furcht und
Gelb für Glück. Wer mit dem
Auto durch die Stadt fährt,
kann so sehen, welches
Gefühl an diesem Tag das
vorherrschende ist.

geografischen Milieus auf die Gefühle und Verhaltensweisen des Einzelnen inspiriert. Diese wurde von den Situationisten entwickelt, einer politischen und künstlerischen Bewegung, die Ende der 1950er Jahre entstand. Eine andere Form des Mappings zeigt der *D-tower* (1998–2004) von Q.S. Serafijn und Lars Spuybroek. Das Kunstwerk wurde von der holländischen Stadt Doetinchem in Auftrag gegeben und in Zusammenarbeit mit V2_lab entwickelt. Der *D-tower* kartiert die Emotionen der Stadtbewohner spezifischer als *PDPal*, da er sich auf Glück, Liebe, Furcht und Hass beschränkt. In dem Projekt, das aus drei Teilen – einem Turm, einem Fragebogen und einer Webseite – besteht, werden menschliche Werte und Gefühle zu vernetzten Entitäten, die sich auch im realen Raum mittels Farben manifestieren. Jeder Projektteilnehmer erhält alle zwei Tage vier Fragen. Die Antworten werden zusammen mit der Postleitzahl der Teilnehmer dazu verwendet, grafische Karten zu erzeugen, die zeigen an welchem Ort der Stadt die Menschen am meisten verängstigt oder verliebt sind und welchen Grund das hat. Auf ganz unterschiedliche Weise schaffen diese Kartierungsprojekte ein virtuelles, öffentliches Informationsarchiv, das die realen Orte ergänzt. Das Archiv besteht aus gemeinschaftlich genutzten Informationsquellen, die kollektiv von einer mehr oder weniger fest umrissenen Gemeinschaft zusammengetragen werden und arbeitet mit Begrenzungen, die durch Regeln und Zugangsmechanismen bestimmt werden. Während bei *PdPal* die Informationen auch im Realen selbst zugänglich sind, wird beim *D-tower* eine reale Struktur durch das virtuelle Archiv transformiert. Beide Projekte sind bestrebt, ein neues Bewusstsein der urbanen Landschaft als einen Raums zu schaffen, in den menschliche Wahrnehmungen und Gefühle eingeschrieben sind.

Lokative Medienprojekte haben auch das ortsbezogene Erzählen und neue Zugänge zur Landschaft erkundet. *WiFi.ArtCache* (2003) von Julian Bleecker (geb. 1966) ist ein Access Point für digitale Kunst, der aus einem WiFi-Knoten besteht, der bewusst vom Internet getrennt wurde. Er erkundet die Möglichkeiten drahtloser, ortsbezogener Erzählungen und der Erzeugung von Räumlichkeit, da der Nutzer im physischen Bereich des Knotens sein muss, um die Informationen abzurufen. Das Projekt schafft somit einen unsichtbaren, jedoch physischen Raum für Kunst. Sobald sich jemand in ausreichender Nähe zum Cache befindet, kann er auf sein WiFi-fähiges Gerät, also sein PDA oder Laptop, vom Künstler geschaffene Macromedia Flash Animationen herunterladen. Während Bleeckers Cache einen bestimmten Ort als drahtloses Kunstarchiv nutzt, erweitert Core Sample (2007) von Teri Rueb (geb.1968) eine Örtlichkeit um die abstrakte Erzählung ihrer Geschichte. Ruebs Projekt bietet einen Einblick in die vielschichtige städtebauliche Geschichte von Spectacle Island im Hafen von Bos-

189. (oben)
Teri Rueb, *Core Sample*, 2007.

190. (gegenüberliegende Seite)
C5, *Landscape Initiative*, seit
2001. Über den GPS-Media-
player von C5, die Onlinekom-
ponente des Projekts (unteres
Bild), haben Besucher der
Webseite Zugriff auf die GPS-
Aufzeichnungen der Routen
aller C5-Mitglieder. Sie können
verknüpfte Mediendokumente
(Fotos/Videos) ansehen und
verschiedene Aufzeichnungen
(Tracklogs) untersuchen und
miteinander vergleichen. GPS
ermöglicht eine neue Sicht auf
die Landschaft, weil es den
Einzelnen oder einzelne Objekte in Relation zu einem bestimmten Ort positioniert. Die
virtuellen Logs des Mediaplay-
ers und die sich überlagernden
Pfade bilden selbst eine Art
Landschaft, die auf der persönlichen Interaktion mit der wirklichen Landschaft beruht, die
dann aber zu einem Datensatz
in einer relationalen Datenbank,
einem Index potenzieller Verbindungen, geworden ist. Das
Onlineprojekt schlägt einen
Bogen von der persönlichen
Erfahrung zur Abbildung dieser
Erfahrung als Datum, und den
möglichen Verständnishorizon-
ten dafür.

ton. Dort gab es einst Kasinos, Hotels und eine städtische Müllhal-
de, bevor die Insel in den frühen 1990ern vollkommen verändert
wurde: Das beim Bau eines Tunnels ausgegrabene Erdreich wurde
dazu verwendet, neues Land aufzuschütten, dann wurde die Insel-
küste befestigt. *Core Sample* nutzt GPS um eine teils auf Fakten,
teils auf Fiktionen beruhende interaktive Audioerzählung zu
schaffen. Dazu werden natürliche und bearbeitete Klänge mit den
Stimmen ehemaliger Anwohner gemischt, um sowohl die einzigar-
tige Geschichte der Insel zu erzählen als auch seine natürliche
Klanglandschaft vorzustellen.

Ganz anders verwendet die in San Jose ansässige Künstlergruppe
C5 (gegr. 1997) das Global Positioning Systems (GPS) und mobile
Technologien, die den Nutzer die Landschaft neu erfahren lassen,
in der *Landscape Initiative* (seit 2001) an. In seinen unterschied-
lichen Manifestationen umfasst *Landscape Initiative* Konzeptkunst,
Performance und Land Art, aber auch Forschung, Handel und Ent-
deckungsreisen. Das Projekt besteht aus drei Teilen: *The Analogous
Landscape, The Perfect View* und T*he Other Path*, für die die Gruppe große performative Expeditionen in der ganzen Welt unternom-
men hat. Für die *Analogous Landscape* haben Mitglieder des C5-
Teams Berge wie den Mount Whitney in Kalifornien, den Mount
Shasta in der nordamerikanischen Kaskadenkette und den Fuji in
Japan bestiegen. Die jeweiligen Reisen wurden mittels GPS und Digital Elevation Mapping (digitale Erstellung von Höhenprofilen)
verfolgt, um dann Analogien zwischen diesen Reisen durch unter-
schiedliches Terrain herzustellen. Für *The Perfect View* bat C5 Mitglieder der Geocaching Community, eines weltweiten Netzwerks
von Naturliebhabern, deren Hobby das Anlegen und Suchen von
„Verstecken" (Geocaches) mittels GPS und anderer Navigations-
techniken ist, darum, ihnen Orte zu nennen, an denen sie ein Gefühl von Erhabenheit empfanden. Ein Mitglied der C5 begab sich

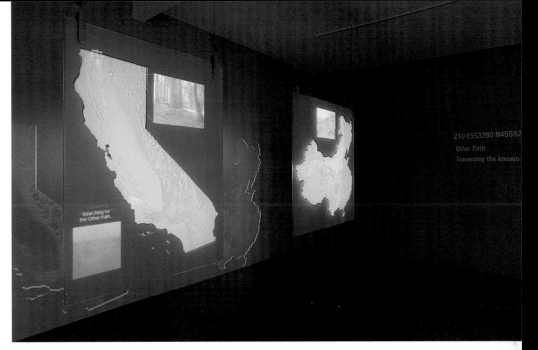

191. **Usman Haque**, *Sky Ear*, 2004.

dann auf eine Motorradreise durch die kontinentalen Vereinigten Staaten und suchte die Orte anhand ihrer Koordinaten auf. Diese Orte wurden in Triptychen dokumentiert, die den jeweiligen Ort als Panoramafotografie zeigen, der eine Satellitenaufnahme und eine auf Daten des USGS (United States Geographical Survey) beruhendes Rendering gegenübergestellt sind. Das Ziel von *The Other Path* war es, den Verlauf der großen Mauer von China akkurat zu verfolgen und dann Verfahren zum Musterabgleich zu nutzen, um einen analog bedeutsamen Weg in den Vereinigten Statten zu finden. Im digitalen Zeitalter wird unser Wissen von der Erde und der Landschaft weitgehend von GIS (Geografischen Informationssystemen) geformt, im Verbund mit der persönlichen Erfahrung, die naturgemäß ortsgebunden und begrenzt ist. Die Repräsentation verlagert sich zunehmend von der Abbildung der Realität zur Visualisierung von Daten, diese sind zur vermittelnden Instanz zischen uns und der uns umgebenden Landschaft geworden. *Landscape Initiative* untersucht den Status unserer Beziehung zur Landschaft in einer Welt vernetzter Daten.

Mobile Geräte werden auch oft dazu benutzt, Informationen oder Daten, die sonst nicht direkt wahrgenommen werden könnten, visuell darzustellen. *Sky Ear* (2004) von Usman Haque (geb. 1971) ist ein interessanter Ansatz bei der Visualisierung und akustischen Darstellung des elektromagnetischen Spektrums. Hague visualisiert diese normalerweise nicht greifbaren Kräfte durch eine Wolke von Heliumballonen, die mit LEDs und Infrarotsensoren

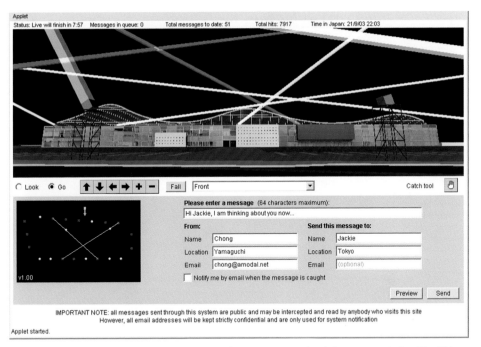

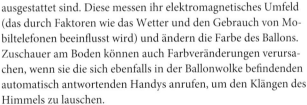

192. (oben und unten)
Rafael Lozano-Hemmer,
Amodal Suspension, 2003.

ausgestattet sind. Diese messen ihr elektromagnetisches Umfeld (das durch Faktoren wie das Wetter und den Gebrauch von Mobiltelefonen beeinflusst wird) und ändern die Farbe des Ballons. Zuschauer am Boden können auch Farbveränderungen verursachen, wenn sie die sich ebenfalls in der Ballonwolke befindenden automatisch antwortenden Handys anrufen, um den Klängen des Himmels zu lauschen.

Rafael Lozano-Hemmer entwickelte in Fortsetzung seiner *Relational Architecture*-Projekte die *Amodal Suspension* (2003), eine großformatige interaktive Installation, die für die Eröffnung des Yamaguchi Center for Arts and Media (YCAM) in Japan geschaffen wurde. Hier nehmen die Textbotschaften, die Teilnehmer per Mobiltelefon oder über das Internet schicken konnten, eine sichtbare Form an. Dazu wurden zwanzig ferngesteuerte Scheinwerfer im Außenbereich des YCAM-Zentrums installiert. Die Nachrichten wurden dann als eine individuelle Blinksequenz der Scheinwerfer encodiert, wodurch ein gigantisches Schaltbrett der Kommunikation geschaffen und der „Aggregatzustand" der SMS transformiert wurde. Die individuellen Lichtsequenzen blinkten, bis die Botschaften per Handy oder über das Internet empfangen oder gelesen wurden.

Die beiden zuvor beschriebenen Projekte zeigen, dass mobile Geräte sowohl ein Stehgreifinterface als auch ein Mittel sein können, um Kunstwerke zu kreieren oder daran teilzunehmen. Giselle

223

193. Giselle Beiguelman,
Sometimes Always (oben
links) und *Sometimes
Never* (oben und rechts),
2005.

194. (gegenüberliegende
Seite)
Jenny Marketou, *Flying
Spy Potatoes,* 2005. In der
Galerie werden die aufge-
blasenen Ballons am Bo-
den befestigt und treiben,
die Besucher laufen durch
einen roten Wald. In den
Ballons verborgene
Videokameras zeichnen
ständig die Umgebung
auf. Die Bewegungen der
Besucher durch die Installation werden als ephe-
mere Spuren, Formen und
Muster aufgezeichnet, die
live auf Fernsehschirme innerhalb des Ausstellungs-
raumes übertragen wer-
den. Im Straßenaktionsteil
des Projekts können die
Besucher die Ballons
spazieren führen, wobei
sie eine Verbindung zwi-
schen dem Ausstellungs-
raum und seinem Kontext
herstellen und sowohl
Überwachender als auch
Objekt der Überwachung
werden.

Beiguelman (geb.1962) hat diese Form des Interface in ihren
Videoprojekten *Sometimes Always* und *Sometimes Never* (2005)
verwendet. Es besteht aus Bildern, die die Besucher des Ausstel-
lungsbereichs mit ihren Mobiltelefonen aufnahmen. In der Galerie
konnte man die Reihenfolge und Position der Rahmen auf dem
Schirm in Echtzeit ändern und Farbfilter über die Bilder legen. Bei
Sometimes Always war das Ergebnis ein dynamisches, palimpsest-
artiges Mosaik, während *Sometimes Never* instabile, gesättigte Pa-
limpseste erzeugte, da keiner der Verarbeitungsschritte wiederholt
werden konnte. So entstand jeweils ein (de)generatives Video, das
den Prinzipien von Aufbau und Zerfall folgte.

Die mobilen Technologien schaffen idealerweise neue Plattformen
für die Kommunikation und das Netzwerken, doch sie können auch
dazu dienen, Nutzern nachzuspüren und sie zu überwachen. Die
durch die Möglichkeiten des Trackings und Überwachens aufgeworfenen Fragen um Identität und Privatsphäre wurden von vielen
Künstlern und Medienschaffenden aufgegriffen. Die Künstlerin Jenny Marketou (geb. 1954) hat eine Reihe von Projekten wie *Flying Spy
Potatoe*s (2005) und *99 Red Ballons: Be Carefool Who Sees You
When you Dream* (2005) geschaffen, in denen sie sich in künstlerischer und spielerischer Weise mit den dunkleren Aspekten der
Überwachung befasst. Für ihre Projekte verwendet sie große, mit He-
lium gefüllte Ballons, die mit drahtlosen Kameras ausgestattet sind.
Der Name der Serie bezieht sich auf den Song „99 Luftballons", mit
dem Nena Anfang der achtziger Jahre erfolgreich war. Die Installation bezieht sich zudem auch auf die „Aufklärungsballons" aus der
Frühgeschichte der Luftfahrt, die etwa im amerikanischen Bürger-
krieg eingesetzt wurden. Das Konzept des Spiels umfasst Möglichkeiten ebenso wie Risiken, Regeln und Grenzen, wobei das Spionageau-

ge der Kamera die Konnotationen von Freiheit unterminiert, die das Spiel suggeriert. Marketous Projekt wirft in spielerischer Weise ernsthafte Fragen über die Beziehung von gespeichertem Bild und Betrachter bezüglich der Überwachung und der gegenwärtigen Gesellschaft des Spektakels auf. Die Projektreihe befasst sich mit dem auf der technischen Vernetzung beruhenden Zustand der zeitgenössischen Gesellschaft, den dynamischen Möglichkeiten des Handelns und Sehens und der Rolle von Überwachungs- und Speichertechnologien in Kunst und Kultur.

In *Life: A User's Manual* (2003–05), einer Reihe von öffentlichen Performances der Künstlerin Michelle Teran (geb.1966), wird der Einsatz von Überwachungskameras in modernen Städten im Kontext der Grenzen von öffentlichem und privaten Raum erkundet. Die Künstlerin schiebt dabei einen Einkaufswagen durch die Stadt, in dem sich ein Monitor befindet, und überträgt darauf mittels eines

195. (oben)
Michelle Teran, *Life: A User's Manual (Berlin Walk)*, 2003. Das Projekt unterminiert Überwachungsstrategien, indem Kameraaufzeichnungen öffentlich gemacht werden. Es kommentiert die Komplexität persönlicher, kultureller, sozialer und physischer Grenzen und Grenzüberschreitungen.

196. (unten)
Michelle Teran, *Life: A User's Manual (Linz Walk)*, 2005.

handelsüblichen Videoscanners die Aufzeichnungen von drahtlosen Überwachungskameras, die im öffentlichen und privaten Bereich installiert sind und auf der Frequenz von 2,4 GHz senden, die sehr leicht abgehört werden kann. Passanten können die von den Kameras aufgenommenen und übertragenen Bilder der Stadt und ihrer Bewohner dann auf dem Monitor im Einkaufswagen sehen. Das Projekt bezieht sich in seinem Titel auf einen Roman von Georges Perec, in dem er die Geschichte eines Pariser Mietshauses und seiner Bewohner erzählt.

Sowohl Marketou als auch Teran gehen auf vorwiegend ästhetische und konzeptuelle Weise mit dem Motiv der Überwachung um. Sie befassen sich mit Themen, die immer wieder von künstlerischen Aktivisten aufgegriffen werden, die die Mobiltechnologien häufig nutzen, um auf ihre Konsequenzen hinzuweisen, aber auch um der Öffentlichkeit in sozialen oder politischen Fragen Stimme und Gehör zu verschaffen. Die aktuellen mobilen Geräte und die lokativen Medien haben der Activst Art sicherlich ganz neue Möglichkeiten eröffnet, Mobilität war jedoch schon immer ein wichtiger Faktor im Bereich der Tactical Media.

Der Künstler Krzysztof Wodiczko (geb.1943) schuf in den späten achtziger Jahren eine Reihe von *Homeless Vehicles* (1988–89), mobile Zufluchtsstätten, die an die Einkaufswagen von Obdachlosen erinnern, der ihr Platz zum Leben und „Arbeiten" ist, und in dem sie Dosen und Flaschen sammelen. Ricardo Miranda Zúñigas (geb.1971) *Vagamundo* (2001) und *The Public Broadcast Cart* (2003–06) können als Weiterführung solcher Projekte im digitalen Zeitalter verstanden werden, da sie Randgruppen eine Stimme verleihen oder das Engagement der Öffentlichkeit fördern. *Vagamundo* ist ein Projekt, bei dem ein mobiler Wagen eingesetzt wird, auf dem Passanten ein Videospiel spielen können, das ein Bewusstsein für die schwierige Situation illegaler Arbeitsimmigranten in New York City schafft. Das Spiel kann auch Online auf einer Internetseite gespielt werden. *The Public Broadcast Cart* ist ein Einkaufswa-

197. Ricardo Miranda Zúñiga, *The Public Broadcast Cart*, 2003–06.

198. **Marko Peljhan,** *Makrolab,* seit 1994. Im Laufe der Jahre wurde das *Makrolab* an vielen Orten, einschließlich der 50. Biennale Venedig 2003 gezeigt, von der dieses Bild stammt. Die arktischen und antarktischen *Makrolab*-Projekte wurden unter dem von Thomas Mulcaire und Marko Peljhan erdachten Schirm des I-TASC (Interpolar Transnational Art and Science Consortium) entwickelt, das Individuen und Organisationen aus den Bereichen Kunst, Ingenieurswesen, Wissenschaft und Technik vereint und einen Schwerpunkt auf die Entwicklung und Anwendung erneuerbarer Energien, Recycling, nachhaltiger Architektur und Open Source Medien legt.

gen, der mit einem drahtlosen Laptop, einem kleinen UKW-Sender, Mikrofon, Lautsprechern und einem Mischpult ausgestattet ist. In Umkehrung der normalen Verhältnisse werden nun die Passanten zu Produzenten eines Radioprogramms. Der Ton wird vom Mikrofon aufgenommen und über das Mischpult gleichzeitig auf die Lautsprecher auf dem Wagen sowie eine regionale UKW-Frequenz und einen Online-Server wie thing.net. übertragen.

Eine ganz andere Form von Mobilität zeigt sich in *Makrolab* (seit 1994) von Marko Peljhan (geb.1969). Die Idee zum Lab entstand während des Jugoslawienkriegs im Jahr 1994. Es handelt sich um eine autonome und mobile Umgebung für Performances und Tactical Media, die von Künstlern, Wissenschaftlern und Aktivisten genutzt werden kann. Den Benutzer des Labs stehen Werkzeuge und Mittel zur Projektentwicklung und für Forschungen in den Bereichen Telekommunikation, Klima und Migration zur Verfügung. Das *Makrolab* war zuerst auf der ISEA 1994 zu sehen und wurde seitdem an zahlreichen Orten gezeigt. Bei der 50. Biennale in Venedig (2003) machte das Lab auf der Insel Campalto in der Lagune von Venedig Station.

Wie bereits zuvor erwähnt ist es eine der in aktivistischen Projekten eingesetzten Strategien, die Technik gegen sich selbst zu wenden, beispielsweise indem die den Mobiltechnologien innewohnenden Überwachungskapazitäten der Öffentlichkeit zur Verfügung gestellt werden.

The Antiterror Line (2003–04) des Bureau of Inverse Technology (BIT, gegründet 1991) sammelt mit Hilfe von Telefonteilnehmern Audio-Liveaufnahmen der Verletzungen von Bürgerrechten und verwandelt dabei Mobil- und Festnetztelefone in vernetzte Mikrofone. Nutzer können entweder Vorfälle direkt aufnehmen, oder einen gesprochenen Bericht hinterlassen, die Aufnahmen werden direkt in eine Datenbank im Internet geladen. Während einzelne Verletzungen der Bürgerrechte unbeachtet bleiben und

199. (rechts)
Bureau of Inverse Technology,
The Antiterror Line, 2003–04.

200. (unten)
Konrad Becker und Public Netbase mit Pact System,
System-77 CCR, 2004. *System-77 CCR* wurde zuerst im Zentrum von Wien, auf dem Karlsplatz, gezeigt und rief eine ausgiebige Debatte über die Rechtmäßigkeit von Überwachungstechnologien auf. Das Projekt versucht, der Öffentlichkeit einen Zugang zu den Kontrollen über diese Technologien zu verschaffen, und schlägt vor, dass Instrumente der Gefahrenanalyse auch für unabhängige Bürger verfügbar sein sollten, statt überwiegend privatwirtschaftlich kontrolliert zu sein.

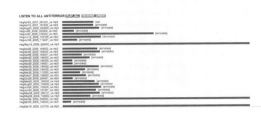

nicht über sie berichtet wird, verlangen sie in ihrer Summe doch nach Handeln. Im Zeitalter verschärfter Sicherheitsmaßnahmen, die dem Schutz der Bürger und der Abwehr terroristischer Angriffe dienen sollen, verweist das Projekt darauf, dass sich die Öffentlichkeit genau dann vor solchen Maßnahmen schützen muss, wenn diese beginnen, eben jene Freiheiten und die Gesellschaftsform zu unterminieren, zu deren Schutze sie getroffen wurden.

Mit ähnlichen Fragen beschäftigt sich auch eine Arbeitsgemeinschaft in *System-77 CCR* (Civil Counter-Reconnaissance, 2004), ei-

201. Preemptive Media,
Zapped!, 2006 (oben) Der De-
tektor in Form eines Schlüsse-
lanhängers wurde von Preemptive Media entwickelt, um auf
den Einsatz der Radio Frequency Identification (RFID)
aufmerksam zu machen. Das
Gerät klingelt, wenn es sich in
der Nähe eines RFID-Lese-
geräts befindet, das seine
Umgebung nach Daten scannt.
(Mitte und unten) Preemptive
Media veranstaltet Workshops,
um die Menschen über den
großflächigen Einsatz von RFID
zu informieren. Die Teilnehmer
erhalten einen Überblick über
die Technik und damit verbundene Themen sowie ein *Zapped!*-Arbeitsbuch. Sie können
sogar lernen, wie man einen
RFID-Detektor als Schlüssel-
anhänger baut.

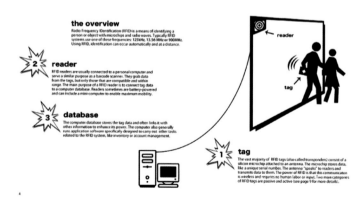

RFID: How it Works

the overview
Radio Frequency Identification (RFID) is a means of identifying a
person or object with microchips and radio waves. Typically RFID
systems use one of these frequencies: 125kHz, 13.56 MHz or 900MHz.
Using RFID, identification can occur automatically and at a distance.

2 **reader**
RFID readers are usually connected to a personal computer and
serve a similar purpose as a barcode scanner. They grab data
from the tags, but only those that are compatible and within
range. The main purpose of a RFID reader is to connect tag data
to a computer database. Readers sometimes are battery-powered
and can include a mini-computer to enable maximum mobility.

3 **database**
The computer database stores the tag data and often links it with
other information to enhance its power. The computer also generally
runs application software specifically designed to carry out other tasks
related to the RFID system, like inventory or account management.

1 **tag**
The vast majority of RFID tags (also called transponders) consist of a
silicon microchip attached to an antenna. The microchip stores data,
like a unique serial number. The antenna "speaks" to readers and
transmits data to them. The power of RFID is that this communication
is wireless and requires no human labor or input. Two main categories
of RFID tags are passive and active (see page 9 for more details).

reader

tag

202. (unten)
Eric Paulos mit Urban Atmo-
spheres, *Participatory Urbanism,*
seit 2006. *Urban Atmospheres*
trug über einen Zeitraum von
zwei Wochen Umweltdaten in
Accra (Ghana) zusammen, wobei
sich starke Schwankungen in der
Luftqualität zeigten. Zu diesem
Zweck wurden Sensoren für
Kohlenmonoxid, Schwefeldioxid
und Stickstoffdioxid auf Taxis
montiert; daneben sammelten
einzelne Projektteilnehmer über
tragbare Sensoren und GPS-Ge-
räte Daten zur Luftqualität, Lärm-
pegel, UV-Strahlung, Wasserqua-
lität etc. Die Gruppe glaubt, dass
der Einsatz solcher mobilen
Messgeräte ein Mittel ist, über
das Gemeinschaften mehr Einfluss auf politische Entscheidungen gewinnen können. Das Bild
zeigt die Kohlenmonoxidvertei-
lung über Accra: Die Farben repräsentieren einzelne Taxis; die
Größe der Flecken zeigt die Konzentration des Kohlenmonoxids
während eines Tages in der
Stadt. Man beachte die Abweichungen innerhalb der Stadt und
innerhalb der Viertel.

nem Projekt, das von Konrad Becker und Public Netbase in Zusammenarbeit mit Marko Peljhans Pact System entwickelt wurde.
Das Projekt, das als ein taktisches urbanes Gegenüberwachungs-
system beschrieben wird, bei dem bodengesteuerte unbemannte
Luftfahrzeuge (Unmanned Aerial Vehicles, UAV) und Flugdroh-
nen eingesetzt werden, um den öffentlichen Raum zu überwachen,
setzt sich mit der zunehmenden Privatisierung im Sicherheitsbe-
reich auseinander und fordert die Demokratisierung von Überwachungstechnologien.

Die technischen Möglichkeiten zur Überwachung und Ortung
werden auch im Alltagsleben der Verbraucher immer gegenwärti-
ger. Radio Frequency Identification (RFID) Systeme und Tags
wurden nicht nur dazu entwickelt und benutzt, Tiere oder Menschen zu identifizieren und zu lokalisieren (im Zuge der Strafver-
folgung oder auch zu deren Schutz), sondern auch Produkte. Das
Kunden- oder Bonuskarten dazu benutzt werden, das Verhalten
der Verbraucher zu dokumentieren und zu analysieren ist auf Kritik gestoßen. Doch ist dies nur ein Beispiel für den Zugriff auf persönliche Daten zur Maximierung der Effektivität einer von Information bestimmten Ökonomie. Das Projekt *Zapped!* (2006) von
Preemptive Media (gegründet 2002, mit Beatriz da Costa, Heidi
Kumao, Jamie Schulte und Brook Singer) setzt sich mittels Workshops, Aktivitäten und Geräten kritisch mit dem massiven Einsatz
der Radio Frequency Identification auseinander. *Zapped!* will eher
über RFID-Tags informieren als Paranoia zu schüren, es soll Engagement und den Mut zu kritischen Reaktionen fördern.

203. **Gabriel Zea, Andres Burbano, Camilo Martinez und Alejandro Duque,** *BereBere*, 2007. Das Projekt nutzt ein drahtloses Gerät, das mit Video- und Audiosystemen sowie Sensoren zur Messung von CO_2-Emissionen und Elektrosmog sowie einem GPS-System zur Datenkartografierung ausgestattet ist. Wie der auffällige Aufbau zeigt, konzentriert sich *BereBere* vor allem auf die Kommunikation mit Passanten, um bei diesen ein Bewusstsein für die Probleme des Stadtlebens zu schaffen und um mit Menschen in Kontakt zu kommen, die sonst keinen Zugang zu den eingesetzten Technologien haben, oder mit diesen nicht vertraut sind. Der Zweck des Projekt ist damit ein doppelter: Daten zu sammeln und Gemeinschaften zu porträtieren.

Mobile Geräte werden von aktivistischen Gruppen auch dazu verwendet, Informationen zu sammeln, um etwa Daten über die Umwelt zusammenzustellen. Ein Beispiel dafür ist das *Participatory Urbanism*-Projekt (seit 2006), das von Eric Paulos und seinen Kollegen von der Urban Atmospheres Gruppe am Intel Research Lab entwickelt wird. Das Ziel des Projekts ist, neue Formen eines partizipatorischen urbanen Lebensstils zu entwickeln, indem man mobile Geräte nicht nur als Kommunikationsmittel nutzt, sondern sie im Sinne der Gruppe als vernetzte mobile persönliche Messinstrumente gebraucht. Durch das Entwerfen, Verteilen und Umfunktionieren bereits vorhandener oder neuer Techniken will die Projektserie den Bürgern mehr Handlungsoptionen geben, um Entscheidungsprozesse, die ihre eigene Umgebung betreffen, beeinflussen zu können. *Participatory Urbanism* gibt dem Durchschnittsbenutzer Werkzeuge und Sensoren, die einfach an Mobilgeräten befestigt werden können, an die Hand, und möchte die Bürger dazu in die Lage versetzen, Daten über ihre Umwelt und Umgebung zu sammeln. Das Projekt *BereBere* (2007) von Gabriel Zea, Andres Burbano, Camilo Martinez und Alejandro Duque hat ebenfalls das Ziel, dass sich die Öffentlichkeit bei der Überwachung der urbanen Umwelt engagiert. Die Projektmitglieder laufen dazu mit einer mobilen Apparatur, zu der auch CO_2-Sensoren gehören, durch die Straßen von Medellin in Kolumbien. Eine weitere verbreitete Strategie bei umweltbezogenen aktivistischen Projekten ist, gebräuchliche Geräte wie Handys und PDAs einzusetzen oder Leute anzuwerben, die täglich bestimmte Routen fahren. Eine originale Abwandlung dieser Strategie ist das Projekt *Pigeon-Blog* (2006) von Beatriz da Costa, Cina Hazegh und Kevin Ponto. Das beim ISEA 2006/01 Festival in San Jose in Kalifornien gestartete Projekt benutzte Brieftauben, um Daten über den Grad der Luftverschmutzung zu sammeln.

Soziale Netzwerke

Der Gedanke des Verbindens und der Vernetzung, egal ob durch ortsgebundene oder mobile Techniken, ist charakteristisch für die digitalen Medien und ist wohl ihre Essenz. Was die Entwicklung der digitalen Medien angeht, hat sich das Hauptinteresse vom Vernetzen von Medien – deren Verlinkung und Austausch durch E-mail oder über das World Wide Web – auf das Vernetzen von Menschen verlagert. Seit mehr als fünfzehn Jahren werden persönliche Webseiten und die Webauftritte von gemeinnützigen Organisationen und Unternehmen zu einem immer wichtigeren Medium für die Veröffentlichung von Informationen. In den letzten Jahren wurden Web Logs (Blogs), Wikis (Webseiten, die es mehreren Autoren erlauben, Inhalte zu bearbeiten) und die Seiten der

204. **Beatriz da Costa mit Cina Hazegh und Kevin Ponto,** *PigeonBlog*, 2006. Bei diesem Projekt wird Brieftauben ein Rucksack mit GPS-fähigen Sensoren zur Messung der Luftverschmutzung umgeschnallt. Dieser sendet in Echtzeit die ortsbezogenen Daten an einen Blog und eine Mapping-Umgebung im Internet. Tauben werden auch als „eingebettete Reporter" verwendet, sie tragen kleine Kameratelefone und ein Mikrofon und senden so Berichte über den Fortschritt der Datensammelmission.

Sozialen Netzwerke wie MySpace, YouTube und Flicker unter dem Oberbegriff des Web 2.0 zu einer vermeintlich „zweiten Generation der webbasierten Dienste" hochgejubelt. Der von O'Reilly Media im Jahre 2004 geprägte Begriff beschreibt ein revolutionäres Geschäftsmodell in der Computerindustrie, das darin besteht, Anwendungen zu entwickeln, die aufgrund von Netzwerkeffekten allein schon dadurch besser werden, weil immer mehr Leute sie benutzen. Als Geschäftsmodell bietet das Web 2.0 kontextbezogene Sammlungen an, die das Filtern und Vernetzen von Inhalten durch die Benutzer erlaubt, etwa von Fotos (Flickr), Videos (YouTube) oder Nutzerprofilen (MySpace). Ein höchst problematischer Aspekt dieser Webseiten sozialer Netzwerke ist, dass die Nutzer weitgehend die Rechte an den Inhalten, die sie einstellen, abgeben, was interessante Fragen über Autorschaft und das Bewahren von Informationen aufwirft. Anstatt eine rekonfigurierbare Plattform für das Netzwerken bereitzustellen und Netzwerkeffekte zu etablieren, fungieren die Web 2.0 Seiten eher wie eine mit Hyperlinks vernetze Umgebung für das Übertragen von Inhalten, die mit Meta-Tags versehen sind, damit sie besser gefiltert werden können. Die digitalen vernetzten Commons (Allmenden) umfassen Plattformen, die kreativen und kulturellen Gemeinschaften dabei helfen, auf dem Laufenden zu bleiben und Handlungsformen zu verbessern, die das kulturelle Leben formen. Zugleich hat das kommerzielle Konstrukt des Web 2.0 mit seinen Instrumenten für das soziale Netzwerken eine neue, zeitgenössische Version des Nutzers als „Content-Provider" geschaffen, der das kontextuelle Interface mit Daten speist.

Blogs waren eine frühe Form dessen, was jetzt unter dem Begriff des Social Networking bekannt ist. Sie förderten mit ihren Online-Tagebüchern eine Form der Veröffentlichung, die deutlich jene Züge des zunehmenden Bedürfnisses nach Selbstentblößung und Voyeurismus trägt, die auch das Herzstück des Reality-TV sind. Soziale Netzwerke gehen jedoch über Blogs hinaus, da sie seitenübergreifend Inhalte filtern und zusammenführen können. Das Filtern von Inhalten um ein „soziales Porträt" von Bloggern zu erzeugen, die höchst private Informationen mit der Öffentlichkeit teilen, war die Idee hinter *The Dumpster* (2006) von Golan Levin (geb.1972) mit Kamal Nigam und Jonathan Feinberg. Das Projekt stellt in einer interaktiven Online-Visualisierung dar, wie Liebesbeziehungen (vor allem amerikanischer Teenager) enden. Aus Daten, die sie in Millionen von Online-Blogs gesammelt hatten, erstellten die Künstler eine Sammlung von 20.000 Beziehungen, die im Laufe des Jahres 2005 beendet wurden. Sie benutzten dann eine speziell programmierte Sprach-

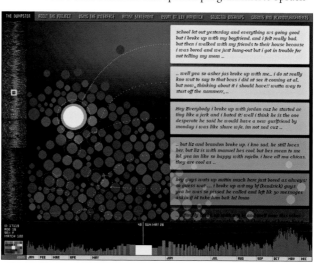

205. **Golan Levin mit Kamal Nigam und Jonathan Feinberg,** *The Dumpster*, 2006. Aus einer Menge von 20.000 gescheiterten Teenagerlieben kann der Nutzer per Interface die vergleichbaren herausfiltern, Ähnlichkeiten, Unterschiede und zugrundeliegende Muster bei der Beendigung von Beziehungen erkennen. Ähnlichkeiten ergeben sich aus einer Vielzahl linguistischer, demografischer und thematischer Faktoren, wozu auch Alter und Geschlecht, die Gründe und der Verlauf des Beziehungsendes und die verwendete Sprache gehören.

analysesoftware, um die ins Internet gestellten Beiträge mit Computerhilfe zu bewerten und nach verschiedenen Kriterien zu klassifizieren. *The Dumpster* zeigt, wie Angehörige einer bestimmten Altersgruppe in einem relativ begrenzten geografischen Gebiet mit Beziehungsproblemen umgehen, in einem Prozess, den Lev Manovich als „social data browsing" bezeichnet hat.

Antonio Muntadas vernetzte Projektion *On Translation: Social Networks* (2006) bietet eine andere Form des „social data browsing", indem sie das Vokabular interpretiert, das eine Reihe von Organisationen, von Apple bis zu Rhizome, auf ihren Webseiten verwenden. Die Webseiten, deren Vokabular analysiert wurde, werden auf einer Weltkarte markiert und nach dem Grad ihrer technologischen, militaristischen, kulturellen und ökonomischen Einflüsse bewertet. Jedem Aspekt wird ein Farbwert (jeweils Rot, Grün, Blau und Weiß) zugeordnet, deren Mischung die Farbe der Webseite festlegt. Eine Farbpalette am Fuße der Projektion zeigt Sprachtendenzen, so kann beispielsweise ein Wort eine eher militaristische Einfärbung haben, je nachdem auf welcher Webseite es verwendet wird.

Warren Sack (geb.1962) untersucht ebenfalls die Sprache und Verortung in *Agonistics: A Language Game* (2005), diesmal im Kontext der Online-Massenkommunikation. Das Projekt wurde vom Konzept der „Agonistik", der Wissenschaft vom athletischen Wettkampf oder Wettstreit bei öffentlichen Spielen, inspiriert.

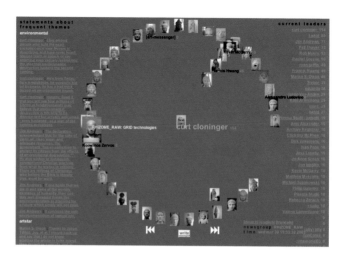

207. Warren Sack, *Agonistics: A Language Game*, 2005. Per E-Mail können Spieler Nachrichten an öffentliche Diskussionsforen im Internet senden, die das Projekt dann in eine grafische Anzeige umwandelt, bei der die Teilnehmer als kleine Bilder angezeigt werden. Den Spielern wird eine Position in einem Kreis zugewiesen, die vom Inhalt ihrer Nachricht abhängt und die in Bezug zu anderen Spielern steht, die eine Nachricht zum selben Thema gepostet haben. Mit jeder neuen Botschaft, die zur Diskussion beigesteuert wird, werden die Positionen algorithmisch neu berechnet. Die Spieler können sich näherkommen oder auch voneinander entfernen, indem sie einen Diskussionsbeitrag senden, der eine bestimmte Ansicht zu einem Thema vertritt.

Theoretikerinnen wie Chantal Mouffe haben sich für das demokratische Potenzial des agonistischen Wettstreits interessiert und mittels metaphorischer Bilder und Handlungen den verbalen Wettstreit als Sprachspiel beschrieben. Sacks Projekt bezieht sich auf diese Ideen und wendet sie auf Online-Diskussionsforen wie die Newsgruppen des Usenets oder die Rhizome-Mailingliste an. Da die Teilnahme und das Filtern nur auf Grundlage der vom Künstler aufgestellten Regeln und der von ihm verwendeten Algorithmen möglich ist, stärkt *Agonistics* das Bewusstsein dafür, wie sich Individuen positionieren, ob im sozialen Kontext oder in der Art, wie sie ihre Meinung kundgeben. Das Projekt ist ein öffentliches Kunstwerk, bei dem die Teilnehmer sowohl aktive Produzenten von Inhalten als auch deren Empfänger sind. Es enthüllt, wie „Systeme" und „Gemeinschaften" Erzählungen schaffen können, die Beziehungen zwischen Einzelnen hervorheben.

Die wachsende Beliebtheit der sozialen Netzwerke wie Friendster, Myspace und Facebook hat auch Kunstprojekte inspiriert, die sich ausdrücklich auf diese Seiten beziehen und die Paradigmen untersuchen, die ihnen zugrunde liegen. *Sinister Social Network* (2006) von Annina Rüst (geb. 1977), die an der Forschungsgruppe für Computerkultur am MIT in Boston arbeitet, stellt eine Beziehung zwischen der Datenüberwachung (dataveillance) und den sozialen Netzwerken her, indem sie Forschungssoftware benutzt, die verdächtiges Verhalten auf der Grundlage von Kommunikationsmustern identifiziert und analysiert. *Sinister Social Network* verweist auf die den sozialen Netzwerkseiten innewohnenden Elemente von Verschwörung und Verdacht. Die Seite setzt Online-Chatbots ein, die Chat-Netzwerke infiltrieren und nicht nur banale Themen diskutieren, sondern gelegentlich auch verdächtige, potenziell verschwörerische Bemerkungen fallen lassen. Nutzer können per Tele-

208. **Annina Rüst,**
Sinister Social Network, 2006.

fon ihre eigenen Botschaften in die Unterhaltung des Bots einfügen. Eine Software analysiert und kartografiert die Online-Unterhaltungen und spürt Missbrauch innerhalb des sozialen Netzwerks auf.

Angie Wallers *myfrienemies.com* (2007) stellt ebenfalls auf subversive Weise die „freundliche" Umgebung der sozialen Netzwerke in Frage, indem sie auf die eher negativen Voraussetzungen hinweist, auf denen Bündnisse und Freundschaften oft gründen. *Myfrienemies.com* gibt sich wie ein Geheimbund und ist dazu gestaltet, neue Freundschaften auf der Grundlage von gemeinsamen Abneigungen zu schaffen. Die Seite verbindet Nutzer, die Gefühle der Abneigung gegenüber derselben Person verspüren; man kann Beurteilungen studieren, die auf Profilen wie der „feindselig-aggressiven" oder der „gefallsüchtigen" Persönlichkeit beruhen. Obwohl das Projekt einen bewusst negativen Ansatz wählt, schafft es

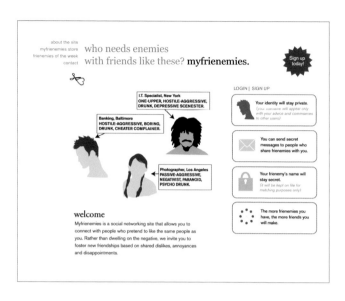

ein Bewusstsein für die Komplexität der Emotionen, die den Zusammenhalt fördern.

Die nächste Generation der virtuellen Welten

Die durch mobile Geräte und soziale Netzwerkseiten geschaffene Verbundenheit findet ihre Fortsetzung und Erweiterung in den gemeinschaftlichen Räumen virtueller Welten, die in den letzten fünfzehn Jahren immer ausgeklügelter wurden. MMORPGs (Massively Multiplayer Online Games; ein Computerrollenspiel, an dem gleichzeitig mehrere tausend Spieler teilnehmen können) wie das beliebte *World of Warcraft* haben neue Standards für virtuelle Welten und die Handlungsmöglichkeiten in ihnen gesetzt und neue virtuelle Formen der Gemeinschaft geschaffen. Die textbasierten Online-MUDs und -MOOs der frühen 1990er Jahre wurden zunächst von zweidimensionalen Chatumgebungen und später dann von dreidimensionalen virtuellen Welten verdrängt. In den letzten Jahren hat sich die von der in San Francisco beheimateten Linden Reserach, Inc. entwickelte und unterhaltene virtuelle Online-Welt „Second Life" (SL) zur bis dato erfolgreichsten virtuellen Welt entwickelt, über die auch die internationalen Mainstream-Medien berichtet haben. Ein downloadbares Client-Programm ermöglicht es den Nutzern und Anwohnern von SL die Welt zu bewohnen und zu erkunden, Häuser zu bauen und mittels der sozialen Netzwerkdienste Kontakte zu knüpfen. Anwohner können Grundbesitz erwerben und Handelsgüter schaffen, die als virtuelles Eigentum in der „lokalen" Währung, den Linden-Dollars, bewertet werden, mit denen inzwischen aber

210. (oben)
Donato Mancini und Jeremy Owen Turner mit Patrick „Flick" Harrison, *AVATARA: Portrait of VanGo at Baby's Pool*, 2003. *AVATARA* wurde komplett innerhalb der Traveler-Welt aufgenommen und ist laut seinen Schöpfern eines der ersten Dokudramen im Machinima-Stil. Der Interviewer und Fremdenführer Kalki (ein bläulicher Pferdekopf) und die Bewohner der Traveler-Umgebung erscheinen als Avatare in Halbfigur, die in ihrer natürlichen virtuellen Umgebung über Themen wie Gemeinschaft, Identität, Kunst, Krieg und Verlust sprechen.

211. (unten)
Donato Mancini und Jeremy Owen Turner mit Patrick „Flick" Harrison, *AVATARA: Fast Eddie Interviewed by Kalki at the Ozgate Entrance*, 2003

auch in realen Währungen gehandelt wird. Der Handel mit virtuellen Gütern und Dienstleistungen in SL hat einen monatlichen Umsatz von mehreren Millionen US Dollar erreicht und eine komplexe Mikroökonomie geschaffen – ein durchaus bemerkenswertes Phänomen.

SL ist die erste virtuelle Welt, die eine kritische Masse von Nutzern angezogen hat, doch gab es viele Vorgänger. *AVATARA* (2003) von Donato Macini und Jeremy Owen Turner und Patric „Flick" Harrison, gab anhand eines auf DVD vertriebenen Films einen Einblick in die Dynamik virtueller Welten. Die Dokumentation in Spielfilmlänge zeigt Interviews mit (zumeist amerikanischen) Bewohnern der Voice-Chat-Umgebung OnLive! Traveler, die um 1993 geschaffen wurde und später durch die Digital Space Commons als Digital Space Traveler genutzt werden konnte. *AVATARA* zeigt die Online Welt von ihrer besten Seite – eine gemeinschaftsbildende Technologie, die ein kreatives Ventil für jedermann bietet –

vernachlässigt jedoch auch nicht die dunkleren Aspekte des sozialen Gewebes, welches in vielfältiger Weise die reale Welt abbildet.

Avatare als neue Form der Selbstdarstellung haben sich als fruchtbarer Boden für künstlerische Experimente erwiesen. Seit 2006 bewohnen die Künstler Eva und France Mattes (geb. 1976) alias 010010111010101.org Second Life. Sie haben Porträts von Avataren geschaffen, die in der virtuellen Welt „aufgenommen" und dann als hochwertige Digitaldrucke auf Leinwand ausgestellt wurden. Ihre Serie *13 Most Beautiful Avatars* (2006) zeigt berühmte „Stars" aus Second Life und spielt ausdrücklich auf Andy Warhols Serie der *13 Most Beautiful Boys* und *13 Most Beautiful Women* (1964) an, die eine ganz andere Periode des Starruhms und der

212. (oben)
Eva und Franco Mattes (alias 0100101110101101.org), *Annoying Japanese Child Dinosaur*, 2006. Die beiden Mattes haben die idealisierten Bilder von Avataren in den *13 Most Beautiful Avatars* nicht als Porträts, sondern als „Bilder von Selbstporträts" bezeichnet. Sie setzten ihre Untersuchung dieser Darstellungsform mit der Serie *Annoying Japanese Child Dinosaur* fort, die aus den Porträts von japanischen Kindern geschaffener Avatare besteht und einen Blick auf eine sehr spezifische Subkultur, ihre Ästhetik und ihren kulturellen Subtext wirft. Der Titel bezieht sich auf James Patrick Kellys Novelle *Mr. Boy* (1990) und die Fantasiewelt seines Protagonisten, eines kleinwüchsigen Zwölfjährigen.

213. (unten)
Eva und Franco Mattes (0100101110101101.org), *13 Most Beautiful Avatars*, 2006.

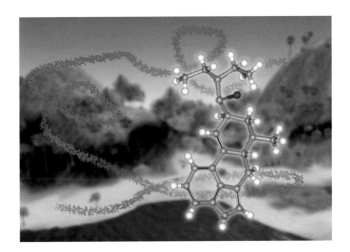

214. **Will Pappenheimer und John Craig Freeman**, *VF-Virta-Flaneurazine-SL* ©, 2007.

Popberühmtheit einfing. Die Bilder übertragen die Ästhetik der 3D-Welt mit ihren spezifischen Farben, dem Licht, den Formen und Perspektiven auf die Leinwand und in die Galerie, und werfen dadurch interessante Fragen über die Geschichte des Porträts und die Konventionen der Fotografie und der Malerei auf.

Wie viele ihrer Vorgänger in den traditionellen Medien basieren diese Selbstporträts weniger auf einer realistischen Wiedergabe als auf einem idealisierten, oft stereotypen Selbstbild, das weitgehend dem westlichen Schönheitsideal entspricht.

Eine eher psychologisch orientierte, satirische Untersuchung der Persönlichkeit der Avatare und ihrer enkodierten Natur entfaltet *VF-Virta-Flaneurazine-SL* © (2007) von Will Pappenheimer (geb. 1954) und John Craig Freeman. Dabei handelt es sich um eine programmierbare, stimmungsverändernde Droge für Second Life, die ihren Konsumenten nach der Einnahme dazu bringt, bis zu einen Tag lang ziellos durch die SL-Umgebung zu wandern (und ihn in unregelmäßigen Zeitabständen an zufällige Orte teleportiert). Die sogenannte „Prograchemie" der Droge basiert auf einer von den Künstlern ausgetüftelten und entwickelten Formel, die außerdem auch die Effekte der Droge in klinischen Studien geprüft haben. Nutzer müssen sich registrieren. laden eine Software-Komponente herunter und werden dann auf eine Seite in SL geleitet, wo sie den zweiten Teil der Droge einnehmen. Nutzer haben angeblich davon berichtet, dass die Droge ihnen erlaube, das „wirkliche" SL zu sehen, und nicht bloß eine schnellwachsende Plattform für Anlageimmobilien und Investitionsgüter. Das Projekt verweist in humorvoller Weise auf die eher ernsten Implikationen einer (virtuellen) Gemeinschaft, deren Bewohner zumindest teilweise von einem Konzern (Linden Lab) kodiert wurden, der die Optionen ihres Verhaltens und den Rahmen ihrer Gesellschaft vorgibt.

215. (oben)
G+S, *Objects of Virtual Desire: Jade Lily's <3> Choker*, 2005. Dieses Projekt ist bestrebt, den Prozess des „Werdens" in der virtuellen Welt zu reduplizieren. Die Objekte in virtuellen Welten sind oft Repräsentationen realer Gegenstücke, sie gewinnen aber durch ihre mit der virtuellen Umgebung verbundene Funktion zusätzliche Bedeutungen, werden zu eigenständigen Objekten. Umgekehrt bleiben auch die realen Abbildungen virtueller Objekte solange lediglich Repräsentationen des Immateriellen, bis sie sich zu Objekten mit einer neuen Funktion entwickeln.

216. (Mitte und unten)
G+S, *Objects of Virtual Desire: Cubey Terra's Penguin Ball*, 2005 .

Die Koppelung der Ökonomien der realen Welt und virtueller Umgebungen wie SL und Online-Spielen wirft auch Fragen über den Wert des Kunstobjekts auf. G+S (Simon Golding, geb. 1981, und Jakob Senneby, geb.1971), gründeten *The Port* (2004), eine gemeinschaftliche betriebene Insel und zugleich ein Raum für die Produktion von Kultur in SL. Ihr Projekt *Objects of Virtual Desire* (2005) untersucht, wie die Wertübertragung vom Materiellen auf das Immaterielle und umgekehrt funktioniert, und auf welche Weise das materialisierte Objekt die Wahrnehmung des virtuellen Originals verändert. Für ihr Projekt sammelten die Künstler zunächst immaterielle Objekte, die Bewohner von SL geschaffen hatten. Die Künstler erwarben die Objekte, die aufgrund ihres ideellen Wertes ausgewählt worden waren, als Kopie zusammen mit der dazugehörigen persönlichen Geschichte. Einige dieser Werke wurden sogar in physischer Form reproduziert. Der Halsreif des Avatars Jade Lily und der Penguin Ball (ein transparenter Ball mit einem Pinguin, dem Symbol des Linux-Betriebssystems, darin, der von Cubey Terra geschaffen wurde) waren Ende 2005 in der Bergen Kunsthall ausgestellt, zusammen mit Interviews mit den Avataren ihrer Schöpfer.

Der Wert von Besitz, in diesem Fall Land, ist auch der Kern des zeitbasierten, performativen Projekts *Second Life Dumpster* (2007)

217. (unten und folgende Seite oben)
eteam, *Second Life Dumpster*, 2007.

von eteam (Hajoe Moderegger, geb. 1964, und Franziska Lamprecht, geb.1975). Die Künstler erwarben Gewerbegrundstücke in SL und unterhielten ein Jahr lang eine öffentliche Müllkippe, um den Inhalt der Papierkörbe zu sammeln, mit dem Avatare standardmäßig ausgerüstet sind und den sie regelmäßig leeren müssen. Das Werk verleiht dem Müll, der im Virtuellen so leicht zu tilgen ist, Materialität, es fragt nach den Merkmalen und der persönlichen „Geschichte" des Abfalls (Gegenstände, Nachrichten, Avatare, Verhaltensweisen usw.) und der Entsorgung, dem Zerfall und dem Recycling im Bereich des Virtuellen.

Virtuelle Welten bieten eine performative Umgebung, in der das verwirklicht werden kann, was in der realen Welt nicht oder nur schwer zu erreichen wäre. In ihrer Arbeit *Reenactment of Joseph Beuys' 7000 Oaks* (2007) machen Eva und Franco Mattes (alias 010010110101101.org) von dieser Möglichkeit Gebrauch, um zumindest symbolisch eine Arbeit von Beuys fortzusetzen, die weitgehend unverwirklicht blieb. Am 16. März 1982 initiierte Beuys auf der Documenta 7 in Kassel die erste Stufe dessen, was er als fortlaufenden, globalen Prozess geplant hatte,

218. (unten und rechts)
**Eva und Franco Mattes
(alias 0100101110101101.org)**,
*Reenactment of Joseph Beuys'
7000 Oaks*, 2007.

um einen ökologischen und sozialen Wandel herbeizuführen: die Anpflanzung von 7000 Bäumen, jeder zusammen mit einer Basaltstele. Das Paar Mattes setzt diese Aktion auf ihrem virtuellen Cosmos Island in SL erneut in die Tat um. Dort wurden der erste virtuelle Baum und Stein am 16. März 2007 gesetzt. Die Steine wurden auf der Insel gestapelt; die Bewohner von SL sind dazu eingeladen, Steine und Bäume auf ihrem eigenen Land zu platzieren. Die virtuelle Fortsetzung der Performance mag nicht den direkten ökologischen Effekt des Originals haben, doch hält sie den Geist von Beuys' Projekt und sein künstlerisches Andenken lebendig.

Wie bereits ihre Vorläufer, die grafischen Chat-Rooms, bieten auch Welten wie SL eine Bühne für öffentliche Performances. Die vermutlich erste Performance-Gruppe, die innerhalb von SL arbeitete, ist die im Jahre 2006 gegründete Second Front. In ihren Arbeiten setzt sich Second Front auf oftmals subversive und radiale Weise mit der SL zugrundeliegenden „Architektur" und Ökonomie auseinander. Ihre dreiaktige Performance *Spawn of the Surreal* (2007) war Teil des Chaos Festivals auf dem SL Campus des New Media Consortium. Während dieses „Spektakels des Selbstbewusstseins" mutierten arglose Zuschauer, die sich auf die zur Installation gehörenden Stühle setzen, zu kubistischen Skulpturengebilden. Gazira Babeli, ein Mitglied von Second Front, hatte die Idee dazu, nachdem sie sah, wie eines ihrer Skripte verrückt spielte und ihre Avatare verformte. Die Gruppe nahm diesen Vorfall als Ausgangspunkt dafür, um die (westlichen) Schönheitsideale, die im Erscheinungsbild der Avatare zum Ausdruck kommen, in Frage zu stellen. Das Mittel dazu war ein „böses" Script, das sie Code Deforma nannten, das SL-Avatare infizierte und sie zu surrealen Gestalten mit überlangen und verrenkten Gliedmaßen und

219. **Second Front**, *Spawn of the Surreal*, 2007.

220. **Second Front**, *Border Patrol*, Performance anlässlich von John Craig Freemans Installation *Imaging Place SL: The U.S./Mexico Border* in der Ars Virtua Galerie von Second Life, 2007.

nach außen gestülpten Köpfen verformte. Manche der infizierten Zuschauer flohen voller Schrecken, während andere noch extremere Resultate einforderten. In ihrer Eröffnungsperformance für die Installation *Imaging Place SL: The U.S./Mexico border* (2007) von John Craig Freeman in der Ars Virtua Gallery von Second Life nahm die Second Front die Idee der Grenze ganz wörtlich und inszenierte eine agressive *Border Patrol* (Grenzkontrolle), inklusive Helikoptern und Panzern, um so die zunehmende Aufrüstung der Grenzen in ganz Nordamerika widerzuspiegeln. Die Performer setzen schließlich den Raum in Flammen, worauf die Menge floh und ein Trümmerfeld zurückblieb. So umstritten die Performance auch war, machte sie doch die Simulation von Gewalt, die so vielen Computerspielen zugrunde liegt, auf äußerst effektive Weise „real". Indem es aber die Grenzen des akzeptablen Verhaltens in der virtuellen Welt überschritt, machte *Border Patrol* die simulierte Gewalt zu etwas Fragwürdigem.

Weder Second Life noch die zur Zeit so beliebten Sozialen Netzwerke sind der Endpunkt der Entwicklung, sie inspirieren beständig ihre eigene Konkurrenz. In der sogenannten 2.0-Phase der Netztechnologien bilden sie eine neue Entwicklungsstufe der Konnektivität, die eines der entscheidenden Merkmale der digitalen Medien ist und auch weiterhin eine wichtige Rolle in der digitalen Kunst spielen wird. Wahrscheinlich werden die mobilen Technologien in Zukunft noch allgegenwärtiger sein und noch raffiniertere Formen der Vernetzung ermöglichen, die Kunst und Kommerz kritisch und kreativ erkunden werden. Digitale Kunst wird vermutlich noch mehr als jetzt schon in multiplen Kontexten existieren – in den öffentlichen Räumen von Netzwerk, Stadt und natürlicher Umwelt. Es wird sich noch zeigen, ob und wie sich die traditionellen Kunstinstitutionen diesen unterschiedlichen Kontexten zugunsten der digitalen Kunst öffnen werden.

Glossar

AIML Artificial Intelligence Markup Language, eine →Skriptsprache, die von Dr. Richard Wallace entwickelt wurde und die eine verbale Kommunikation mit einem Computer ermöglicht. AIML erlaubt, auf Basis von Mustern und einfachen Regeln, Wissensdaten im Netz und offline zu verarbeiten.

Algorithmus Ein Algorithmus ist eine Folge von formalen Anweisungen, die in einer endlichen Anzahl von Schritten Probleme löst und ein Ergebnis ausgibt. Jedes Programm und jede Operation eines Computers ist die Umsetzung von Algorithmen.

Artificial Life Die Reproduktion biologischer Prozesse oder Organismen und ihrer Verhaltensweisen durch Computersysteme.

ASCII American Standard Code for Information Interchange, bis vor einigen Jahren die Standard-Zeichencodierung für Computer, wurde erstmals 1963 als Standard vorgeschlagen und 1968 zuletzt aktualisiert. Der Zeichensatz besteht aus 128 Zeichen und umfasst Buchstaben und Ziffern, Satzzeichen und die gebräuchlichsten Sonderzeichen.

Augmented Reality Die Erweiterung der uns umgebenden physischen Realität durch computergenerierte Informationsbestandteile. Im Gegensatz zur virtuellen Realität (Virtual Reality), die darauf abzielt, immersive, komplett vom Computer generierte Welten zu erzeugen, reichern Augmented-Reality-Systeme die reale Umgebung mit zusätzlichen visuellen Informationen an (oft mit Hilfe eines head-mounted Displays).

Autonomer Charakter Computergesteuerte Charaktere oder Wesen, die ein eigenständiges Verhalten zeigen und sich innerhalb ihrer Welt in einer naturgetreuen, nicht vorherbestimmten Weise bewegen. Sie können autonom auf Besonderheiten in ihrer Umgebung reagieren. Craig Reynolds ist einer der maßgebenden Forscher, der Verhaltens- und Bewegungsmuster für autonome Charaktere entwickelt hat, die in Spielen und Spielfilmen Verwendung fanden. Beispielsweise beruht das Schwarmverhalten der Dinosaurier in *Jurassic Park* auf seiner Arbeit, für das er 1998 bei der Oscar-Verleihung den Wissenschafts- und Entwicklungspreis gewann.

Cyberspace Eine von William Gibson in seinem Roman *Neuromancer* geprägte Bezeichnung für eine komplett vom Computer generierte, immersive Welt.

Datenraum Ein virtueller Raum, der aus computergenerierten Informationen besteht, beziehungsweise solche enthält. Der Daten- oder Informationsraum kann ganz unterschiedliche Formen annehmen, von der 3D-Welt eines Spiels bis zum grafischen Interface eines Bibliothekskatalogs.

Erweiterte Realität →Augmented Reality

GPS Das Global Positioning System ist ein Navigationssystem, das zur Zeit aus einem Netzwerk von 32 Satelliten auf kreisförmigen Umlaufbahnen besteht, die kodierte Signale aussenden, aus denen Empfangsgeräte auf der Erde ihre genaue Position bestimmen können. Dazu verwenden sie die Signale von vier Satelliten; drei werden zur Positions-, einer zur Zeitbestimmung benötigt. Obwohl das System vom US-amerikanischen Verteidigungsministerium finanziert und kontrolliert wird, wird es überwiegend im zivilen Bereich zur Navigation und Positionsbestimmung genutzt, u. a. in Flugzeugen, Schiffen, Fahrzeugen und von Fußgängern.

HTML Hypertext Markup Language ist eine Auszeichnungssprache, die es ermöglicht, Verknüpfungen (Links) zwischen Dokumenten und beliebigen Netzwerkknoten (mit einem Netzwerk verbundene Computer) einzurichten. HTML ist die „Sprache" des World Wide Web.

Hypermedia Eine Umgebung mit verlinkten Multimedia-Elementen wie Texten, Audio, Grafiken oder Filmen. Das Spektrum der Hypermedia-Umgebungen reicht von der interaktiven CD-ROM bis zum World Wide Web.

Hypertext Miteinander verbundene („verlinkte") Textsegmente, denen ein Nutzer folgen kann. Hypertext entstammt Theodor Nelsons Konzept des „Docuverse", eines universellen Schreib- und Leseraums, der es jedem erlaubt, Texte elektronisch miteinander zu verbinden, und zur Gesamtheit der vernetzten Texte beizutragen. Das World Wide Web ist zwar im Wesentlichen eine Hypertextumgebung, Hypertext-Software existierte aber vor HTML.

Informationsraum →Datenraum

Intelligenter Agent Programme, denen Anwender Aufgaben übertragen können und die Informationen filtern und aufbereiten. Im Gegensatz zu gebräuchlicher Software sind intelligente Agenten teilautonom, proaktiv und lernfähig.

Künstliches Leben →Artificial Life

Rapid Prototyping Fertigungsverfahren zur direkten Herstellung eines Objekts nach einem CAD-Modell (Computer-Aided Design, rechnerunterstützte Konstruktion). Hierzu werden u.a. sogenannte 3D-Drucker benutzt, die subtraktiv, additiv oder formend arbeiten. Bei dem subtraktiven Verfahren wird das gewünschte Objekt aus einem Materialblock herausgefräst. Der additive Prozess baut es schichtweise aus Kunststoffen auf. Beim formenden Verfahren wird ein halbfestes oder flüssiges Material in eine Form gepresst und dann beispielsweise per Laser gehärtet oder verfestigt.

Skriptsprache Skriptsprachen sind Computersprachen, die Folgen von Befehlen innerhalb einer Applikation oder eines Betriebssystems beschreiben und dazu dienen, sich wiederholende Aufgaben automatisch durchzuführen.

Telematik Die Kombination von Computern und Telekommunikation.

Telepräsenz Telepräsenz (vom Griechischen *tele*, „fern") beschreibt die Fähigkeit, an einem entfernten Standort, z.B. in einem Chatraum im Internet, durch technische Mittel präsent zu sein.

Telerobotik Die Bedienung eines Roboters oder eines anderen fernsteuerbaren Apparats durch einen Anwender via Internet von einem entfernten Standort aus.

Wiki Ein Wiki ist eine Webseite und eine Schreibplattform, die ein einfaches Verbinden von Seiten und Dokumenten ermöglicht, und gemeinschaftlich von jedem Zugangsberechtigten bearbeitet werden kann. Eines der bekanntesten Wikis ist die Online-Enzyklopädie Wikipedia. Das erste Wiki, WikiWikiWeb, wurde 1994 von Ward Cunningham entwickelt und 1995 gestartet. Wiki ist der hawaiianische Begriff für „schnell". Es heißt, dass Cunningham ihn gewählt habe, um den Namen „quick Web" (schnelles Web) zu vermeiden.

Zellulare Automaten Zellulare Automaten sind eine Reihe von identisch programmierten „Zellen" (einfache Recheneinheiten), von denen jede ihren spezifischen Regeln folgt und die sich gegenseitig beeinflussen. Der Begriff wurde in den 1950er Jahren von Arthur Burks eingeführt, der zusammen mit seiner Frau Alice beim Bau und der Programmierung von ENIAC, dem ersten Computer, mitarbeitete. Mit den geeigneten Regeln kann ein zellularer Automat viele Arten komplexen Verhaltens simulieren, von der Bewegung von Flüssigkeiten bis zu den Bewegungen von Fischen in einem Korallenriff (→Autonomer Charakter).

Webseiten von Künstlern und Online-Kunstprojekte

0100101110101101.org
http://0100101110101101.org
Rebecca Allen *Emergence*
http://emergence.design.ucla.edu/
Mark Amerika http://www.markamerika.com;
Grammatron http://www.grammatron.com;
Filmtext http://www.markamerika.com/filmtext
Cory Arcangel http://beigerecords.com/cory
Art+Com http://www.artcom.de
ASCII Art Ensemble
http://www.ljudmila.org/~vuk/ascii/aae.html
Asymptote http://www.asymptote.net
Konrad Becker *System-77 Civil Counter
Reconnaissance* http://s-77ccr.org/
Giselle Beiguelman http://www.desvirtual.com
David Blair *WAXWEB*
http://www.iath.virginia.edu/wax
Julian Bleecker http://www.techkwondo.com
Christian-A. Bohn *Liquid Views*
http://on1.zkm.de/zkm/werke/LiquidViews
Natalie Bookchin
http://directory.calarts.edu/directory/natalie-
bookchin; *Intruder* http://bookchin.net/intruder/;
Metapet http://www.metapet.net
Lisa Brenneis *Desktop Theater*
http://www.desktoptheater.org
James Buckhouse *Tap*
http://www.diacenter.org/buckhouse/
Heath Bunting http://www.irational.org;
Read Me http://www.irational.org/
heath/_readme.html
**Andres Burbano, Alejandro Duque, Camilo
Martinez & Gabriel Zea** *BereBere*
http://berebere.info/
Bureau of Inverse Technology
http://www.bureauit.org/
Nancy Burson http://www.nancyburson.com
C5 http://www.c5corp.com
John Canny *PRoP, Personal Roving Presence*
http://www.prop.org
Adam Chapman *Impermanence Agent*
http://www.impermanenceagent.com
Janet Cohen *The Unreliable Archivist*
http://www.walkerart.org/gallery9/three/
Brody Condon *Velvet-Strike*
http://www.opensorcery.net/velvet-strike/
Vuk Cosic http://www.ljudmila.org/~vuk/
Luc Courchesne http://www.courchel.net/
LiseAnne Couture http://www.asymptote.net
Critical Art Ensemble http://www.critical-art.net/
Nick Crowe http://www.nickcrowe.net
Walter van der Cruijsen
http://www.ljudmila.org/~vuk/ascii/aae.html
Charles Csuri http://www.csurivision.com
Peter D'Agostino
http://www.temple.edu/newtechlab/
Beatriz da Costa *PigeonBlog*
http://www.pigeonblog.mapyourcity.net/
Charlotte Davies http://www.immersence.com
Joshua Davis http://www.joshuadavis.com/
Jaap de Jonge *Speakers Corner*
http://www.jaapdejonge.nl/portfolio/opdrachten/s
peak.html
Tennessee RiceDixon *Scrutiny in the Great Round*
http://www.thing.net/~relay/scrutiny/
Judith Donath
http://smg.media.mit.edu/people/Judith/
Toni Dove http://www.tonidove.com
Electronic Café International
http://www.ecafe.com/
Electronic Disturbance Theater
http://www.thing.net/~rdom/ecd/ecd.html
Entropy8Zuper! http://www.entropy8zuper.org
**eteam (Hajoe Moderegger & Franziska
Lamprecht)** http://www.meineigenheim.org/
etoy http://www.etoy.com

Faces http://www.faces-l.net/
Fakeshop http://www.fakeshop.com
Feingold, Ken http://www.kenfeingold.com/
Monika Fleischmann http://fleischmann-
strauss.de/monika-fleischmann.html; *Liquid Views*
http://www.eculturefactory.de/CMS/index.
php?id=419
Keith Frank *The Unreliable Archivist*
http://www.walkerart.org/gallery9/three/
John Craig Freeman
http://pages.emerson.edu/Faculty/J/John_Craig
Freeman/
Luka Frelih
http://www.ljudmila.org/~vuk/ascii/aae.html
Benjamin Fry http://acg.media.mit.edu/people/
fry/; *Valence* http://acg.media.mit.edu/
people/fry/valence
Matthew Fuller http://www.axia.demon.co.uk/;
TextFM, WebStalker
http://www.backspace.org/iod/
Alex Galloway *Carnivore*
http://www.rhizome.org/carnivore
Kit Galloway http://www.ecafe.com
Jim Gasperini *Scrutiny in the Great Round*
http://www.thing.net/~relay/scrutiny/
Jesse Gilbert *Adrift*
http://www.turbulence.org/adrift/
Ken Goldberg
http://www.ieor.berkeley.edu/~goldberg/art/
Jeff Gompertz http://www.fakeshop.com
Colin Green http://www.backspace.org/iod/
Scott Griesbach http://www.scottgriesbach.com
G+S (Simon Goldin and Jakob Senneby)
http://www.goldinsenneby.com
Kazuhiko Hachiya
http://www.petworks.co.jp/~hachiya/works/
Usman Haque http://www.haque.co.uk/
Emily Hartzell *Alice sat here*
http://www.cat.nyu.edu/parkbench/alice
Graham Harwood http://www.mongrelx.org.uk/
Joan Hemskeerk http://www.jodi.org;
My Boyfriend Came Back from the War
(Wolfenstein version), *SOD* http://sod.jodi.org/,
Untitled Game http://www.untitled-game.org
Jochem Hendricks
http://www.jochem-hendricks.de
Lynn Hershman http://www.lynnhershman.com
Perry Hoberman http://www.perryhoberman.com
Dieter Huber http://www.dieter-huber.com
I/O/D http://www.backspace.org/iod/
Institute for Applied Autonomy
http://www.appliedautonomy.com; *iSee*
http://www.appliedautonomy.com/isee/
Jon Ippolito *The Unreliable Archivist*
http://www.walkerart.org/gallery9/three/
Irational.org http://www.irational.org
Toshio Iwai
http://www.iamas.ac.jp/~iwai/iwai_main.html
Mervin Jarman http://www.mongrelx.org.uk/
Adriene Jenik *Desktop Theater*
http://www.desktoptheater.org
Natalie Jeremijenko
http://www.eng.yale.edu/faculty/vita/jeremijenko.
htm
Lisa Jevbratt http://www.jevbratt.com;
1:1 http://www.c5corp.com/1to1
jodi http://www.jodi.org; *My Boyfriend Came Back
from the War* (Wolfenstein version), *SOD*
http://sod.jodi.org/, *Untitled Game*
http://www.untitled-game.org
Eduardo Kac http://www.ekac.org
Andruid Kerne
http://www.cs.tamu.edu/people/faculty/andruid
John Klima http://www.cityarts.com/;
Glasbead http://www.glasbead.com/
Knowbotic Research http://www.krcf.org/
Joan Leandre *Velvet-Strike*
http://www.opensorcery.net/velvet-strike/

George Legrady http://www.georgelegrady.com;
Potckets Full of Memories
http://www.mat.ucsb.edu/~g.legrady/glWeb/Projec
ts/pfom/Pfom.html,
http://www.mat.ucsb.edu/~g.legrady/glWeb/Projec
ts/pfom2/pfom2.html
Golan Levin http://www.flong.com
Olia Lialina http://www.teleportacia.org;
*My Boyfriend came back from the war/The Last Net
Art Museum* http://myboyfriendcamebackfromth.
ewar.ru
Matt Locke *Speakers Corner*
http://www.jaapdejonge.nl/portfolio/opdrachten/s
peak.html
Rafael Lozano-Hemmer
http://www.lozano-hemmer.com
John Maeda http://www.maedastudio.com/
Steve Mann http://www.wearcam.org
Jenny Marketou http://www.jennymarketou.com/
Jennifer and Kevin McCoy
http://www.mccoyspace.com
Alex McLean http://www.slab.org
Mongrel http://www.mongrelx.org.uk/
Brion Moss *Impermanence Agent*
http://www.impermanenceagent.com
Mouchette http://www.mouchette.org
Andreas Müller-Pohle http://www.equivalence.com
Antonio Muntadas *The File Room*
www.thefileroom.org;
On Translation: Social Networks
http://switch.sjsu.edu/mambo/switch22/
on_translation_social_networks.html
Prema Murthy http://www.fakeshop.com
Michael Naimark http://www.naimark.net
Mark Napier http://www.potatoland.org,
Riot http://www.potatoland.org/riot
Nettime http://www.nettime.org
Robert Nideffer *PROXY*
http://nideffer.net/promo/proj/proxy.html
Old Boys Network http://www.obn.org/
Josh On *They Rule* http://www.theyrule.net
Dirk Paesmans http://www.jodi.org;
My Boyfriend Came Back from the War
(Wolfenstein version), *SOD* http://sod.jodi.org/,
Untitled Game http://www.untitled-game.org
W. Bradford Paley *TextArc* http://www.textarc.org
Will Pappenheimer
http://www.willpap-projects.com/
ParkBench
http://www.cat.nyu.edu/parkbench/index.html
Nancy Paterson
http://nancy.thecentre.centennialcollege.ca
Scott Paterson http://sgp-7.net
Eric Paulos *PRoP, Personal Roving Presence*
http://www.prop.org
Marco Peljhan *Makrolab*
http://makrolab.ljudmila.org
Richard Pierre-Davis http://www.mongrelx.com
Simon Pope http://www.backspace.org/iod/
**Preemptive Media (Beatriz da Costa, Heidi
Kumao, Jamie Schulte & Brooke Singer)**
Zapped! http://www.zapped-it.net/
Sherrie Rabinowitz http://www.ecafe.com/
Radical Software Group (RSG) *Carnivore*
http://www.rhizome.org/carnivore
Tom Ray *Tierra* http://life.ou.edu/tierra/
Michael Rees http://www.michaelrees.com
Kenneth Rinaldo
http://www.accad.ohio-state.edu/~rinaldo
David Rokeby http://homepage.mac.com/
davidrokeby/home.html
®Tmark http://www.rtmark.com/
Teri Rueb http://www.terirueb.net/
Annina Rüst *Sinister Social Network*
http://www.sinister-network.com
Warren Sack *Conversation Map*
http://web.media.mit.edu/~lieber/IUI/Sack/
Sack.html, http://www.medienkunstnetz.de/works/
conversation-map/ *Agonistics: A Language Game*
http://artport.whitney.org/gatepages/artists/sack/

Organisationen, Netzwerke, Museen und Galerien

Festivals für Digital Art

01SJ, ZER01 global festival of art on the edge, San Jose, CA, USA, http://www.01sj.org/
Ars Electronica, Linz, Austria, http://www.aec.at
Boston Cyberarts Festival, Boston, USA, http://www.bostoncyberarts.org
DEAF (Dutch Electronic Arts Festival), Rotterdam, Netherlands, http://deaf.v2.nl
EMAF (European Media Arts Festival), Osnabrück, Germany, http://www.emaf.de
ISEA (Inter-Society for the Electronic Arts), Canada, http://www.isea-web.org
Korea Web Art Festival, http://www.koreawebart.org
Multimedia Art Asia Pacific, http://www.maap.org.au/
Next 5 Minutes, Netherlands, http://www.n5m.org
Read_Me Festival, http://www.m-cult.org/read_me/
Shift Electronic Arts Festival, Basel, Switzerland, http://www.shiftfestival.ch/
Stuttgarter Filmwinter, Festival for Expanded Media, Stuttgart, Germany, http://www.filmwinter.de
Transitio MX Festival for Electronic Arts, Mexico City, Mexico, http://en.transitiomx.net/
Transmediale, Berlin, Germany, http://www.transmediale.de
VIPER, International Festival of Film, Video and Media Arts, Switzerland, http://www.viper.ch

Ausgewählte Ausstellungen

„Computer-generated pictures", Howard Wise Gallery, New York, 1965
„Computergrafik", Galerie Wendelin Niedlich, Stuttgart, 1965
„Generative Computergrafik", Technische Hochschule Stuttgart, 1965
„Cybernetic Serendipity", kuratiert von Jasia Rechardt, Institute of Contemporary Art, London, 1968
„Software", kuratiert von Jack Burnham, Jewish Museum, New York, 1970
„Electronic Print", kuratiert von Martin Reiser, Arnolfini Museum, Bristol, UK, 1989
„New York Digital Salon" (jährliche Ausstellung), School of Visual Arts, New York, seit 1992
„Mediascape", kuratiert von John Hanhardt und Jon Ippolito, Guggenheim Museum SoHo, New York, 1996
„Serious Games. Art Interaction Technology", kuratiert von Beryl Graham, Laing Art Gallery, Newcastle/Barbican Art Gallery, London, 1996–97, http://www.berylgraham.com/serious/
„PORT. Navigating Digital Culture", kuratiert von Robbin Murphy und Remo Campopiano, MIT List Visual Arts Center, Massachusetts, 1997, http://artnetweb.com/port/
„Beyond Interface", kuratiert von Steve Dietz, Walker Art Center, Minneapolis, 1998, http://www.archimuse.com/mw98/beyondinterface/
„Portable Sacred Grounds. Telepresence World", kuratiert von Toshiharu Itoh, 1998
„Adding Media Subtracting Signs", ICC Tokyo, 1999
„Contact Zones. The Art of CD-ROM", kuratiert von Timothy Murray, Cornell University, New York, 1999, http://contactzones.cit.cornell.edu/
„Cracking the Maze: Game Plug-ins and Patches as Hacker Art", kuratiert von Anne-Marie Schleiner, 1999, http://switch.sjsu.edu/CrackingtheMaze
„Digital Bauhaus", kuratiert von Toshiharu Itoh, ICC Tokyo, 1999
„net_condition", kuratiert von Peter Weibel, Walter van der Cruijsen, Johannes Goebel, Hans-Peter Schwarz, Jeffrey Shaw, Golo Föllmer, Benjamin Weil, ZKM, Deutschland, 1999, http://on1.zkm.de/netcondition/start/language/default_e

„Shock of the View", Walker Art Center in Zusammenarbeit mit dem Davis Museum and Cultural Center, Wellesley College, San Jose Museum of Art, the Wexner Center for the Arts, Ohio State University, und Rhizome, 1999, http://www.walkerart.org/salons/shockoftheview/
„Alien Intelligence", kuratiert von Erkki Huhtamo, Kiasma Museum of Contemporary Art, Helsinki, 2000
„Art Entertainment Network", kuratiert von Steve Dietz, Walker Art Center, Minneapolis, Minnesota, 2000, http://aen.walkerart.org/

Ausgewählte Bibliografie

Amerika, Mark, META/DATA. A Digital Poetics, Cambridge, Massachusetts 2007)
Anders, Peter, „Anthropic Cyberspace. Defining Electronic Space from First Principles", in: Leonardo, Bd. 35/2001, Nr. 1, hrsg. von Christiane Paul
Anders, Peter, Envisioning Cyberspace, Designing 3D Electronic Spaces, New York 1999)
Ascott, Roy / Shanken, Edward A., Telematic Embrace. Visionary Theories of Art, Technology, and Consciousness, Berkeley, California 2003
Baumgärtel, Tilman, INSTALL.EXE/JODI, Bremen 2002
Baumgärtel, Tilman, net.art. Materialien zur Netzkunst, Nürnberg 1999
Baumgärtel, Tilman, Das imaginäre Museum. Zu einigen Motiven der Netzkunst, Berlin 1998
Beckmann, John (Hrsg.), The Virtual Dimension, Architecture, Representation, and Crash Culture, New York 1998
Benedikt, Michael (Hrsg.), Cyberspace, First Steps, Cambridge, Massachusetts 1991
Benjamin, Walter, Das Kunstwerk im Zeitalter seiner technischen Reproduzierbarkeit und weitere Dokumente, Frankfurt a.M. 2007
Berners-Lee, Tim, Weaving the Web. The Origins and Future of the World Wide Web, London 1999
Bogost, Ian, Persuasive Games. The Expressive Power of Videogames, Cambridge, Massachusetts 2007
Bogost, Ian, Unit Operations. An Approach to Videogame Criticism, Cambridge, Massachusetts 2006
Bolter, Jay David / Grusin, Richard, Remediation. Understanding New Media, Cambridge, Massachusetts 2000
Bolter, Jay David / Gromala, Diane (Hrsg.), Windows and Mirrors. Interaction Design, Digital Art, and the Myth of Transparency, Cambridge, Massachusetts 2003
Burnett, Ron, How Images Think, Cambridge, Massachusetts 2005
Burnham, Jack, Kunst und Strukturalismus. Die neue Methode der Kunst-Interpretation, Köln 1973)
Burnham, Jack, „Real Time Systems", in: Artforum, Bd. 8, Nr. 1, September 1969
Burnham, Jack, „Systems Aesthetics", in: Artforum, Bd. 7, Nr. 1, September 1968
Burnham, Jack, Beyond Modern Sculpture. The Effects of Science and Technology on the Sculpture of This Century, New York 1968
Bush, Vannevar, „As We May Think", in: Atlantic Monthly, Juli 1945, http://www.theatlantic.com/magazine/archive/1945/07/as-we-may-think/3881
Chadabe, Joel, Electric Sound, The Past and Promise of Electronic Music, Upper Saddle River, New Jersey 1997
Cook, Sarah / Graham, Beryl / Martin, Sarah (Hrsg.), Curating New Media. Third Baltic International Seminar, Gateshead 2002
Cosic, Vuk, net.art per se, book project as part of the Slovenian Pavilion at the 49th Venice Biennale, Ljubljana 2001

Couchot, Edmond, „Between the Real and the Virtual", in: Annual InterCommunication '94, Tokyo 1994
Coyne, Richard, Technoromanticism, Cambridge, Massachusetts 1999
Cubitt, Sean, The Cinema Effect, Cambridge, Massachusetts 2004
Druckrey, Timothy (Hrsg.), Ars Electronica, Facing the Future, A Survey of Two Decades, Cambridge, Massachusetts 2001
Flanagan, Mary / Booth, Austin (Hrsg.), reskin, Cambridge, Massachusetts 2007
Flanagan, Mary / Booth, Austin (Hrsg.), Reload, Rethinking Women + Cyberculture, Cambridge, Massachusetts 2002
Fuller, Matthew, Media Ecologies. Materialist Energies in Art and Technoculture, Cambridge, Massachusetts 2005
Fuller, Matthew, „Visceral Facades. Taking Matta-Clark's crowbar to software", in: http://bak.spc.org
Ghosh, Rishab Aiyer (Hrsg.), CODE. Collaborative Ownership and the Digital Economy, Cambridge, Massachusetts 2005
Goldberg, Ken (Hrsg.), The Robot in the Garden. Telerobotics and Telepistemology in the Age of the Internet, Cambridge, Massachusetts 2000
Goldberg, Ken / Siegwart, Roland (Hrsg.), Beyond Webcams. An Introduction to Online Robots, Cambridge, Massachusetts 2001
Grau, Oliver (Hrsg.), MediaArtHistories, Cambridge, Massachusetts 2007
Grau, Oliver, Virtual Art. From Illusion to Immersion, Cambridge, Massachusetts 2004
Grau, Oliver, Virtuelle Kunst in Geschichte und Gegenwart. Visuelle Strategien, Berlin 2002
Hansen, Mark, Bodies in Code. Interfaces with Digital Media, London 2006
Hansen, Mark, New Philosophy for New Media, Cambridge, Massachusetts 2006
Haraway, Donna J., Simians, Cyborgs, and Women. The Reinvention of Nature, New York / London 1991
Harris, Craig (Hrsg.), Art and Innovation. The Xerox PARC Artist-in-Residence Program, Cambridge, Massachusetts 1999
Hayles, N. Katherine, How We Became Posthuman. Virtual Bodies in Cybernetics, Literature, and Informatics, Chicago 1999
Hayles, N. Katherine, Writing Machines, Cambridge, Massachusetts 2002
Hocks, Mary E. / Kendrick, Michelle R. (Hrsg.), Eloquent Images. Word and Image in the Age of New Media, Cambridge, Massachusetts 2005
Jenkins, Henry / Thorburn, David (Hrsg.), Democracy and New Media, Cambridge, Massachusetts 2004
Landow, George P. (Hrsg.), Hyper/Text/Theory, Baltimore / London 1994
Landow, George P., Hypertext. The Convergence of Contemporary Critical Theory and Technology, Baltimore / London 1992
Lanier, Jaron, „Agents of Alienation", in: http://www.jaronlanier.com/agentalien.html
Lanier, Jaron, Gadget. Warum die Zukunft uns noch braucht, aus dem Amerikanischen von Michael Bischoff, Berlin 2010
Levy, Steven, Artificial Life. A Report from the Frontier Where Computers Meet Biology, Nachdruck, New York 1993
Lovejoy, Margot, Postmodern Currents. Art and Artists in the Age of Electronic Media, überarb. Aufl., Upper Saddle River, New Jersey 1996
Lovink, Geert, Dark Fiber – auf den Spuren einer kritischen Internetkultur, aus dem Englischen von Petra Ilyes, Bonn 2003
Lovink, Geert, Uncanny Networks. Dialogues with the Virtual Intelligentsia, Cambridge, Massachusetts 2003
Lunenfeld, Peter (Hrsg.), The Digital Dialectic. New Essays on New Media, Cambridge, Massachusetts 1999

Lunenfeld, Peter, *Snap to Grid. A User's Guide to Digital Arts, Media, and Cultures*, Cambridge, Massachusetts 2000
Manovich, Lev, *The Language of New Media*, Cambridge, Massachusetts 2002
Mitchell, William J., *City of Bits. Space, Place and the Infobahn*, Cambridge, Massachusetts 1995
Mitchell, Robert / Turtle, Phillip (Hrsg.), *Data Made Flesh, Embodying Information*, New York 2004
Moser, Mary Anne / MacLeod, Douglas (Hrsg.), *Immersed in Technology. Art and Virtual Environments*, Cambridge, Massachusetts 1995
Munster, Anna, *Materializing New Media. Embodiment in Information Aesthetics*, Lebanon, New Hampshire 2006
Murray, Janet Horowitz, *Hamlet on the Holodeck. The Future of Narrative in Cyberspace*, Cambridge, Massachusetts 1998
Nelson, Theodor, *Computer Lib/Dream Machines*, Redmond, Washington 1987
Nelson, Theodor, *Literary Machines*, Sausalito, California 1982
Packer, Randall / Jordan, Ken (Hrsg.), *Multimedia. From Wagner to Virtual Reality*, erw. Aufl., New York 2002
Popper, Frank, *Origins and Development of Kinetic Art*, London 1968
Popper, Frank, *Die kinetische Kunst. Licht und Bewegung. Umweltkunst und Aktion*, red. bearb. von Karin Thomas, Köln 1975
Reas, Casey / Fry, Ben, *Processing. A Programming Handbook for Visual Designers and Artists*, Cambridge, Massachusetts 2007
Rheingold, Howard, *The Virtual Community. Homesteading on the Electronic Frontier*, überarb. Aufl., Cambridge, Massachusetts 2000
Schwarz, Hans-Peter, *Medien – Kunst – Geschichte*, Medienmuseum ZKM, Karlsruhe, München und New York 1997
Shaw, Jeffrey / Weibel, Peter (Hrsg.), *Future Cinema. The Cinematic Imaginary After Film*, Cambridge, Massachusetts 2003
Stone, Allucquere Rosanne, *The War of Desire and Technology at the Close of the Mechanical Age*, Cambridge, Massachusetts 1995
Turing, Alan / Ince, D. C. (Hrsg.), *Collected Works of A. M. Turing. Mechanical Intelligence*, New York 1992
Turkle, Sherry, *Life on the Screen. Identity in the Age of the Internet*, New York 1995
Vesna, Victoria (Hrsg.), *Database Aesthetics. Art in the Age of Information Overflow*, Minneapolis, Minnesota 2007
Wardrip-Fruin, Noah / Harrigan, Pat (Hrsg.), *First Person. New Media as Story, Performance, and Game*, Cambridge, Massachusetts 2006
Wardrip-Fruin, Noah / Montfort, Nick, *The New Media Reader*, Cambridge, Massachusetts 2003
Weibel, Peter / Druckrey, Timothy (Hrsg.), *net.condition. art and global media*, Cambridge, Massachusetts 2001
Weizenbaum, Joseph, *Computer Power and Human Reason. From Judgment to Calculation*, San Francisco, California 1976
Weizenbaum, Joseph, *Die Macht der Computer und die Ohnmacht der Vernunft*, Frankfurt a.M. 1978
Wiener, Norbert, *Kybernetik. Regelung und Nachrichtenübertragung im Lebewesen und in der Maschine*, übers. von E. H. Serr, unter Mitarbeit von E. Heinze, Düsseldorf / Wien 1968
Wilson, Stephen, *Information Arts. Intersections of Art, Science, and Technology*, Cambridge, Massachusetts 2001
Youngblood, Gene, *Expanded Cinema*, New York 1970

Abbildungsliste

Größenangaben in Zentimetern (Inches), Höhe mal Breite.

1 Mark Napier, *Riot*, 1999. Alternativer Browser. www.potatoland.org/riot. **2** Jeffrey Shaw, *The Legible City (Amsterdam)*, 1990. Mit Genehmigung des Künstlers **3** UNIVAC. John W Mauchly Papers, Rare Book and Manuscript Library, University of Pennsylvania, Philadelphia. **4** Marcel Duchamp, *Rotierende Glasplatten (Optisches Präzisionsgerät)* [in Bewegung], 1920. Yale University Art Gallery, Gift of Société Anonyme. © Succession Marcel Duchamp/ADAGP, Paris and DACS, London 2003. **5** László Moholy-Nagy, *Kinetic sculpture moving*, c. 1933. Mit Genehmigung George Eastman House. © DACS 2003. **6** Nam June Paik, *Random Access*, 1963. Manfred Montwé. **7** Charles A. Csuri, *22 Hummingbird: Birds in a Circle*, 1967. © Charles A. Csuri. **8** John Whitney, *Catalog*, 1961. 16mm-Film, 7 Minuten. © The Estate of John and James Whitney. Foto mit Genehmigung The iotaCenter, Los Angeles. **9** James Whitney, *Yantra*, 1957, 16mm-Film, 8 Minuten. © The Estate of John and James Whitney. Foto mit Genehmigung The iotaCenter, Los Angeles. **10** Ausstellungsplakat für „Cybernetic Serendipity", 1968. Institute of Contemporary Arts, London. © Tate, London 2003. **11** Douglas Davis, *The Last 9 Minutes*, 1977. Mit Genehmigung des Künstlers und Ronald Feldman Fine Arts, New York. Foto © Ute Klophaus. **12a, b** Keith Sonnier and Liza Bear, *Send/Receive Satellite Network: Phase II*, 1977. Live Zweiwegeübertragung via CTS-Satelliten. Andy Horowitz, Liza Bear und Keith Sonnier auf der Battery City Park Mülldeponie. **12c** Keith Sonnier and Liza Bear, *Send/Receive Satellite Network: Phase II*, 1977. Live Zweiwegeübertragung via CTS-Satelliten. Tänzer: Margaret Fisher (San Francisco) und Nancy Lewis (New York). Foto Gwenn Thomas. **13** Kit Galloway und Sherrie Rabinowitz, Satellite Arts, 1977. Entwickelt und produziert durch die Künstler Kit Galloway und Sherrie Rabinowitz. Tänzer „Mobilus Dance Troup". Bilder von Galloway/Rabinowitz. **14** Charles A. Csuri, *Sinescape*, 1967. Computerdruckpapier, 30,5 × 91,4 (12 × 36). © Charles A. Csuri. **15** Charles A. Csuri, *Sculpture Graphic/Three Dimensional Surface*, 1968. Wood, 57,2 (22,5) Höhe. © Charles A. Csuri. **16** Charles A. Csuri, *GOSSIP (Algorithmic painting)*, 1989. Cibachrome-Abzug, 121,9 × 172,7 (48 × 68). © Charles A. Csuri. **17** Nancy Burson, *First und Second Beauty Composites* (Erste Komposition: Bette Davis, Audrey Hepburn, Grace Kelly, Sophia Loren und Marilyn Monroe; Zweite Komposition: Jane Fonda, Jacqueline Bisset, Diane Keaton, Brooke Shields und Meryl Streep), 1982. Silbergelatineabzüge, jeder 19,1 × 21,6 (7½ × 8½). © Nancy Burson mit Richard Carling und David Kramlich. **18** Lillian F. Schwartz, *Mona/Leo*, 1987. Computer, verschiedene Formate. © 1987 Computer Creations Corp. All rights reserved. Reproduction by permission. **19** Robert Rauschenberg, *Appointment*, 2000. 16 Farb-Siebdrucke, Auflage: 54, 76,2 × 55,9 (30 × 22). © 2000, Robert Rauschenberg und Gemini G.E.L. llc. Foto mit Genehmigung Gemini G.E.L. llc, Los Angeles. © Robert Rauschenberg/DACS, London/VAGA, New York 2003. **20** Scott Griesbach, *Dark Horse of Abstraction*, 1995. Irisdruck, 50,8 × 61 (20 × 24). Mit Genehmigung Scott Griesbach. **21** Scott Griesbach, *Homage to Jenny Holzer and Barbara Kruger*, 1995. Irisdruck, 68,6 × 61 (27 × 24). Mit Genehmigung Scott Griesbach. **22** KIDing®, *I Love Calpe 5*, 1999. C-Print, 51 × 51 (20⅛ × 20⅛). Mit Genehmigung der Künstler. **23** Annu Palakunnathu Matthew, *Bollywood Satirized: Bomb*, 1999. Luminage Digitaldruck, 122 × 203 (48 × 79⅞). Annu Palakunnathu Matthew, Mit Genehmigung Sepia International Inc., New York. **24** Annu Palakunnathu Matthew, *Bollywood Satirized: What Will People Think?*, 1999. Luminage Digitaldruck, 190 × 122 (74¾ × 48). Annu Palakunnathu Matthew, Mit Genehmigung Sepia International Inc., New York. **25** Ken Gonzales-Day, *Untitled #36 (Ramoncita at the Cantina)*, 1996. Aus der Serie, *The Bone Grass Boy: The Secret Banks of the Conejos River series*, 1996. Digitaler C-Print, 45,7 × 66 (18 × 26). © Ken Gonzales-Day. **26** Patricia Piccinini, *Last Day of the Holidays*, 2001. SO2, Series mit drei Bildern, Auflage: 60, C-Farbfotographie, 80 × 80 (31½ × 31½). Mit Genehmigung der Künstlerin und Roslyn Oxley9 Gallery, Sydney. **27** Charles Cohen, *12b*, 2001. Tintenstrahldruck, 26,6 × 17,5 (10½ × 6⅞). © Charles Cohen, 2001. **28** Charles Cohen, *Andie 04*, 2001. Tintenstrahldruck, 15,2 × 22,9 (6 × 9). © Charles Cohen, 2001. **29** Alexunder Apostol, *Residente Pulido: Royal Copenhague*, 2001. Digitale Farbfotografie, 200 × 150 (79 × 59). Mit Genehmigung des Künstlers und Sicardi Gallery, Houston. **30** Alexunder Apostol, *Residente Pulido: Rosenthal*, 2001. Digitale Farbfotografie, 200 × 150 (79 × 59). Mit Genehmigung des Künstlers und Sicardi Gallery, Houston. **31, 32** Paul M. Smith, aus der Serie *Action*, 2000. Ausgestellt als an der Decke montierte Dias in Leuchtkasten. Zwei Größen 125 × 155 (49½ × 61) und 100 × 125 (39⅜ × 49½). Zwei Versionen von fünf. Mit Genehmigung Robert Sundelson Gallery, London. **33** Paul M. Smith, aus der Serie *Artists Rifles*, 1997. Ausgestellt als gerahmte Farbdrucke, 90 × 60 (35⅜ × 23⅝). Mit Genehmigung Robert Sundelson Gallery, London. **34** Gerald van der Kaap, *12th of Never*, c. 1999. Cibachrome-Druck/Dibond/Plexiglas/Holz, Edition in drei Versionen, 125 × 156 (49½ × 61⅜). Mit Genehmigung TORCH Gallery, Amsterdam. **35** Craig Kalpaljian, *Corridor*, 1997. Cibachrome-Druck, 76,2 × 101,6 (30 × 40). Mit Genehmigung Undrea Rosen Gallery, New York. **36** Joseph Scheer, *Arctia Caja Americana*, 2001. Irisdrucke, 86,4 × 116,8 (34 × 46). Digitale Scans mit Genehmigung Joseph Scheer. **37** Joseph Scheer, *Ctenucha Virginica*, 2001. Irisdrucke, 86,4 × 116,8 (34 × 46). Digitale Scans mit Genehmigung Joseph Scheer. **38** Jospeh Scheer, *Zeuzera Pyrina*, 2001. Irisdrucke, 86,4 × 116,8 (34 × 46). Digitale Scans mit Genehmigung Joseph Scheer. **39** Peter Campus, *Mere*, 1994. Gerahmter Cibachrome-Druck von einer digitalen Datei , 74,1 × 107,8 (29 5/16 × 42 7/16). Mit Genehmigung Peter Campus. **40** Oliver Wasow, *Untitled #339*, 1996. C-Print, mit Genehmigung Janet Borden, Inc., New York. **41** Daniel Canogar, *Horror Vacui*, 1999. Digitaldruck auf Papier, Papier, verschiedene Formate, Auflage: 10. Mit Genehmigung Galeria Helga de Alvear, Madrid. **42** Daniel Canogar, *Digital Hide 2*, 2000. Digitaldruck auf Papier, 75 × 75 (29½ × 29½), Auflage: 5. Mit Genehmigung Galeria Helga de Alvear, Madrid. **43** Dieter Huber, *Klone #100*, 1997. Computergeneriertes Foto/Diasec, 125 × 110 (49½ × 43½). 1000Eventi, Milan. **44** Dieter Huber, *Klone #76*, 1997. Computergeneriertes Foto/Diasec, 125 × 165 (49½ × 65). 1000Eventi, Milan. **45** Dieter Huber, *Klone #117*, 1998–99. Computergeneriertes Foto/Diasec, 90 × 150 (35⅜ × 59). Galerie Nusser & Baumgart, Munich. **46** William Latham, *HOOD2*, 1995. Computerprogramm. © William Latham. **47** William Latham, *SERIOA2A*, 1995. Computerprogramm. © William Latham. **48** Undreas Müller-Pohle, *Digital Scores III (after Nicéphore Niépce)*, 1998. Iris-Tintenstrahldruck, jeweils acht Platten, 66 × 66 (26 × 26). Produktion Artificial Image, Berlin. © Undreas Müller-Pohle, Berlin/ Göttingen. **49** Undreas Müller-Pohle, *Face Code 2134* (Kyoto), 1998–99. Iris-Tintenstrahldruck, 60 × 80 (23⅝ × 31½). Produktion Artificial Image, Berlin. © Undreas Müller-Pohle, Berlin/Göttingen. **50** Undreas Müller-Pohle, *Blind Genes, IV_28_AF254868, 2002* (Detail). Digitaler Lambda-Print. Cibachrome auf aluminium unter Acrylicglas, 95 × 100 (37⅜ × 39⅜). Produktion CCS, Berlin. © Undreas Müller-Pohle, Berlin/Göttingen. **51** Warren Neidich, *Conversation Map (I worked on my film today. Are you dating someone now?)*, 2002. Leuchtkasten, 76,2 × 101,6 (30 × 40). **52** Warren Neidich, *Conversation Map (I am love with him, Kevin Spacey)*, 2002. Leuchtkasten, 76,2 × 101,6 (30 × 40).

53 Casey Williams, *Tokyogaze III*, 2000. Tintenstrahldruck auf Stoff, 203,2 × 101,6 (80 × 40). Mit Genehmigung des Künstlers und The Barbara Davis Gallery, Houston. **54** Ana Marton, *3x5*, 2000. Drei Rollen, digital gedruckt, 20,3 hoch × 152,4 lang (8 hoch × 60 lang), jede Rolle mit fünf Fotos. Mit Genehmigung Ana Marton. **55** Carl Fudge, *Rhapsody Spray 1*, 2000. Siebdruck, Auflage: 6, 133,4 × 152,4 (52 ½ × 62½). Mit Genehmigung Ronald Feldman Fine Arts, New York. Foto Hermann Feldhaus. **56** Chris Finley, *Goo Goo Pow Wow 2*, 2001. Email auf Leinwand auf Holz, 121,9 × 243,8 (48 × 96). Mit Genehmigung des Künstlers und Rena Bransten Gallery, San Francisco. **57** Joseph Nechvatal, *the birth Of the viractual*, 2001. Acrylic auf Leinwand, 177,8 × 177,8 (70 × 70). Julia Friedman Gallery, Chicago. **58** Joseph Nechvatal, *vOluptuary drOid décOlletage*, 2002. Acryl auf Leinwand, 167,6 × 304,8 (66 × 120). Universal Concepts Unlimited, New York. **59** Jochem Hendricks, *EYE*, 2001 (Wochenend Entertainment Guide der The San Jose Mercury News), 52 Seiten, Auflage von 5.000 Exemplaren in 2003, veröffentlich vom San Francisco Museum of Modern Art, San Francisco 2001. *EYE* wurde publiziert vom San Francisco Museum of Modern Art, mit freundlicher Unterstützung von The San Jose Mercury News. **60** Jochem Hendricks, *Blinzeln*, 1992. Tinte auf Papier, 61 × 43 (24 × 16⅞). Sammlung Kasper König, Köln. **61** Jochem Hendricks, *Fernsehen*, 1992. Tinte auf Papier, 61 × 43 (24 × 16⅞). Sammlung Mr. und Mrs. Orloff, Frankfurt. **62a** Robert Lazzarini, *skulls*, 2000. Ansicht der Installtion in „Bitstreams", Whitney Museum of American Art, New York. Mit Genehmigung Whitney Museum of American Art, Foto John Berens. **62b** Robert Lazzarini, *skull*, 2000. Harz, Knochen, Pigment, 48,3 × 12,7 × 15,2 (19 × 5 × 6). Mit Genehmigung Whitney Museum of American Art, Foto John Berens. **62c** Robert Lazzarini, *skull*, 2000. Harz, Knochen, Pigment, 33 × 12,7 × 15,2 (13 × 5 × 6). Mit Genehmigung Whitney Museum of American Art, Foto John Berens. **63** Michael Rees, *Anja Spine Series 5*, 1998. Polycarbonat Kunstoff-Sinter, 50,8 (20) hoch. Prozess: Selective-Laser-Sintern. **64a** Michael Rees, *A Life Series 002*, 2002. Digitale Skulptur. **64b** Michael Rees, *A Life movie (monster Series)*, 2002. Digitale Animation. **65** Karin Sunder, *Bernhard J. Deubig 1:10*, 1999. Dreidimensionaler Körperscan der Originalperson, FDM (Fused Deposition Modelling), Rapid-Prototyping, ABS (Acrylonitrile – Butadiene – Styrene)-Plastic, Airbrush. Mit Genehmigung des Künstlers und D'Amelio Terras, New York.
66 Jim Campbell, *5th Avenue Cutaway #2*, 2001. Selbstproduzierte Elektroniken, 768 LEDs, Plexiglas, 60 × 80 × 5 (23⅝ × 31½ × 2). Mit finanzieller Unterstützung von The Daniel Langlois Foundation for Art, Science and Technology. Mit Genehmigung des Künstlers. **67** John F. Simon Jr, *Color Panel v1.0*, 1999. Software, Apple Powerbook 280c und Acryl, Auflage: 12, 34,3 × 26,7 × 7,6 (13 ½ × 10 ½ × 3). Mit Genehmigung des Künstlers und Sundra Gering Gallery, New York. **68** Jeffrey Shaw, *The Legible City (Manhattan)*, 1989. Digitale Installation. Mit Genehmigung des Künstlers. **69** Jeffrey Shaw, *The Distributed Legible City*, 1998. Digitale Installation. Mit Genehmigung des Künstlers. **70a** Rafael Lozano-Hemmer mit Will Bauer und Susie Ramsay, *Displaced Emperors (Relational Architecture #2)*, 1997. Intervention im Habsburgerschloss in Linz, Österreich. Foto Dietmar Tollerind. **71** Rafael Lozano-Hemmer, *Vectorial Elevation (Relational Architecture #4)*, 2002. Neue Version der telematischen Installation für den Artium Square in Vitoria, Baskenland. Lichtskulpturen, von den Teilnehmern im Netz vorgeschlagen und von 18 Roboter-Suchschweinwerfern in den Himmel gestrahlt. Die Webseite www.alzado.net enthält alle archivierten Designs. Foto David Quintas. **72** Erwin Redl, *Shifting, Very Slowly*, 1998–99. Computerkontrollierte LED-Lichtinstallation, Ausstellungsfoto, 444, Apex Art, New York, 1219,2 × 762 × 487,7 (40 ft × 25 ft × 16 ft). Mit Genehmigung Erwin Redl.

73 Erwin Redl, *MATRIX IV*, 2001. LED-Lichtinstallation, Ausstellungsfoto, „Creative Time – Massless Medium: Explorations in Sensory Immersion", Brooklyn Anchorage, Brooklyn, New York, 1524 × 1524 × 609 (50 ft × 50 ft × 20 ft). Mit Genehmigung Erwin Redl. **74** Asymptote, *Fluxspace 3.0 Mscape City*, 2002. Digitale Installation. Foto Christian Richters. **75** Masaki Fujihata, *Global Interior Project*, 1996. Interactive digitale Installation. Masaki Fujihata und Keio University. **76a, b** *Polar*, Artlab 10, Hillside plaza, Tokyo, Marko Peljhan in Zusammenarbeit mit Carsten Nicolai, 2000. **77** Jesse Gilbert, Helen Thorington und Marek Walczak mit Hal Eager, Jonathan Feinberg, Mark James und Martin Wattenberg, *Adrift*, 1997–2001. Multimedia Installation. Bilder von *Adrift* (2000) von Helen Thorington und Marek Walczak. **78** Knowbotic Research, *Dialogue with the Knowbotic South*, 1994–97. Interaktive digitale Installation. **79** Knowbotic Research, *10_dencies*, 1997–99. Interaktive digitale Installation und Webseite. **80** Perry Hoberman, *Cathartic User Interface*, 1995/2000. Digitale Installation. **81** Perry Hoberman, *Bar Code Hotel*, 1994. Interaktive digitale Projektion. **82** Perry Hoberman, *Timetable*, 1999. Interaktive digitale Projektion. **83** Bill Seaman mit Gideon May, *The World Generator/The Engine of Desire* (Details erzeugt mit VR-Installation), seit ca. 1995. Interaktive digitale Projektion. Teilweise gefördert von der Australian Film Commission.
84 Bill Seaman mit Gideon May, *The Hybrid Invention Generator* (Details), ca. 2002. Interaktive digitale Projektion. Gefördert von Intel. **85** Jeffrey Shaw, *The Golden Calf*, 1994. Virtuelle Installation. Mit Genehmigung des Künstlers. **86** Michael Naimark, *Be Now Here*, 1995–97. Interaktive digitale Projektion. Foto Composite Ignazio Morresco. **87** Jeffrey Shaw, *Place, a user's manual*, 1995. Interaktive digitale Projektion. Mit Genehmigung des Künstlers. **88** Luc Courchesne, *The Visitor – Living by Numbers*, 2001. Interaktive digitale Projektion. Foto Richard-Max Tremblay. **89** Rafael Lozano-Hemmer, *Body Movies (Relational Architecture #6)*, 2001. Installation auf dem Schouwburg Square in Rotterdam mit über 1.200 Quadratmeter interaktiver Projektionen. Foto Arie Kievit. **90** Jennifer und Kevin McCoy, *Every Shot Every Episode*, 2001. Skulptur aus verschiedenen Medien mit Elektronik, selbstproduzierter Videowiedergabe, 40,6 × 50,8 × 5,1 (16 × 20 × 2) mit 275 Videodiscs, Auflage: 4 + AP. Mit Genehmigung Postmasters Gallery, New York. **91** Jennifer und Kevin McCoy, *How I learned*, 2002. Skulptur aus verschiedenen Medien mit Elektronik, 91,4 × 142,2 × 17,8 (36 × 57 × 7), Auflage: 4 + AP. Mit Genehmigung Postmasters Gallery, New York. **92** Jim Campbell, *Hallucination*, 1988–90. Video-Installation. Mit Genehmigung des Künstlers. **93** Wolfgang Staehle, *Empire 24/7*, 2001. Video-Installation. Mit Genehmigung des Künstlers. **94** Grahame Weinbren, *Sonata*, 1991–93. Video Screengrab von Sonata. © Grahame Weinbren. **95** Toni Dove, Standbilder des Projekts *Artificial Changelings*, 1998. Interaktive digitale Projektion. Mit Genehmigung Toni Dove, Bustlelamp Productions, Inc. **96** Toni Dove, Standbilder des Projekts *Spectropia* (work in progress), 1999–2002. Interaktive digitale Projektion. Mit Genehmigung Toni Dove, Bustlelamp Productions, Inc. **97** David Blair, *WAXWEB*, 1993. Interaktiver Online-Spielfilm. Mit Genehmigung David Blair.
98 Nick Crowe, *Discrete Packets*, 2000. Interaktive Webseite. Mit Genehmigung Nick Crowe. **99** Philippe Parreno und Pierre Huyghe, *No Ghost, Anywhere out of the World*, 2000. Digitale Animation. Mit Genehmigung Air de Paris. **100** Olia Lialina, *My Boyfriend Came Back from the War*, 1996. Interaktive Webseite. Mit Genehmigung Olia Lialina. **101** Jon Ippolito, Janet Cohen, und Keith Frank, *The Unreliable Archivist*, 1998. Interaktive Webseite. Mit Genehmigung der Künstler. **102** Thomson & Craighead, *CNN Interactive Just Got More Interactive*, 1999. Interaktive Installation und Webseite. Mit Genehmigung Mobile Home, London.

103 I/O/D, *Webstalker*, seit 1997. Alternativer Webbrowser. **104** Maciej Wisniewski, *netomat*™, 1999. Alternativer Webbrowser. Mit Genehmigung des Künstlers. **105** Mark Napier, *Riot*, 1999. Alternativer Webbrowser. www.potatolund.org/riot. **106** Adriene Jenik, Lisa Brenneis und die Desktop Theater Troupe, *Desktop Theater*, seit 1997. Interaktive Webseite. Produktion waitingforgodot.com, erstmals zugänglich bei der Second Annual Digital Storytelling Conference, September 1997. Didi: Lisa Brenneis, Gogo: Adriene Jenik, Extras: The Palacians, Grafik: Adriene Jenik und Lisa Brenneis, BG Grafik: Jim Bumgarten, Bildschirmdarstellung: Lisa Brenneis, 1997. **107** tsunamii.net, *alpha 3.4*, 2002. Multimedia-Installation. Foto Werner Maschmann. **108** James Buckhouse in Zusammenarbeit mit Holly Brubach, *Tap*, 2002. Szene eines Tänzers von Tap auf einem PDA. **109a** Charlotte Davies, *Ephémère*, 1998. Shadow Screen. **109b** Charlotte Davies, *Tree Pond*. Digitaler Frame, erfasst in Echtzeit durch HMD während der Liveperformance einer immersiven Virtual-Reality-Umgebung, *Osmose*, 1995.
109c Charlotte Davies, *Forest Grid*. Digitaler Frame erfasst in Echtzeit durch HMD während der Liveperformance einer immersiven Virtual-Reality-Umgebung, *Osmose*, 1995. **110a** Charlotte Davies, *Summer Forest*. Erfasst in Echtzeit durch HMD während der Liveperformance einer immersiven Virtual-Reality-Umgebung, *Ephémère*, 1998.
110b Charlotte Davies, *Seeds*. erfasst in Echtzeit durch HMD während der Liveperformance einer immersiven Virtual-Reality-Umgebung, *Ephémère*, 1998. **111** Jeffrey Shaw, *EVE*, 1993. Interaktive Virtual-Reality-Umgebung. Mit Genehmigung des Künstlers. **112** Agnes Hegedüs, *Memory Theater VR*, 1997. Interaktive Umgebung. © Agnes Hegedüs, Media Museum, ZKM Zentrum für Kunst und Medientechnologie, Karlsruhe. **113** Tamiko Thiel und Zara Houshmund, *Beyond Manzanar*, 2000. Interaktive digitale Projektion. © 2000 Tamiko Thiel und Zara Houshmund. **114** Peter d'Agostino, *VR/RV: A Recreational Vehicle in Virtual Reality*, 1993. Sammlung des Künstlers. © 1993, Peter d'Agostino. (Videoversion vertrieben durch Electronic Arts Intermix, New York, © 1994). **115** Golan Levin, *Scribble*, 2000. Audio-visualle Performance auf der Ars Electronica 2000 durchgeführt mit selbsterstellter Software von Golan Levin. Performers (von links nach rechts): Scott Gibbons, Gregory Shakar, Golan Levin. Foto Pascal Maresch. **116** John Klima, *Glasbead*, 1999. Multiuser-Musik-Interface. Mit Genehmigung Postmasters Gallery, New York. **117** Golan Levin, *Telesymphony*, 2001. Erstes Konzert aufgeführt bei der Ars Electronica 2001. Performers (von links nach rechts): Gregory Shakar, Scott Gibbons, Golan Levin. Foto Pascal Maresch. **118** Chris Chafe und Greg Niemeyer, *Ping*, 2001. Digitale Klang-Installation. © Chris Chafe und Greg Niemeyer, 2001. **119** Toshio Iwai, *Piano – as image media*, 1995. Digitale Klang-Installation. Proudziert beim „Artist in Residence program" des Institutes für Bildmedien, ZKM Zentrum für Kunst und Medientechnologie, Karlsruhe. © 1995 Toshio Iwai. **120** Karl Sims, Bilder von *Galápagos*, 1997. Interaktive digitale Installation.
121 Christa Sommerer und Laurent Mignonneau, *A-Volve*, 1994. Interaktive Computer-Installation. Gefördert von NTT-ICC Japan und NCSA, USA, © 1994. **122** Christa Sommerer und Laurent Mignonneau, *Life Spacies*, 1997. Online Umgebung zum Thema Künstliches Leben. Sammlung des NTT-ICC Museum, Japan, © 1997. **123** Christa Sommerer und Laurent Mignonneau, *Interactive Plant Growing*, 1992. Interaktive Computer-Installation. Sammlung des Medienmuseums, ZKM Zentrum für Kunst und Medientechnologie, Karlsruhe © 1992. **124** Thomas Ray, *Tierra*, 1998. Softwareprogramm. Mit Genehmigung Tom Ray. **125** Rebecca Allen, *Emergence: The Bush Soul (#3)*, 1999. Softwareprogramm. Rebecca Allen und das Emergence Team. **126** Kenneth Rinaldo, *Autopoesis*, 2000. Digitale Skulptur-Installation. Alien Intelligence exhibition, Museum of

Contemporary Art Kiasma, Helsinki, 2000. Foto Central Art Archives/Petri Virtanen, Eweis Yehia. **127** Ken Feingold, *Self-Portrait as the Center of the Universe*, 1998–2001. Silikon, Pigment, Fiberglas, Stahl, Elektronik, digitale Projektion, Marionetten, verschiedenen Größen. Mit Genehmigung Postmasters Gallery, New York. Foto Patterson Beckwith. **128** Ken Feingold, *Sinking Feeling*, 2001. Silikon, Pigment, Fiberglas, Stahl, Elektronik, digitale Projektion, 38,1 × 45,7 × 132,1 (15 × 18 × 52). Mit Genehmigung Postmasters Gallery, New York. **129** Ken Feingold, *If/Then*, 2001. Silikon, Pigment, Fiberglas, Stahl, Elektronik, 61 × 71,1 × 61 (24 × 28 × 24). Privatsammlung, USA. **130** David Rokeby, *Giver of Names*, seit 1991. Interaktive digitale Installation. Foto Robert Keziere. **131** Noah Wardrip-Fruin, Adam Chapman, Brion Moss, und Duane Whitehurst, *The Impermanence Agent*, seit 1998. Software Agentenprogramm. The Impermanence Agent Project. **132** Robert Nideffer, *PROXY*, 2001. Software Agentenprogramm. Mit Genehmigung des Künstlers. **133** Ken Goldberg und Joseph Santarromana, *Telegarden*, 1995–2004. Interaktive telematische Installation, zugänglich unter http://telegarden.aec.at. Co-Directoren: Ken Goldberg und Joseph Santarromana. Projektteam: George Bekey, Steven Gentner, Rosemary Morris, Carl Sutter, Jeff Wiegley, Erich Berger. Foto Robert Wedemeyer. **134** Ken Goldberg, *Mori*, seit 1999. Internet-basiertes Erdwerk. Projektteam: Ken Goldberg, Rundall Packer, Gregory Kuhn, und Wojciech Matusik. Foto Takashi Otaka. **135** Eduardo Kac, *Teleporting an Unknown State*, 1994–96. Interaktives biotelematisches Werk im Internet. Mit Genehmigung Julia Friedman Gallery, Chicago. **136** Masaki Fujihata, *Light on the Net*, 1996. Interaktive digitale Skulptur und Webseite. Masaki Fujihata, Keio University und Softopia, Gifu. **137** Eduardo Kac, *Uirapuru*, 1996–99. Interaktives Telepresänz-Werk im Internet. Mit Genehmigung Julia Friedman Gallery, Chicago. **138** Eduardo Kac, *Rara Avis*, 1996. Interaktives Telepresänz-Werk im Internet. Mit Genehmigung Julia Friedman Gallery, Chicago. **139** Eric Paulos und John Canny, *PRoP*, seit 1997. Eine von verschiedenen Versionen (1997–2002) eines Personal Roving Presence (PRoP)-Systems, das Tele-Embodiment ermöglicht, www.prop.org. **140** ParkBench (Nina Sobell und Emily Hartzell), *VirtuAlice: Alice Sat Here*, 1995. Interaktive Roboter-Installation. David Bacon, Fred Hansen, Toto Paxia. Dank an NYU CAT LAB. **141** Adrianne Wortzel, *Camouflage Town*, 2001. Telerobotik-Installation. Auftragsarbeit für das Whitney Museum of American Art. Entwickelt bei The Cooper Union for the Advancement of Science and Art mit einem Stipendium der National Science Foundation (Grant No. DUE 9980873) und Unterstützung von der NSF Gateway Engineering Education Coalition at Cooper Union. **142** Lynn Hershman, *Tillie, the Telerobotic Doll*, 1995–98. Interaktive Roboter-Installation und Webseite. Mit Genehmigung Lynn Hershman. **143** Steve Mann, *Wearable Wireless Webcam*, seit 1980. Gerät und Webseite für drahtlose Telepräsenz. **144** Tina LaPorta, *Re:mote_corp@REALities*, 2001. Webseite. **145** Stelarc, *Exoskeleton*, 1999. Event für erweiterteten Körper und Laufmaschine. Cyborg Frictions, Dampfzentrale Bern, 1999. Roboter-Konstruktion, F18, Hamburg, Programmierung, Lars Vaupel. Gefördert von SMC Pneumatics (Österreich und Deutschland). Foto Dominik Lundwehr. **146** Stelarc, *Ping Body*, 1996. Internetaktiviert/ hochgeladen. „Digital Aesthetics", Artspace, Sydney, 10 April 1996. Diagramme, Štelarc, Tongestaltung, Rainer Linz, Melbourne, Internet Software-Interface, Gary Zebington, Dimitri Aronov und the Merlin Group, Sydney. **147** Victoria Vesna, *Bodies, Inc.*, 1995. Interaktive Webseite. Mit Genehmigung Victoria Vesna. **148** Monika Fleischmann, Wolfgang Strauss und Christian-A Bohn, *Liquid Views*, 1993. Interaktive digitale Skulptur. Christian-A Bohn. **149** Eduardo Kac, *Time Capsule*, 1997. Interaktives biotelematisches Werk im Internet und Live-Fernsehen. Mit Genehmigung Julia Friedman Gallery, Chicago. **150** Stahl Stenslie, *The First Generation Inter_Skin Suit*, 1994. Interaktive Installation. © Stahl Stenslie, 1994. **151** Kazuhiko Hachiya, *Inter Discommunication Machine*, 1993. Interaktive Installation. Foto Kurokawa Mikio. **152** Scott Snibbe, *Boundary Functions*, 1998. Interaktive Installation. Foto mit Genehmigung Scott Snibbe. **153** Marek Walczak und Martin Wattenberg, Apartment, 2001. Interaktive digital installation. Von Marek Walczak und Martin Wattenberg, mit ergänzender Programmierung durch Jonathan Feinberg. **154** Benjamin Fry, *Valence*, 1999. Datenvisualisierungssoftware. MIT Media Laboratory, Aesthetics + Computation Group © 1999–2003. **155** W. Bradford Paley, *TextArc*, 2002. Datenvisualisierungssoftware. www.textarc.org. **156** George Legrady, *Pockets Full of Memories*, 2001. Installation und Webseite, Centre Pompidou, Paris, 2001. Foto George Legrady http://pocketsfullofmemories.com. **157a** Alex Galloway und RSG, *Carnivore: amalgatmosphere*, seit 2001. Datenvisualisierungssoftware. Mit Genehmigung Josh Davis und Alex Galloway. **157b** Alex Galloway und RSG, *Carnivore: Black und White*, seit 2001. Datenvisualisierungssoftware. Mit Genehmigung Mark Napier und Alex Galloway. **157c** Alex Galloway und RSG, *Carnivore: Guernica* von Entropy8Zuper!, seit 2001. Datenvisualisierungssoftware. Mit Genehmigung Entropy8Zuper! (Michaël Samyn und Auriea Harvey), http://entropy8zuper.org/guernica und Alex Galloway. **158** Lisa Jevbratt/C5, *1:1*, 1999–2001. Datenvisualisierungssoftware. Mit Genehmigung Lisa Jevbratt/C5. **159** Nancy Paterson, *Stock Market Skirt*, 1998. Multimedia-Skulptur. Mit Genehmigung der Künstlerin. **160** John Klima, *ecosystm*, 2000. Datenvisualisierungssoftware. Mit Genehmigung Postmasters Gallery New York. **161** Lynn Hershman, *Synthia*, 2001. Multimedia-Skulptur. Mit Genehmigung Lynn Hershman. **162** ART+COM, *TerraVision*, seit 1994. Visuelle Präsentation, ART+COM AG, seit 1994. **163** John Klima, *Earth*, 2001. Geospatiales Visualisationssystem. Mit Genehmigung Postmasters Gallery, New York. **164** ART+COM, *Ride the Byte*, 1998. Interaktive Installation, ART+COM, AG, 1998. **165** Warren Sack, *Images from the Conversation Map*, seit 2001. Browser zur Kartierung von Kommunikation. © 2001 Warren Sack. **166** Judith Donath und Fernunda B. Viégas, *Chat Circles*, 1999. Browser zur Kartierung von Kommunikation. *Chat Circles* wurde geschaffen von Judith Donath, Fernunda B. Viégas und der Sociable Media Group am MIT Media Lab. © 1999 MIT Media Lab. **167** Masaki Fujihata, *Beyond Pages*, 1995. Interaktive Installation. Mit Genehmigung Masaki Fujihata. **168** Camille Utterback und Romy Achituv, *Text Rain*, 1999. Interaktive Installation. **169** John Maeda, *Tap, Type, Write*, 1998. Reaktive Grafiken. Mit Genehmigung des Künstlers. **170** David Small, *Talmud Project*, 1999. Virtueller Leseraum. **171** David Small und Tom White, *Stream of Consciousness/Interaktive Poetic Garden*, 1998. Mulitmedia-Installation. © Webb Chappell. **172** Harwood, *Rehearsal of Memory*, 1996. CD-ROM. Mit Genehmigung Harwood. **173** Jim Gasperini Tennessee und Rice Dixon , *ScruTiny in the Great Round*, 1996. CD-ROM. Musik: Charlie Morrow. www.thing.net/~relay/scrutiny/ index.html. **174** Natalie Bookchin, *The Intruder*, 1999. Online-Spiel. © Natalie Bookchin. **175** Natalie Bookchin, *Metapet*, 2002. Online-Spiel. © Natalie Bookchin. **176** Cory Arcangel, *Lundscape Study #4, Nes Home Movies. 8 bit lundscape studies*, 2002. Musik: Paul Davis. Gefördert von Harvestworks, ermöglicht durch öffentliche Mittel des New York State Council of the Arts. **177** Jodi, *SOD*, 1999. Online-Spiel. Mit Genehmigung Jodi. **178** Feng Mengbo, *Q4U*, 2002. Online-Spiel. Mit Genehmigung des Künstlers. **179** Anne-Marie Schleiner, Joan Leundre und Brody Condon, *„Shoot Love Bubbles"* aus *Velvet-Strike*, 2002. Online-Spiel. **180** Josh On, *They Rule*, 2001. Diagramm eines Besuchers von www.theyrule.net, die es den Nutzern ermöglicht, weitere Diagramme der Verbindungen zwischen den Fortune 100-Unternehmen des Jahres 2001 zu erstellen. **181** Antonio Muntadas, *The File Room*, 1994. Installation im Chicago Cultural Center, Chicago. **182** etoy, *Share-certificates, etoy CORPORATION*, 1999, etoy CORPORATION, #124. Mit Genehmigung etoy. SHAREHOLDER Richard Zach. **183** 0100101110101101.org, http://0100101110101101.org, 2002. No Copyright 2002 0100101110101101.org. **184** Eduardo Kac, *Genesis*, 1999. Interaktives transgenes Werk im Internet. Mit Genehmigung Julia Friedman Gallery, Chicago. **185** Natalie Jeremijenko, *OneTrees*, 2000. Installation mit geklpnten Bäumen. **186** Marina Zurkow, Scott Paterson und Julian Bleecker, *PDPal*, 2003. Quicktime-Film auf dem Panasonic Astrovision screen, Times Square, New York. Mit Genehmigung des Künstlers. Foto © 2003 Cameron Wittig. **187** Q. S. Serafin mit Lars Spuybroek, *D-tower*, 1998–2004. Illuminierte Epoxidharzstruktur, Fragebogen und Webseite. Mit Genehmigung der Künstler. **188** Julian Bleecker, *WiFi.ArtCache*, 2003. Gerätespezifische Hardware und digitale Medien. © 2003 Julian Bleecker, nearfuturelaboratory.com. **189** Teri Rueb, *Core Sample*, 2007. GPS-basierender interaktiver Klangspaziergang (Spectacle Islund, Boston Harbor), mit korrespondierender Klangskulptur (ICA Boston, Founders Gallery), 1200 × 40 (304,8 × 101,6), Aluminium, Stahl, elektronische Komponenten. Tongestaltung: Ean White und Peter Segerstrom. Mit Genehmigung des Künstlers. **190** C5, *Lundscape Initiative*, seit 2001. Medien-Installation mit Informationsvisualisierung, Datenbankverarbeitung, Skulptur und Videoprojektion. C5 Corporation: Joel Slayton, Amul Goswamy, Geri Wittig, Brett Stalbaum, Jack Toolin, Bruce Gardner und Steve Durie. **191** Usman Haque, *Sky Ear*, 2004. Heliumballons, Infrarot-Sensoren und LEDs. Usman Haque/Haque Design + Research Ltd. **192** Rafael Lozano-Hemmer, *Amodal Suspension*, 2003. Projekt für die Eröffnung des Yamaguchi Center for Art und Media, Japan, mit von Robotern kontrollierten Suchscheinwerfern, Mobilgeräten und Webseite, zugänglich auf at www.amodal.net. Foto Archi Biming. **193** Giselle Beiguelman, *Sometimes Always/Sometimes Never*, 2005. Mobiltelefon, Bluetooth, Bildschirm, verschiedene Größen. Mit Genehmigung ZKM (Medien Museum). www.desvirtual.com. **194** Jenny Marketou, *Flying Spy Potatoes: Mission 21st Street*, Öffentliches Spiel, Poster mit Super Agents, Eyebeam, 2005. Fotos des öffentlichen Spiels mit aufgeblasenen roten Wetterballons und drahtlosen Überwachungskameras. Poster-Design Nunny Kim. Mit Genehmigung der Künstlerin. **195** Michelle Teran, *Life: A User's Manual (Berlin Walk)*, 2003. Videoscanner, Batterie, Antenne, gefundene Materialien. Auftragsarbeit für das Transmediale05 Festival. **196** Michelle Teran, *Life: A User's Manual (Linz Walk)*, 2005. Videoscanner, Batterie, Antenne, gefundene Materialien. Auftragsarbeit für die Ars Electronica Festival, 2005. **197** Ricardo Mirunda Zúñiga, *Public Broadcast Cart*, 2003–06. Einkaufswagen mit dynamischem Mikrophon, Mischpult, Verstärker, sechs Lautsprechern, Mini FM-Transmitter und Laptop mit WLAN-Karte. Produziert von Ricardo Mirunda Zúñiga, unterstützt von Franklin Furnace und thing.net. **198** Marko Peljhan, *Makrolab*, markIIex Campalto Operations, Venedig Biennale, Campalto Islund, Venedig, Juni bis November 2003. Mobile Performance und tactical media-Umgebung. Mit Genehmigung des Künstlers. **199** Natalie Jeremijenko, *The Antiterror Line*, 2003–04. Vernetzte Mikrophone und Datenbank. Mit Genehmigung des Künstlers. **200** Konrad Becker und Public Netbase mit Pact System, *System-77 CCR*, SPECTRAL-SYSTEM TYO ON 2005, Open Nature, NTT-ICC, Tokyo, 2005. Überwachungs- und Tracking-Technologien. Mit Genehmigung der Künstler. **201** Preemptive Media, *Zapped!*, 2006. Workshops, Geräte und Aktivitäten. Mit Genehmigung der Künstler. **202** Eric Paulos, *Participatory Urbanism*, seit 2006. Vernetzte mobile Personenmessgeräte. Mit

Genehmigung des Künstlers. **203** Gabriel Zea, Undres Burbano, Camilo Martinez und Alejundro Duque, *BereBere*, 2007. Drahtlose Geräte, Video- und Audio-Systeme, Sensoren, GPS. Mit Genehmigung der Künstler. **204** Beatriz da Costa mit Cina Hazegh und Kevin Pronto, *PigeonBlog*, 2006. Hybride Medien. Mit Genehmigung der Künstlerin. Foto © Susanna Frohman/San Jose Mercury News. Alle Rechte vorbehalten. **205** Golan Levin mit Kamal Nigam und Jonathan Feinberg, *The Dumpster*, 2006. Interaktives Online Java-Applet, 640 × 480 Pixel. Mit Genehmigung der Künstler, Whitney Artport und Tate Online. **206** Antonio Muntadas, *On Translation: Social Networks*, 2006. Verschiedene Medien, verschiedene Größen. Mit Genehmigung des Künstlers (zusammen mit CADRE SJSU). **207** Warren Sack, *Agnostics: A Language Game*, 2005. Jpeg-Screenshot. Mit Genehmigung des Künstlers. **208** Annina Rüst, *Sinister Social Network*, 2006. Web, IRC und VoIP-Software Art und Installation. Mit Genehmigung der Künstlerin. **209** Angie Waller, *myfrienemies.com*, 2007. Bildschirmkopie, Webseite. Mit Genehmigung der Künstlerin. **210** Donato Mancini und Jeremy Owen Turner mit Patrick „Flick" Harrison (536 Arts Collective), *AVATARA: Portrait of VanGo at Baby's Pool*, 2003. DVD, 72 Minuten. **211** Donato Mancini und Jeremy Owen Turner mit Patrick „Flick" Harrison (536 Arts Collective), *AVATARA: Fast Eddie Interview von Kalki beim Ozgate Entrance*, 2003. DVD, 72 Minuten. **212** Eva und Franco Mattes (aka 010010111010101.org), *Annoying Japanese Child Dinosaur*, Tohru Kanami, 2006. Digitaldruck auf Leinwand, 91,4 × 121,9 (36 × 48). Mit Genehmigung der Künstler. **213** Eva und Franco Mattes (aka 010010111010101.org), *13 Most Beautiful Avatars, Nyla Cheeky*, 2006. Digitaldruck auf Leinwand, 91,4 × 121,9 (36 × 48). Mit Genehmigung der Künstler. **214** Will Pappenheimer und John Craig Freeman, *Virta-Flaneurazine-SL ©*, 2007. Digitales Standbild, 1425 × 1012 pixels. Will Pappenheimer und John Craig Freeman, Rhizome Commissions 2007. **215** Goldin + Senneby, *Objects of Virtual Desire: Jade Lily's <3> Choker*, 2005. Kette aus oxidiertem Silber mit 63 roten Spinellen und grünem Plexiglas, 11,5 (4 ½) Durchmesser. Projekt von Goldin + Senneby, Design von Jade Lily, Reproduktion von Malena Ringsell. **216** Goldin + Senneby, *Objects of Virtual Desire: Cubey Terra's Penguin Ball*, 2005. Aufblasbare PVC-Bälle mit aufblasbaren Pinguinen innen, 200 (78⅝) Durchmesser. Project von Goldin + Senneby, Design von Cubey Terra. **217** eteam, *Second Life Dumpster*, 2007. 300 dpi-Standbild, 15 × 9,17 (5⅞ × 3⅝). eteam, *Second Life Dumpster*-Projekt beauftragt von den Rhizome Commissions 2007–08. **218** Eva und Franco Mattes (aka 010010111010101.org), *Reenactment of Joseph Beuys' 7000 Oaks*, 2007. Synthetische Performance in *Second Life*. Mit Genehmigung der Künstler. **219** Second Front, *Spawn of the Surreal*, 2007. Digitales Standbild. Mit Genehmigung der Künstler. **220** Second Front, *Border Patrol*, 2007. Digitales Standbild. Mit Genehmigung der Künstler und Marcos Cadioli.

Index